Verhalen uit het gekkenhuis

J.M.A. BIESHEUVEL

Verhalen uit het gekkenhuis

UITGEVERIJ BROOKLYN

Eerste druk, september 2018
Tweede druk, oktober 2018
Derde druk, oktober 2018
Vierde druk, december 2018
Vijfde druk, december 2018

Omslagontwerp Claudia Claas/Valetti
Foto's auteur Gerard in 't Veld, 23 mei 2018, Rivierduinen
Omslagillustratie Kees Broos, stills uit een film, Endegeest 1966
Typografie binnenwerk Sander Pinkse Boekproductie

ISBN 978 94 92754 05 9
NUR 303

www.uitgeverijbrooklyn.nl

Inhoud

Bij wijze van inleiding

'Het afgelopen jaar ging het niet goed met Maarten. Daarvoor was het sowieso al een tumultueuze tijd met veel ongeremd gedrag dat alle kanten op ging. Onvoorspelbare dingen lagen altijd op de loer. Hij heeft daar in een aantal verhalen die voor het eerst in dit boek verschijnen over geschreven. Gek genoeg is zo'n echte crisis altijd vlak voor het weekend, of als het vollemaan is. En anders wel als de nachtdiensten van het verplegend personeel net zijn begonnen. Er is vorig jaar 's nachts ook een keer een psychiater uit Amsterdam langs geweest, we kenden hem nog niet. Die zei al meteen: "Ik zou me maar laten opnemen." We zijn toen ook wel naar de inrichting gegaan maar Maarten besloot uiteindelijk om weer gewoon mee naar huis te gaan. Wel met het voornemen om de volgende dag weer even langs te gaan, maar dat gebeurde dan toch niet.

Niettemin is hij twee keer opgenomen, eerst in oktober vorig jaar en dit voorjaar opnieuw. Die eerste keer was een gedwongen opname, het ging echt niet goed met hem.

Na vijf maanden mocht hij naar huis. Maar na een week of zes is hij opnieuw opgenomen. De nieuwe medicatie die hij had gekregen en waar hij baat bij had, werkte niet meer. Het is met Maarten eigenlijk een voortdurend zoeken naar de juiste medicatie, het is allemaal een kwestie van chemie in de hersenen.

Na verloop van tijd mocht hij elke middag even naar huis. Dat hebben ze na enige tijd weer teruggeschroefd; het werd te veel een gewoonte terwijl het iets leuks zou moeten zijn, iets om naar uit te kijken. Nu komt hij drie middagen per week naar huis en 's zondags blijft hij ook eten. Dan laat ik sudderlapjes maken, daar is hij zo dol op. De andere dagen ga ik bij hem op bezoek.

En de laatste berichten zijn dat hij binnenkort misschien weer gewoon thuis mag komen wonen. We weten nu nog niet wanneer dat ingaat.

Je merkt uit deze beschrijving wel dat het voortdurend op en af gaat. Dat hebben we ons hele leven gehad: op het moment dat je denkt dat alles onder controle is gebeurt er weer iets waardoor alles uit balans raakt. Ons leven is erg onvoorspelbaar.

Af en toe schrijft hij mij uit het gekkenhuis briefjes. Dit bijvoorbeeld:

Leyde 2017
Lieve Eva,
Het gaat nu veel beter met me. Take every day I
or II showers, douches. Ik zal boodschappen voor
je doen en ga om tien uur 's avonds naar bed. Om
tien uur naar bed. Televisie liefst weg. De klok, Eva
Tiktaktiktaktiktak. Darling, haal me hier gauw weg. Ik
houd het niet uit.
Je Maarten
Ik houd het hier niet uit!

En de volgende heeft hij aan een andere patiënt gedicteerd maar wel zelf ondertekend:

26 mei 2018, 26-V-2018
Lieve Eva,
Gisteren heb ik u gemist. Toch hoop ik dat u een leuke
dag heeft gehad zonder mij. Kom gauw terug naar mij.
U bent de liefste vrouw van de wereld. Ik ben zo blij dat
ik u heb leren kennen. Ik kan mij nog goed herinneren
de dag dat ik u zag in Schiedam. Ik was in één opslag
verliefd! Eigenlijk ben ik nog steeds verliefd...
Liefs,
Je Martientje!

29 mei 2018, Leiden
Lieve Eva,
Vandaag vond ik het heel erg leuk dat u mij al om
13 uur kwam opzoeken. U bent een hele sterke,
intelligente en mooie vrouw. Ik ben trots dat ik u de
mijne mag noemen en u blijft altijd met beide benen op
de grond staan!!!
Kraai goed gegeten en gedronken!
Cijfer: 10
J.M.A. Biesheuvel

Eva: terra firma.

Lieve schat van mij,
Elke dag wacht ik met smart tot jij komt. De uren
gaan zo langzaam zonder jou. Konden ze jou maar
hier samen met mij opsluiten, dan zou ik nooit meer
eenzaam zijn. Je ziet er altijd zo mooi en beschaafd uit.
Na 60 jaar samen te zijn ben ik nog steeds verliefd op
jou. Sorry dat ik je nu alleen laat slapen. Houd nog even
vol lieve schat, ik ben gauw weer bij je...
Liefs,
J.M.A. Biesheuvel

Maarten en ik kennen elkaar nu zestig jaar. In 1958 wilde hij, na onder andere een jaar als ketelbink te hebben gevaren en in de haven te hebben gewerkt, het gymnasium afmaken en hij kwam toen bij mij om informatie over de school te vragen. Ik woonde bij hem om de hoek maar we hadden elkaar nog niet eerder ontmoet.

Maarten was altijd al anders dan anderen, maar niet ziekelijk anders. Hij had een eigenwijs karakter dat me erg aansprak. Je kon met hem lachen. Maar hij kon ook erg druk doen en nerveus zijn. Toen ik hem net leerde kennen – we waren negentien – ging hij nog naar catechisatie. Wel ging hij in die tijd steeds meer twijfelen. Nee, ik denk niet dat het geloof een grote rol heeft gespeeld bij z'n latere gekte.

Na het gymnasium is hij eerst in dienst gegaan. Daar is hij als gewoon soldaat doorheen gekomen, al deed hij alles fout en kreeg hij er vaak straf, moest de cel in. Hij heeft zichzelf de laatste drie maanden van zijn diensttijd laten ontslaan omdat hij wilde studeren. Hij heeft daarvoor toen een brief geschreven aan "Zijne excellentie de minister van defensie". Hij kon daardoor in januari alsnog studeren en in juni had hij z'n kandidaats gehaald, idioot snel. Van de op handen zijnde gekte kon je toen nog niets merken, al was hij wel heel gestrest voor het doctoraalexamen. Dat naderende examen heeft hem erg aangegrepen, je kunt wel zeggen dat hij er een beetje gek van werd. Hij zat in die tijd nog in de studentenredactie van het Leids universiteitsblad. Op de redactie was het ook al zo'n gekke toestand. Maarten zei toen al alles wat hem voor de mond kwam. Dat ongeremde had hij toen ook, dat de grenzen der welvoeglijkheid overschrijdende.

Hij ging steeds gekker doen. Met de Bijbel in z'n achterhoofd zei hij dan dat hij de poes moest slachten, offeren. Toen heb ik gezegd: "Neem maar een brood." Dat vond hij ook een goed idee. Hij heeft daarover geschreven in "Paviljoen E".

Hij werd bedreigend voor z'n omgeving. Hij rukte toen bijvoorbeeld een kraan uit de muur, puur uit krankzinnigheid. Rudi Fuchs woonde bij ons in het studentenhuis, die heeft ons toen erg goed geholpen. Maarten sliep heel slecht en Rudi waakte dan over hem. Anderen haalden weer eten voor ons. Hartstikke fijn was dat.

In 1966 is hij voor het eerst opgenomen, op Endegeest, de psychiatrische inrichting in Oegstgeest. Mijn vader heeft hem toen in zijn rode Volvo Amazone naar Endegeest gereden. Maarten vond het vreselijk om opgenomen te worden. We waren weleens eerder bij de kliniek geweest maar toen wilde hij alleen blijven als ik dat ook zou doen. Maar dat kon natuurlijk niet. Hij is daar toen vier, vijf maanden gebleven.

Endegeest is een begrip in ons leven geworden. Tegenwoordig heet het Rivierduinen en het is verhuisd naar het terrein van het LUMC. Maar we blijven het hardnekkig Endegeest noemen.

Na die opname is hij alsnog afgestudeerd. Ik ben wel heel blij dat ik hem gestimuleerd heb af te studeren. Er kwam tijdens z'n tweede opname eens een ziekenhuisdominee bij hem langs en die vroeg meteen: "Zeker niet afgestudeerd hè, anders zat je hier niet." "Jawel hoor!" kon hij tevreden antwoorden.

Met mijn gezondheid gaat het wel goed. Ik heb natuurlijk die Bechterev, ik slik bloeddrukpilletjes en ik heb suikerziekte maar daar werken de medicijnen goed tegen. Afgelopen winter heb ik zware bronchitis gehad, ik was erg ziek. Daardoor kon ik niet altijd bij Maarten op bezoek. Heel vaak wel hoor, maar eigenlijk kon dat niet.

Aan die ziekte van Bechterev – ik ben vreselijk krom – heb ik nooit genoeg kunnen laten doen. Ik mag bijvoorbeeld van de verzekering zes weken per jaar naar een sanatorium, ergens in Europa, Budapest bijvoorbeeld. Door de omstandigheden hier in huis kon dat natuurlijk niet. Dat is wel jammer maar het is nu eenmaal zo.

We wonen nog steeds zelfstandig in ons houten huis, misschien wel tegen alle verwachtingen in. We krijgen heel veel hulp. Gewoon doorzetten, straks gaat het wel weer beter, zeg ik altijd maar.

Hoe de toekomst eruitziet? Met een beetje moeite zou het best aardig kunnen worden. Maarten heeft het tenminste regelmatig over "een gelukkige oude dag".

Zoals hij gisteren was, toen voelde hij zich opeens veel beter, veel rustiger. Dat zei hij zelf ook: "Ik ben wel weer wat rustiger. Ik schreeuw helemaal niet."

Het idee voor deze bloemlezing heb ik bedacht vlak voordat Maarten vorig jaar werd opgenomen. Maarten voelde er meteen iets voor. Er zijn ook wel momenten geweest dat hij van deze bundel af wilde zien maar heel vaak vertelde hij er juist enthousiast over. En hij bedacht bijvoorbeeld geregeld een nieuwe titel: *Vertelling uit het gekkenhuis*, *Gekkenhuisverhalen*, of *Bedlam Stories*.

De gekozen verhalen – ik hoop dat de lezer ze geboeid zal lezen – gaan trouwens niet alleen over zijn opnames in het gekkenhuis maar, in ruimere zin, vooral over zijn ziekte. Ik hoop daarom ook dat ze niet vergeten het interview met zijn vroegere (thans gepensioneerde) psychiater achter in dit boek te lezen.'

Leiden, 17 augustus 2018

De heer Mellenberg

Acht jaren geleden achtte men het voor de eerste maal dienstig mij naar een gekkenhuis te brengen. Ik werd ondergebracht in 'Mannen E'. Tegenwoordig 'Heren E'. Toen ik een beetje beter was en met andere mensen mocht praten dan met de meest zware zotten van 't paviljoen – deze werkelijkheid laat zich met geen pen beschrijven en ik laat een poging daartoe, die volstrekt zinloos zou zijn of me, door de inspanning van het schrijven over zulke prachtige, primitieve mensen onmiddellijk in een toestand zou brengen, dat ik weer mét en tussen hen moest leven, om al die redenen maar achterwege. Natuurlijk zou ik best eens terug willen om op adem te komen van de waanzin aan onze universiteiten en grote bibliotheken. 'Maar tussen droom en daad staan wetten in de weg en praktische bezwaren.' – Ik werd naar het paviljoen voor arbeidstherapie gestuurd. Daar mocht ik overdag werken, maar 's avonds moest ik op F slapen. Ik wist helemaal niet wat ik doen moest op therapie bij broeder Brahms (sic) en bij Bert Jonk de kunstschilder die tekenaanwijzingen gaf. Hij is later mijn ets-leraar geworden. En nu kan ik óók een beetje etsen en schilderen. Op therapie was alles mogelijk: je kon er een poppewagentje voor je zusje maken of een paraplu voor je moeder, van een zo stevige kwaliteit, dat hij door een orkaan nog niet zou worden uiteengerukt. ('Hij voelde er dus niet voor zich lid na lid uit te laten trekken.'*) Je mocht er boetseren en lassen. Je mocht er spitten in de tuin en bomen rooien. Je mocht kubieke meters oude rommel gaan verbranden. Duizenden formulieren van de gekkenhuisadministratie, tekeningen en voorwerpen die door patiënten waren gemaakt, patiënten die allang dood en vergeten waren. Ik heb een

* Dickens, *Pickwick Papers*

13

hoop van die spullen met taxi's naar mijn huis laten brengen. Het mooiste voorwerp dat ik heb is door meneer Kröner uit Doetinchem gemaakt. Hij was, toen hij 't maakte, vierentachtig jaar. Hij is nu ook dood die man, maar zijn werk prijkt in mijn werkkamer. Het is een omgedraaide pianokruk waar tussen de drie dwaas gebogen pootjes aan gekronkeld ijzerdraad een vliegtuigje is opgehangen. Als je aan een koord trekt, dat vlak bij de zitting in het hout is aangebracht, begint het vliegtuigje vriendelijk snorrend in het rond te tollen. U zult het niet geloven maar Karel, Zoltan, Huib en Mellenberg hebben menig vrolijk kwartier met dat speeltuig doorgebracht. Hans Locher is er een beetje bang van: die zoekt er iets achter dat er helemaal niet is, laten we zeggen dat hij te verstandelijk is om er echt met plezier mee te kunnen spelen. In mijn slaapkamer hangt nog een looptor van Joop Gneist uit Zierikzee. Het lijkt niet op een looptor, maar het is een groot werkstuk, twee bij drie meter, en Joop heeft er eigenlijk maar twee dagen aan gewerkt. Piet Sanders heeft me er vierduizend voor geboden. Nee, dat verbranden kon ik niet zo goed. Zeker niet die ontroerende tekeningen van gestorven mensen over wie niemand meer praten wil. De maatschappij is blij genoeg dat ze van hen af is. Maar je kon méér doen in het therapie-paviljoen: lijntekenen, touwsplitsen, scheepsmodellen bouwen, vrijen, aardappelschillen, balpennen in elkaar zetten; achtduizend per dag per man. Iedere week kwam een grote vrachtauto van een balpennenfabriek uit het noorden des lands het terrein opgereden en dan laadden wij zelf de kisten met pennen in, die zeven dagen geleden in miljoenen stukjes waren aangevoerd. Wij werkten als gekken! Je kon er koperslager worden, weer onder leiding van Bert Jonk en je mocht proberen nieuwe lettertypen te ontwerpen. Als het niet anders kon was er altijd nog een pottenbakkerij en een eenvoudige weefmachine. En daar op therapie ben ik haast beter geworden. Na een twintigtal grote trilafon-injecties gaf ik mijn ziekte al haast op en kwam even van het Kruis afdalen om appels en aardappels te schillen. Natuurlijk schilde ik mijn eigen duimen méér dan de vruchten des lands, maar daar was dokter Berenpels goed voor, die de hele dag met een verbanddoos rondliep en die gestadig cryptische uitspraken deed als hij je een arm, hand of been verbond, zoals: 'de ene dag heb je geluk, de andere dag wat méér.' Ik herinner me hem als de beste dokter die ik heb gekend. Hij was niet voor een kleintje of een vent die als een idioot met een mesje op hem af kwam rennen, álsmaar roepend: 'Ik zal je midden in je hart steken klerelijer want jij zit óók in het complot!' vervaard. Op therapie kon je werkelijk alles. Ik zie het nog levendig voor me hoe die goeie Bert mij naar het paviljoen bracht en me achter een fraai tafeltje zette. Hij drukte me een liter natte klei in de handen en zei: 'Ga jij daar nou maar eens een mannetje van maken! Dan doen we morgen iets anders.' Ik glimlachte: nog geen drie maanden daarvóór had ik met diezelfde Bert tentoonstellingen ingericht voor het Leids Academisch Kunstcentrum. Ik zat een paar uur op de kleibal te kneden en toen was ik wéér gek, buiten mezelf! Want ik wist niet meer hoe een mannetje eruitzag. Ik wist het werkelijk niet. Welk mannetje? dacht ik steeds maar, een groot of een klein mannetje, een gewoon of een gek mannetje, een promovendus of een loodgieter, een vrolijk of een triest mannetje? Ik was de hele morgen bezig aan de buik van het mannetje, alle buiken zien er eender uit, maar ik wist nog steeds niet welk type ik nu eigenlijk wilde uitbeelden. Ik denk dat mij een soort 'Mann ohne Eigenschaften' voor ogen stond. Dat boek had ik thuis en de titel intrigeerde me. Ik maakte binnen twee minuten zonder te denken een hoofdje dat ik domweg op de buik zette. Maar toen had het hoofdje een gezicht dat ik helemaal niet had bedoeld en ik ben op de grond gaan liggen huilen en raakte bewusteloos. Drie weken later werd ik wakker in een bed in paviljoen B, de zwaarste afdeling die er was in Endegeest. Ik lag in een wit ziekenhuisbed in een cel en om de drie uur werd mij een bord gele vla of een biefstuk met gebakken eieren gebracht, want ik woog nog maar achtenveertig kilo, terwijl ik toch één meter vijfentachtig lang ben! Ik was voor de achtste keer Jezus geworden en was verschrikkelijk bang voor wat er nu zou gebeuren. Ik droeg 'omnia peccata mundi' en niemand geloofde het! Enige dagen later mocht ik met gymnastiekleraar Bontje gaan wandelen en ik zakte na vijfhonderd meter van uitputting al in elkaar. De leiding van een dergelijke inrichting is echter uiterst stijfkoppig en drie dagen later zat ik ondanks alles weer overdag op het therapiepaviljoen. Daar kwamen Hans en Kees en Paul me opzoeken. Ze deden allemaal of het heel gewoon was wat er gebeurde. Karel is ook een paar maal geweest maar hij wilde me nu niet meer de zégen geven en Zoltan Szirmai is ook gekomen met Eva. Hij wilde dat ik veranderingen aanbracht in mijn thesis. De volgende dag kwam Frits Mulder me opzoeken die haast in wenen uitbarstte, maar naderhand begon hij hele bladzijden uit *De ontgoocheling* te citeren. Weer een week later kwam Henri Plaat me opzoeken en deed me de groeten van le tout Amsterdam. God! het was me een waar Paradijs daar. Ik vergeet voor het gemak maar de namen te noemen van de meisjes die me kwamen opzoeken en me allerhand cadeautjes brachten. Ze wisten allemaal dat ik de 'Nieuwe Verlosser' was maar we vermeden het pijnlijke onderwerp, dat vooral ik een beetje beschamend vond, zorgvuldig. En nu moet ik toch over de heer Mellenberg beginnen, want daar gaat het per slot om!

Ja! ik moet wel flink ziek zijn geweest want ik ontdekte de heer Mellenberg pas na drie maanden in het Therapiepaviljoen. Toen pas trad hij in mijn bewustzijn. Er waren ook zoveel patiënten met zoveel dingen tegelijk bezig: het lawaai leek vaak eerder uit een dol geworden scheepswerf te komen dan uit een rustig gebouw waar patiënten weer op krachten komen. Ik kwam op een gegeven dag in een heel rustig kamertje, waar geen geluid doordrong en daar zat hij. Hij was bezig aan zijn levenswerk. Zijn enige opleiding was vroeger de lagere school geweest en op zesentwintigjarige leeftijd was hij hier gekomen. Ik schatte hem nu op een jaar of vijftig. Hij was bezig met een verhandeling die ging over de invloed van parfum en de druk veroorzaakt door eb en vloed op het oor, en de trillingen veroorzaakt door overvliegende jet-vliegtuigen op de vorming van het trommelvlies bij de mens in het algemeen. Het was maar een artikel van vier bladzijden lang maar hij had die verhandeling in vier talen geschreven: in het Italiaans, in het Russisch, in het Duits en in het Frans. Ik probeerde te lezen wat hij schreef maar het ging me ver boven mijn pet.

'Mag ik me even voorstellen?' vroeg ik bedeesd, 'ik ben God, Jezus en de Messias.' 'En ik ben Piet Mellenberg,' antwoordde hij, 'ik hoop dat je gauw beter wordt, want er is nooit een Messias geweest en er zal er nooit een zijn.' 'Ja maar,' probeerde ik tegen te werpen. 'Alle metaphysica behoort tot het terrein van de waanzin,' zei hij, 'het enige dat wij kennen is de echte werkelijkheid, hoe absurd zij ook moge zijn. Hoe is je gewone naam?' 'Maarten,' zei ik, 'maar noemt U me liever Jacob want ik heb een hoop goed te maken. Ik ben minstens achtduizend jaar oud.' 'Hoe oud ben je volgens je paspoort?' vroeg de geleerde. 'Eenendertig,' antwoordde ik beschroomd. 'Daar heb je het al,' zei hij, 'je moet rekening houden met vaste waarden beste jongen, die Burgerlijke Stand is ook niet gek.' 'Maar ik was er immers niet bij toen ik geboren werd,' zei ik, 'ik wilde niet eens.' 'Maar je vader wilde wel,' zei Mellenberg, 'en de ambtenaar heeft je ingeschreven en nu ben je dus Maarten Biesheuvel. Volgens mij leef je nog een kleine veertig jaar en dan is het met je afgelopen. Dan word je in de grond gepoot, maar zorg dat je voor die tijd beter bent.' Ik begreep met een nuchter man te doen te hebben. 'Heeft U soms gestudeerd?' vroeg hij. 'Ja,' zei ik, 'ik heb werkelijk van alles bestudeerd. Voornamelijk Nederlands en Russisch Recht. En Slavische talen. Mijn hobbies zijn wiskunde, logica, schrijven, musiceren, lezen, sterrenkunde en anarchisme.' 'Een duidelijke psychose,' mompelde Mellenberg, 'en wanneer wordt U' – hij zei steeds vaker 'U', hij wilde zich blijkbaar wat van me distantiëren – 'weer gewoon?' vroeg hij, 'het is maar het beste om je bij je leest te houden. De Messias,' giechelde hij, 'hij zou de Messias zijn! Hoeveel heb ik er hier niet ontmoet? Zij zijn eigenlijk niet gek maar gezónd!' 'Inderdaad,' zei ik, 'het enige dat ik wil is de wereld beter maken, ik zal alle beulen en martelaars vernietigen.' 'Heb je geld?' vroeg hij, 'heb je een organisatie?' 'Ik heb tachtig gulden vier en zestig cent,' antwoordde ik, 'en mijn Vader die in Hemelen is is veel belangrijker dan welke aardse organisatie dan ook; Mij is grote macht gegeven. Maar voorlopig moet Ik nog wachten.' 'Altijd hetzelfde,' zei Mellenberg, 'alle Messiassen moeten wachten, er gebeurt helemaal niets tot ze genezen het ziekenhuis verlaten en weer naar kantoor gaan of naar de universiteit.'

En zo werd ik een kwartier lang afgekat.

Ten slotte gooide ik het over een andere boeg en vroeg of ik zijn werkstukken eens mocht bekijken. 'Ken je Italiaans?' vroeg hij. 'Nee,' zei ik. 'Ik spreek geen enkele taal,' zei hij, 'maar met een goede grammatica en woordenboeken kom je een heel eind. Ik heb mijn artikel al aan buitenlanders laten lezen. Het was goed geschreven zeiden ze, maar ze begrepen nooit precies, tot in de details, wat ik te zeggen had. Dat zal pas na mijn dood tot de mensheid doordringen. Ik geef mijn werk niet op. Ik ben eraan begonnen en nu geef ik het niet meer op.' 'Maar het werkstuk is nu toch af?' vroeg ik achteloos. 'Het artikel is al minstens vijf-tien jaar kant en klaar,' zei hij, 'het gaat er nu alleen nog maar om het manuscript drukrijp te maken.' 'Maar dat is het toch?' vroeg ik. 'O ja?' zei hij laatdunkend, 'en hebt U hier die punt op de i gezien in het woord "Meister" en daar in "inferieure".' 'Ja,' zei ik, 'dat zijn toch mooie puntjes!' 'Haha!' lachte Mellenberg, 'hoe beter en nieuwer ze de schrijfmachines maken hoe slechter de punten uitvallen. Dit belachelijk werkstuk zal ik nooit uit han-den geven. Ik zal niet rusten voor ik mijn Remington uit 1908 weer heb, want daar gaat het het beste op.' 'En hoeveel hebt u in al die jaren getikt?' vroeg ik. 'Dat getal zal onderdehand in de tienduizenden lopen,' zei hij, 'iedere maand gaan er zo'n driehon-derd velletjes de deur uit.' 'Naar de verbranding op het aardappel-veld?' 'Zeker,' zei hij, 'een mooie plaats om de as van mijn werk te verstrooien.' 'Ik heb ook een paar dagen vuil verbrand,' merkte ik op en nu kwamen mij ineens de werkstukken van Mellenberg voor de geest. Honderden meters papier had ik ervan verbrand. 'Inderdaad,' zei hij, 'het is ook niet meer dan vuil, dat vertrapt en vernietigd dient te worden. Maar toch is het een goede oefening. Op een avond zal ik naar de kamer van de directeur gaan, en dan zal ik binnen drie uur het werk voltooid hebben. Ik heb een kleine hoop dat ik de juiste aanslag weer onmiddellijk te pakken zal hebben. Het is nu twaalf jaar geleden dat ik de machine voor het laatst mocht gebruiken. Mijn hoop is dat de directeur in zijn opgewondenheid niet al te ruw met mijn machine is omgesprongen. Als de éne professor een brief aan de ánder schrijft verliezen ze de "kleinigheden" uit het oog. Ik zélf had altijd al een lichte moeilijkheid met de "accent grave" en met de hoofdletter "A". Wie weet heeft de machine méér haperingen, hoe licht ook van aard, maar dan zijn ze veroorzaakt door de directeur. Hij vindt het grappig om met mijn toestel te prijken en mooie brieven te kunnen tikken, maar ik ben de martelaar. Ik weet niet wat er nu met de machine gebeurt. Wordt hij op tijd door deskundigen nagekeken? Wordt hij gesmeerd? Wordt hij op de juiste wijze gestoft? Daar heb ik een hard hoofd in. En omdat ik Mellenberg ben en géén balpennen wil maken, bovendien omdat ik met niemand iets te maken wil hebben en geheel mijn eigen leven leid en vooral omdat ik hier de oudste opgenomene ben wil de directeur niet meer met mij spreken. Het heeft volgens hem geen zin omdat ik een verstokte grijsaard zou zijn. Een half jaar geleden hebben ze mij gedwongen om touw te splitsen. Zegt U nu zelf, ben ik een zeeman? Ik heb niet de minste belangstelling voor de zee. Ik begreep het touw niet en stak met de splitpen in mijn handen, het is zwaar werk, dat je niet in een weekje onder de knie hebt. Na een paar uur heb ik broeder Brahms en Jonk een klap, een klein klapje maar, het was meer symbolisch bedoeld, in het gezicht gegeven. Maar de leiding heeft de zaak zwaar opgenomen. Dokter Berenpels heeft me verbonden. 'Een ware kunstenaar moet lijden,' zei hij. Berenpeis is weliswaar arts voor moeilijkheden aan of in het menselijk lichaam, maar ik sla hem hoger aan dan de geestelijke directeur en de hele vergadering van psychiaters. Dokter Berenpels heeft belangstelling voor mijn werk en komt haast iedere dag een paar minuten kijken en doet dan nog waardevolle suggesties ook! Kleinigheden, waar ik zelf niet over zou zijn gevallen, die heeft hij onmiddellijk door met zijn nuchter verstand. Zo heeft hij me op een keer aangeraden de Library of Congress transcriptie te gebruiken in plaats van het BSI-systeem, omdat mijn verhandeling op hoog peil staat, volgens hem, en wij hier nu eenmaal veel bolletjes hebben met Russische lettertekens. Ik zou die zonder moeite in de composer kunnen plaatsen, maar dat wil ik niet. Ik wil de tekst van "La distribution d'énergie en dévisant" ook in het Russisch in normaal letterschrift hebben. Ik heb iets tegen dat Cyrillische en bovendien moet het échte werk toch uiteindelijk op de Remington gebeuren. God geve dat dat moment mij nog een keer gegund wordt. Ik heb al verzoekschriften geschreven naar de bond van oud-patiënten en naar het Ministerie dat deze zaken behartigt, zelfs naar de Koningin, maar met een patiënt wil men nu eenmaal niet in normaal contact treden...' En zo ratelde de heer Mellenberg door. Hij had een half uurtje voor me uitgetrokken zei hij, maar dan moest hij toch echt verder.

Ik begon te denken aan mijn Messiasschap en ik begreep dat ik in vergelijking met Mellenberg behoorlijk ziek was. Ik was een dromer, een rebel, een antichrist of iemand met te hoge idealen. Mellenberg wist allang dat er aan de wereld niets te verbeteren valt. Niet door Goden, valse of echte, en zéker niet door gevoelige jonge mannen, die nog nooit aan het front zijn geweest. Die het martelen nooit hebben meegemaakt. Mellenberg was zelf gemarteld, maandenlang en hoe vief huppelde hij nog door het leven! Hoe nuchter was hij nu al niet jarenlang bezig met zijn 'levenswerk'? Hij had zich opgewerkt tot een geleerde. Zeker! niemand kende hem en waarschijnlijk zal hij nooit gekend worden. Als hij sterft wordt ook zijn werk vergeten. Ik begon me te schamen. Waarom zou ik eigenlijk de Messias zijn? Als ik alleen maar lagere school had gehad, aan alle fronten had gevochten en bovendien gruwelijk gefolterd was, zou ik me dan óóit tot het peil van Mellenberg, zoals ik hem nu kende, hebben kunnen opwerken? Ik weet bij God niet hoe het me dan zou zijn vergaan. Veel soeps had het in ieder geval niet kunnen wezen. Zo werd ik de leerling van Mellenberg. Ik wilde net zo sterk, nuchter en verstandig zijn als hij. Ik bedankte Bert en broeder Brahms voor de door hen bewezen diensten en begon Mellenberg te volgen van 's morgens vroeg tot 's avonds. Wij werden onafscheidelijke figuren. Hoe zag ik tegen hem op!

Op zekere dag hadden we een uitje naar Marken. We gingen met twintig patiënten onder leiding van een paar artsen en verplegend personeel. In de laadbak van de touringcar lagen manden vol met medicijnen en injectienaalden. Tot mijn geluk zat ik naast Mellenberg. De bus zette zich in beweging. Dat dácht ik. Maar Mellenberg zei: 'Heb je er wel eens over nagedacht dat onze bus gewoon blijft stilstaan, dat alleen de wielen bewegen en zodoende de aarde onder zich door wentelen? We staan nu met onze neus naar het noorden en met onze wielen draaien wij, het is niet onbetwist zeker, maar voor mij heel aannemelijk, Oegstgeest naar het Zuiden weg. Kijk maar; dáár gaan de paviljoens al.' Wij zaten pal achter de chauffeur en die begon te schateren van het lachen. 'Mooi stelletje gekken heb je meegebracht,' ginnegapte hij tegen broeder Sollie. 'Ach man,' zei de laatste, 'hou je bij je stuur. Dit is het neusje van de zalm van wat je op Endegeest kunt aantreffen.' Men begon liederen te zingen en limonade te drinken. Ik kon niet veel meer met Mellenberg praten. Maar het was echt een mooie dag. Van het gesprek tussen Sijtje Boes, die toevallig op haar stoepje zat en Mellenberg kan ik me haast niets herinneren. Het enige dat ik nog weet is dat ze op een gegeven moment tegen Mellenberg uitriep: 'Volgens mij bent U een Heiden meneer! Hebt u nooit gehoord van het dubbele karakter van onze Heiland? Iedere snotneus kan U vertellen dat Hij God en mens tegelijk was en Gij waagt het te betwijfelen. Voor mij bent U gewoon gek!' De deur met een klap achter zich dichtslaand verdween ze in haar huisje, zich niet meer vertonend aan de Portugezen en Amerikanen die ze blijkbaar over één kam schoor met Mellenberg. Twee weken later zaten we op paviljoen E te kijken naar een lancering van een Russische satelliet. Ik heb dat thuis op de tv nooit gezien maar op Endegeest wel. Misschien was het weer één van de grappen van de leiding van het instituut. Op een bepaald moment hoorde ik iemand zeggen, in een taal die niemand behalve Mellenberg en ik verstonden, 'Vuur over achttien seconden van nu'.* Het bleef twaalf seconden stil en toen hoorde ik ineens Mellenberg: 'Zes, vijf, vier, drie, twee, één... vuur!' Op hetzelfde moment ging de raket ergens in de buurt van de Oeral de lucht in. 'Hoe wist jij dat Mellenberg,' vroeg een broeder, daar er via het toestel de laatste achttien tellen geen menselijk geluid tot ons gekomen was, – de broeder wist niet wat Mellenberg allemaal geleerd had de laatste jaren, de verpleger kon het ook niet weten, want hij was pas drie dagen op E –. 'Dat is nou het geheim van de smid,' grinnikte Mellenberg. 'Biesheuvel!' riep de broeder, 'hoe weet Mellenberg dat voor de donder?!' 'Ik weet het niet,' loog ik, 'Mellenberg doet meer en weet meer dan wij allen bij elkaar.' We kregen allebei een injectie waar we drie dagen lang een rustige droomloze slaap van hadden.

Zo had Mellenberg een soort humor. Op een dag kwam de directeur ons met zijn staf opzoeken en natuurlijk rijpte er in het hoofd van Mellenberg een zot idee om de heren ertussen te nemen. Toen het gezelschap in de buurt van Mellenberg en mij, zijn volgeling, kwam staan, zei Mellenberg ineens keihard tegen mij: 'Wist jij dat molens de wind maken?' Onmiddellijk stond de directeur bij mijn meester. 'Leg dat eens uit, meneer Mellenberg, wat is dát voor onzin?' En Mellenberg begon zijn betoog. 'Hooggeleerde Heer, ik heb deze proef zelf genomen en ook zelf de metingen verricht. Ik ben op een nacht naar een graanmolen geslopen met een graankorrel in de hand. Die graankorrel heb ik op de onderste molensteen gelegd. Toen heb ik met een zware takel de tweede molensteen op de graankorrel laten zakken, zodat ik een stenen sandwich had verkregen: twee molenstenen met een graankorrel ertussen. Nu heeft een graankorrel de merkwaardige eigenschap dat zodra hij tussen twee stenen wordt geklemd hij de neiging krijgt om de losliggende steen, en dat is altijd de bovenste, in beweging te willen brengen. De graankorrel wil zich wentelen, hij wil als het ware gemalen worden. Méél! wil hij worden.

* 'Ogojn wôsjemnátset sekoend otstjót.'

22

Maar dat gaat zomaar niet. Daartoe moet hij zich verschrikkelijk inspannen om één van die stenen, de bovenste te laten draaien. Maar op de lange duur heeft de korrel zich al een paar centimeter voortgewenteld. En dan gaat het proces steeds sneller en alléén maar door de wil en de macht van de graankorrel moet de bovenliggende molensteen de zware molenas in beweging brengen en door diezelfde wil worden de raderen in de kap van de molen in beweging gebracht, de as die naar buiten steekt en de wieken die eraan bevestigd zijn. Zo maken de molens evenals ventilators wind. Met dit verschil dat de laatste op elektriciteit lopen en de eerste gewoon op graankorrels. U kunt zeker wel begrijpen hoe hard het gaat waaien als je een paar duizend korrels tegelijk gebruikt?' 'Het kan natuurlijk ook andersom,' merkte een snuggere jonge psychiater op, 'wellicht stond er al een beetje wind.' 'Mijne heren,' zei Mellenberg, 'de enige die bij de proef aanwezig was, ben ik en toen de graankorrel meel was geworden hield het op met waaien. Het zal U niet eenvoudig vallen om mij snel en afdoend tegenbewijs voor mijn stelling te leveren. Per slot ben ik deskundig, ik ben expert, ik heb er jaren over nagedacht.' Kakelend verlieten de heren de zaal. 'Ik pak ze allemaal,' zei Mellenberg tegen mij, 'mij krijgen ze niet klein.' Hij ging voort met zijn werk, nam een vergrootglas en maakte van paperclips een constructie waardoor hij het vergrootglas vier centimeter boven zijn werk kon leggen, want een loupe met vierkant voetstukje had hij niet.

De volgende dag al kwam de psychiater terug die Mellenberg had willen weerleggen met betrekking tot zijn molenwind-theorie. Mellenberg liet de man rustig een uurtje uitrazen, gaf mij een knipoog waaruit ik begreep dat hij nu deze psychiater in het bijzónder er tussen zou nemen en zei, zonder op de woedende uitvallen van de dwaas opgewonden psychiater in te gaan: 'Moet jij eens goed luisteren...,' hij stak onderdehand zijn zoveelste pijpje op, zijn diepliggende oogjes glimden op van pret, 'als ik daar zin in heb verschuif ik héél Endegeest met alle grond en alle opstallen die daarop zijn één millimeter.' 'Zo!' brieste de psychiater, 'dat moet jij dan maar eens doen Mellenberg!' 'Als je daar op staat,' mompelde mijn meester. Hij liep naar de muur en duwde lichtjes met zijn wijsvinger tegen een spouwmuurtje aan. Hij deed net of hij eventjes kracht zette en maakte een kort geluid dat mij in de oren klonk als 'Kggggrt!' Ik wist dat Mellenberg nu verloren was. Dit was te gek. Mellenberg spoot trefzeker een bruine tabaksstraal op de grond, precies voor de voeten van de zielkenner. 'Zo, 'k heb aan het verzoek voldaan,' zei hij, 'maar ik maak er geen gewoonte van hoor.' 'Jij bent gek man,' siste de psychiater, 'ik zal jou een speciale behandeling laten geven.' 'Doe wat je niet laten kunt,' zei Mellenberg. 'Maar waarom ga je nu niet even buiten het terrein kijken of ik inderdaad het ziekenhuisterrein een millimeter heb verschoven?' 'Ik heb immers niet gemeten hoe de toestand was vóór jij aan je zogenaamde staaltje van kracht begon,' zei de psychiater. 'Inderdaad,' grinnikte Mellenberg, 'daar zie je maar hoe stom jullie zijn. Het meest elementaire van de hele natuurkunde is als volgt: eerst ga je meten, dan doe je wat en ten slotte ga je weer meten. Dan vergelijk je de eerste uitkomst met de laatste en in het verschil tussen die twee getallen ligt dan de verandering die er is aangebracht.' De psychiater die zoals iedereen, behalve een échte natuurkundige, de ballen verstand had van de wetten der fysica verdween met de staart tussen zijn benen.

'Zo doe je dat,' zei Mellenberg.

'Mellenberg,' zei ik, 'ik zou zo graag willen zijn zoals jij. De Messias ben ik niet meer, maar dan wil ik toch op zijn minst een slim en kundig mens zijn...'

'En dat zeg jij?' vroeg Mellenberg terwijl hij me peinzend opnam. Hij schudde zijn hoofd, klopte zijn pijpje uit (een Fries schipperspijpje) en begaf zich aan zijn werk.

Regen

Ik ben nu haast vierendertig en zie hoe m'n tijd steeds sneller verstrijkt. Ik doe m'n dagelijkse werk meestal met plezier. Iets voor zevenen sta ik 's morgens op, was me, kleed me, scheer me en ontbijt met Eva. Dan drink ik nog een grote mok koffie en steek een sigaar op. In alle rust vertrekken we naar de grote weg, we wachten op de snelbus die ons naar Den Haag zal brengen. Zo gaat het iedere dag. Tussen de middag eet ik met Eva een paar broodjes en drink een glas melk. Dan breng ik haar weer naar haar werk en ga ik naar het mijne. 's Avonds moet het rustig zijn. Niet te veel bezoek en ook niet uitgaan. Er gebeurt op die manier niet veel maar ik geloof dat de uren zo toch langer duren dan wanneer je maar heen en weer rent, allerlei soorten van vertier en afleiding zoekende. 's Avonds en in het weekend lees ik, schrijf ik en luister ik naar muziek. Ik heb een platencollectie van plusminus honderd langspeelplaten. Af en toe neem ik m'n viool ter hand en probeer een gevoelig wijsje te spelen. Nieuwe boeken lees ik niet, ik herlees alleen maar. Naar de televisie kijken doe ik niet. Soms loop ik na het eten anderhalf uur door de kamer te ijsberen, dan verveel ik me; er is iets dat me dwars zit maar ik kan er niet over praten. De ellende die m'n gemoed beknelt valt toch niet te lenigen en er over spreken heeft, zelfs met Eva, geen zin. Een paar dagen geleden liep ik ook zo door de huiskamer. Er stond geen plaat op. Eva zat te studeren. Ik dacht eraan hoe het zou zijn als ik dood was. Soms, als ik erg gelukkig ben, wil ik maar meteen dood gaan. Het leven kan het beste op een mooi moment afgebroken worden. Tijdens het kozen in de armen van je vrouw sterven, dat lijkt me mooi. Ik lag op een baar in de huiskamer, de uitheemse sprei die ik op mijn zestiende al van mijn moeder heb gehad en waar ik altijd 's zondagsmiddags op heb liggen rusten is in een mooiere plooival dan ooit over mijn dode lichaam uitgespreid. Tegen een lijkbleek gelaat komen de kleuren van de sprei pas mooi uit. Met mijn linkerhand omknel ik een boekwerk: *Moby Dick*. Mijn rechterhand wordt gelikt door mijn lievelingspoes. Eva zit naast de baar en praat over vroeger, over hoe gelukkig we zijn geweest, ze vertelt hoe we elkaar het eerst hebben ontmoet. Dan gaat zachtjes de huiskamerdeur open en vier oude vrienden treden binnen. Eva kust me op het voorhoofd en treedt terzijde. Ze gaat slapen want ze moet morgen weer vroeg werken. Ik wil iets heel speciaals voor haar achterlaten om haar de eenzaamheid wat te verzachten maar ik heb niets, er is niets dat ik haar nog geven kan, plotseling fluister ik onze oude poes in het oor: 'Nu moet je van me weggaan en bij Eva in bed gaan liggen, precies zoals je altijd hebt gedaan als we nog maar nét in bed lagen en de poes springt snorrend op de grond en loopt op het lichte gestommel af dat Eva in de slaapkamer maakt. De vier mannen tillen de baar op en dragen hem langzaam en waardig naar buiten. Maar ze zijn nog niet buiten het bereik van ons oude huis gekomen of ze zetten er de pas in, richting Scheveningen. Ik weet dat ik in deze streek nooit terug zal keren en daarom ga ik af en toe recht op de baar zitten om beter te kunnen kijken. Af en toe dreigt de gladde, afglijdende sprei op de grond te vallen maar ik kan nog altijd een hoek van het kleed tussen mijn knieën knellen. Voor het laatst zie ik de konijntjes, de reigers en de hazen in de buurt van Duyvenvoorde. Mijn leven lang heb ik hier dagelijks op en neer gereisd. Ik ken hier iedere boom en iedere bosschage. Jaar in, jaar uit heb ik alles gezien, bij winter en lente, bij zomer en herfst. Net zoals alle bladeren hier ben ik in de herfst van mijn takje gevallen, ben ik dwarrelend naar beneden gebladerd. Mijn vrienden kijken tegelijkertijd naar het boek in mijn linkerhand alsof ze denken dat ik daar een toepasselijke passage uit voor zal lezen. Dat doe ik niet, ik houd Achab, Ishmael, Queequeg, Stubb en de walvis voor me zelf, ik denk aan een heel ander lied maar ook dát zeg ik niet hardop, aangekomen in de herfst van mijn leven:

'Herr: es ist Zeit. Der Sommer war sehr gross.
Leg deinen Schatten auf die Sonnenuhren,
und auf den Fluren lass die Winde los.

Befiehl den letzten Früchten voll zu sein;
gib ihnen noch zwei südlichere Tage,
dränge sie zur Vollendung hin und jage
die letzte Süsse in den schweren Wein.

Wer jetzt kein Haus hat, baut sich keines mehr.
Wer jetzt allein ist, wird es lange bleiben,
wird wachen, lesen, lange Briefe schreiben
und wird in den Alleen hin und her
unruhig wandern, wenn die Blätter treiben.'

De mannen die mijn baar dragen schoppen de blaren in de tuinen van Wassenaar op. Niemand durft ons weg te jagen. Gelukkig is het haast alle burgers duidelijk dat ik begraven word. Tweemaal kruip ik helemaal onder de sprei omdat ik giechelen moet. We lopen langs de vijver van een nukkige oude heer, een rijk man die juist een bedeesde jongeling een schrobbering geeft. Hij zou ons met een kort gebaar van zijn rechterarm weg willen wuiven maar dat mag hij niet. Zo lopen mijn vrienden uren voort. In het zicht van de Scheveningse haven hef ik voor het eerst tijdens de tocht een lied aan, mijn dragers vatten moed, rechten hun ruggen en lopen trots op de gebouwen van de visafslag af. Tot ver in het rond weerklinken onze verzen, je kunt horen dat het ons recht uit het hart gegrepen is, de rillingen gaan zelfs over de rug, nimmer tevoren heb ik de melodie zo mooi horen verklanken:

'Wij loven U o God! wij prijzen uwen naam!
U eeuwig' Vader! U verheft al 't schepsel zaam.
Zingt serafs, eng'len zingt! heft machten aan en tronen!
Onafgebroken rijz' uw lied op hooge tonen!

Gij, driemaal heilig zijt G', o God der legerscharen!
Dat aard en hemel steeds uw grootheid openbaren.

U looft d'apostelschaar in heerlijkheid o Heer!
Profeten, martelaars vermelden daar uw eer.
Door heel uw kerk wordt steeds daarboven, hier beneden,
In strijd en zegepraal, uw groote naam beleden;
Zij looft, o Vader! U, oneindig in vermogen,
Onpeilbaar in verstand, onmeetbaar in meêdogen.'

Achter een onooglijk, hoog, grijs betonnen gebouw met weinig ramen, ontworpen door een architect die lijdende moet zijn
geweest aan een knagende zenuwpijn in een der diepste wortels
van zijn gebit, eigenlijk net zo'n stapeling van appartementen als
waar ik zelf mijn leven lang heb gewoond, wachtend op een beter
lot en een glimp van het Paradijs, ligt in de oude haven tussen
de loggers een bark tegen de pijlers op de golfjes te rijden. Mijn
vrienden dragen me aan boord en zien tot hun verbazing hoe
onmiddellijk de zeilen gehesen worden, hoe de touwen voor en
achter worden losgegooid. Theo van de Lauriergracht wil op de
kade springen, hij moet voor het weekend nog een schilderij in
opdracht afhebben, maar wordt er door de bootsman op opmerk-
zaam gemaakt dat hij bij me dient te blijven tot ik rust gevonden
heb. 'Dat kan nog wel even duren,' mompelt hij weerstrevend op
zijn eigen droog-koddige manier. Nu wordt mijn baar voorzichtig op het voordek geplaatst.
   Zo varen we nu al maandenlang en een goede plek heb ik nog
steeds niet gevonden. Karel brengt me 's morgens de ochtend-
drank van het land dat we toevallig aandoen. Hans leest sprookjes
van Andersen voor en Arthur schrijft een nieuwe verhandeling
over de vis in het volkenrecht. Op alle manieren probeer ik hem
aan het verstand te brengen dat de vis, koud of warmbloedig niet
per se voorwerp maar ook onderwerp van recht kan zijn, als we
langzaam een prachtige haven in een ver land binnenzeilen, het
kan net zo goed de Ivoorkust, Dar Es Salaam als Zuid-China zijn.

De zon schijnt met een gloed zoals ik hem nog nooit heb zien schijnen, boven de wouden op de berghellingen voor ons hangt een lichte mist, palmboompjes ruisen op de kade voor de hoge wit gepleisterde huizen, de zee achter en onder ons klotst ongevaarlijk. Hoe wiegelt ons schip nog na als de zeilen al worden gereefd! Achter de huizen zie ik een tropisch landschap zoals ik het in mijn dromen niet heb mogen zien. De bootsman geeft mijn dragers te kennen dat we hier zestien dagen moeten blijven, de huid van het schip moet van schelpen en ander aangroeisel worden ontdaan. Terwijl ik van het schip gedragen word komen vierendertig kleine jongetjes links en rechts van het pad op de kade staan. Terwijl ik langs hen drijf op de wiegelende bewegingen mijner vrienden zingen ze met zachte hoge stemmetjes:

'In het land der grijze dalen
is een vogel groot en klein,
die er alles moet betalen
omdat daar geen mensen zijn.'

Het wordt me een beetje griezelig en angstig om het hart. Ik zeg dat ik hier liever niet begraven word maar Karel dringt aan. Hij heeft een teken op één der hoofden van de kleintjes gezien, zegt hij. Zo sjokken we de bergen in. Ik houd me slapende. We komen bij een waterval. De grond is bezaaid met vreemd gevormde rotsblokken waartussen de grond zacht en reeds omwoeld is. 'Me dunkt dat we hier een kuil voor je moeten graven,' zeggen mijn vrienden. Maar ik stel de beslissing uit, zeggende dat ik niets bekends zie, niet in de opstelling der bomen en struiken, niet in de vorm der stenen, zodat ik ook híer niet liggen wil. 'Ja maar beste jongen, je wilt toch niet op de steen der wijzen zelf begraven worden?' houdt Hans zachtjes aan.

Ze beginnen te graven en leggen me in de kuil. Wat ruikt de aarde goed, ze is rul en nattig, een soort vruchtbare turfmolm waarvan de vlokken zwaar op de hand wegen, twee vlokjes van die aarde in mijn neusgaten en een in mijn mond en ik zal volgens de grondbeginselen van de natuurkunde wérkelijk voor de laatste keer afscheid moeten nemen. De baar wordt onder me vandaan gehaald. Een klein zijden kussentje, mijn boek en de sprei mag ik behouden. In de verte hoor ik het koor van de jongetjes weer. Hopende dat ik hen geen tweede keer hoef aan te horen vraag ik mijn vrienden of ze mij zo snel mogelijk toe willen dekken. Ik huiver van angst. Zal ik werkelijk gestorven zijn vóór deze vreemde grond, waarop zelfs kinderen zulk een huivering veroorzaken, mijn neus zal bedekken?

Mijn vrienden knielen aan de kuil en beginnen een stilzwijgend gebed. Terwijl ik naar Hans, Karel, Arthur en Theo kijk fladderen mijn gedachten weer weg. Ik wil me krampachtig herinneren wat het mooiste is dat ik van mijn leven aan geluiden en beelden heb mogen ontvangen. Ik zie Theo en Karel al losse kluiten in de hand nemen met de bedoeling ze naar beneden te werpen, als het lang verbeide beeld me weer te binnen schiet:

Ik was eens aan een meer in Zwitserland. Ik logeerde in een groot huis waar ik oude Russen aan tafel bediende. Vorsten, vorstinnen, prinsen, prinsessen en gewone burgers. Ook een militair, een oud-generaal die met zijn pollepel de scepter in de keuken zwaaide. Hij was doof en stom. Oud en der dagen zat. Hij had vrouw noch kinderen meer maar bewoonde in het huis één der mooiste vertrekken. Op een keer kwam ik van een lange wandeling door de bergen vermoeid thuis. Ik had het laatste stuk hard geheld omdat er zich een verschrikkelijk onweer dreigde te ontladen, de hemel zag zwart van de samengepakte wolken. Op weg naar mijn kamer zag ik de oude man zitten. Zijn kamerdeur zat op een haakje, er was niemand in de gang, waar het overigens zo donker was dat de oude man me niet kon zien. Ik zag hem uitkijken over het meer. Hij zat in een rotan stoel in het midden van zijn kamer. De deuren naar de tuin stonden open. Het werd buiten almaar donkerder en in de kamer werd het lezen onmogelijk. Daarom ontstak de generaal een paar lichten.

Toen de eerste druppels vielen legde hij zijn boek neer, stond op, liep naar een kast en haalde een oude vergeelde foto uit een lade. Hij keek er langdurig naar en kuste de prent. Ik denk dat hij niet in de gaten had hoe een aarzelend kipje zijn kamer binnen was komen wandelen en op twintig centimeter afstand van de drempel naar de grote druppels keek die aan een zware bui voorafgingen en de struiken in een frisse ijzeren gloed zetten. Ook een geitje was binnengekomen en stond naar buiten te gluren. Het kipje stond verlegen met zijn snaveltje aan het vloerkleed te plukken. Het geitje gaf geen kik. Het was warm, erg warm weer, de regen die viel was ook warm, er stond geen wind, het begon steeds harder te regenen, het water plensde loodrecht naar beneden.

Door een gemene en felle lichtflits, onmiddellijk gevolgd door de luidste donderslag die ik ooit heb gehoord, werd de oude man opgeschrikt uit de aandacht voor zijn foto. Hij zag de geit en het kipje en schoot in de lach. Zo zaten die drie wezens minutenlang naar buiten te kijken, de minuten dat het stortregende waren te tellen maar de aanblik van die drie duurde voor mij een eeuwigheid. Toen het ophield met regenen dwarrelde de oude foto op de grond. De man was weer in slaap gevallen, zelfs aan de kale achterkant van zijn schedel kon je nog zien dat hij glimlachte. De lichtjes aan het plafond van het vertrek werden in de schedel weerkaatst als in een omgekeerde matglazen schaal met een verschoten blauw bloemetjesmotief.

Het kipje maakte drie keer een onhandige beweging naar rechts met zijn kop, toen naar links, en liep argwanend 'tok tok' mompelend naar buiten. Het geitje keek nog even naar de oude, maar toen het geen fris groen in zijn handen zag liep het eveneens aarzelend naar buiten, pas toen het buiten in een plasje stapte mekkerde het, maar de oude sliep door.

Moby God

In een groot, statig, enigszins deftig huis, dat er toch op de eerste plaats gezellig uitziet, gelegen aan een rustige laan waarlangs aan beide zijden hoge bomen staan, bomen die hun kruinen trots boven de rode daken uitsteken, wordt een muziekavond gegeven. Een warm licht straalt door de vensters naar buiten. Het is een late zomeravond. De mensen uit het stadje die op dat uur nog door de laan wandelen, na bijvoorbeeld een lange wandeling door de duinen en langs het strand te hebben gemaakt (de zee laat de branding op nog geen vierhonderd meter hiervandaan op het strandzand donderen), blijven af en toe voor het huis stil staan en luisteren naar de muziek die door de geopende vensters heen klinkt. Als we een blik in het vertrek werpen – het muziekavondje is al anderhalf uur aan de gang –, zien we daar een vrolijk, aangenaam causerend, beschaafd gezelschap bijeen. Drie jongedames in wijnrode fluwelen lange jurken, één jurk is met gele biezen afgezet en heeft een tamelijk diep decolleté, de borsten maken in dit gezelschap een beschaafde indruk; ze lijken hier geen lage lusten te kunnen verwekken. Er zijn een paar jongemannen van wie één in het officiersuniform van de marine. Het gezelschap bestaat verder uit de plaatselijke notabelen met hun vrouw; één van de dames is zelf arts! Mevrouw H., de vrouw des huizes, een aardige mollige dame van een jaar of vijftig, geeft wenken aan de twee dienstmeisjes en onderhoudt zich op een bankje, vlak bij de concertvleugel, met meneer von G., de officier van justitie uit het rechterlijk-organisatorisch district. Hij draagt een donkergrijs pak met vest en draagt een wijnrode das met witte balletjes. De enige versierselen op zijn borst zijn de glimmende doppen van een zilveren vulpen en vulpotlood. Er wordt gezongen, piano gespeeld, er worden platen gedraaid en af en toe speelt een heus strijkkwartet. Men heeft nu al geluisterd naar uitvoeringen van muziekstukjes van Schumann, Schubert, Brahms, Spohr, maar vooral Bach – das wohltemperierte Klavier –, de heer Van der C. tot K. toont op de vleugel aan hoeveel moeilijker het is om een fuga te spelen dan een praeludium. Meneer F., de stadsarchivaris, bedient de platenspeler. Hij probeert even of hij net zo laag kan komen met zijn stem als Sjaljapien, waarop iedereen in de lach schiet. De jonge officier speelt de tweede partita van Bach op de viool, alleen in de Chaconne maakt hij een paar foutjes, over het algemeen echter kan gezegd worden dat zijn streekvoering uitstekend is en dat hij een zeer, zeer goed oor heeft; geen van zijn dubbelgrepen heeft vals geklonken. De jongedames beperken zich voornamelijk tot zingen waarbij ze op de vleugel worden begeleid. De heer von G. speelt trouwens voortreffelijk cello, met twee andere heren en de marine-officier die eerste viool speelt vormt hij een aardig kwartet. Tot de lievelingsmuziek van mevrouw H. behoort het Dissonantenkwartet van Mozart. Ze heeft een beroepsmusicus als tweede violist voor deze avond uitgenodigd, omdat de onderdirecteur van het walvisvaart-museum verhinderd was. Op een zeker moment zingt een van de jongedames een gevoelig lied. De eerste coupletten behandelen het thema 'misverstand', de laatsten gaan over een smartelijk afscheid. Als het lied is afgelopen wist mevrouw H. zich onopvallend de tranen uit de ogen en verwijdert zich uit het gezelschap. In een klein vertrekje met rood behang, waartegen familieportretten in een vergulde lijst zijn opgehangen, laat ze zich op een sofa neerzakken en snikt in haar zakdoek zachtjes en eenzaam voor zich heen. Wat een verdriet! Zou het gezelschap haar niet missen? Mevrouw H. belt om een van de dienstmeisjes en ze geeft haar, als ze gekomen is, een boodschap voor iemand in de kamer mee. Na twee minuten wordt er op de deur van het kamertje geklopt en meneer von G. treedt binnen. 'Maar Margot!' roept hij uit, 'wat is er toch met je aan de hand, wat heb je toch?', en legt sussend, geruststellend zijn hand op haar schouder. Aanvankelijk verstaat hij helemaal niet wat Margot zegt, omdat het zo onsamenhangend is en omdat de warrige zinnen ieder ogenblik door gesnik worden onderbroken, maar langzaamaan begint hij de draad van het verhaal te volgen: het is het droeve verhaal van de man van Margot die nu al ruim tien jaar spoorloos is; zo weinig heeft men gehoord dat de echtgenoot met groot gemak juridisch als overleden kan worden beschouwd, hoewel Margot zich daar nog steeds tegen verzet. Ze vertelt nu alles aan van G. Bij stukjes en beetjes heeft ze zich wel eens wat van de geschiedenis laten ontvallen, maar dit is de eerste keer dat ze het proces van de ellende met haar man eens logisch en chronologisch op een rijtje zet. Ze heeft samen met haar man op het gymnasium gezeten. Samen zijn ze naar de universiteit gegaan. Tijdens zijn studietijd had hij al vreemde neigingen. 'Hij was altijd zenuwachtig,' zegt mevrouw H., 'maar het was de aardigste jongen die ik kende, hij trok zich van alles aan, hij voelde zich aansprakelijk en schuldig voor de slechtheid in de wereld. Na de universiteit zijn we hier gaan wonen, zijn vader heeft dit huis voor ons gekocht. Theo (want zo heette de man) deed overdag normaal zijn zaken, hij verdiende veel, maar toen hem op zijn achtendertigste een belangrijke functie bij Verkeer en Waterstaat werd aangeboden blééf hij vreemd doen: hij bleef 's avonds de Openbaringen bestuderen. Hij zat maar te rekenen en te piekeren. Vrienden wilde hij 's avonds niet ontvangen. 'Let maar op,' zei hij af en toe geheimzinnig, 'ik kom er wel achter, we zullen de zaak wel uit de doeken doen.' Hij sloot zich op in zijn studeerkamer en las verhandelingen over walvissen en de walvisvaart. Het idee had bij hem postgevat dat hij God moest vangen en hij wist hoe hij dat doen moest. Je moest varen op zee. Je moest gradenbogen en tijden berekenen, hij gebruikte de toevalstabellen van Chlebnikov. Eens in de zoveel jaar duikt een Narwal op. Je moet alleen precies weten waar, die vis moet je vangen en opensnijden. Dan komt God eruit. Alleen God kan orde op zaken stellen maar hij zit opgesloten in een Narwal en niemand neemt de moeite hem te bevrijden.

Hij voelde zich schuldig, Theo, hij was de oorzaak van al het leed omdat hij God niet had bevrijd. Hij kende Openbaringen uit zijn hoofd. Ik zei wel eens dat 'het beest uit de zee' net zo goed een kreeft kon zijn maar hij wist onomstotelijk dat het een Narwal was. Hij heeft een keer de dominee geslagen. Het ging om hoofdstuk dertien vers een: 'En ik zag uit de zee een beest opkomen, hebbende zeven hoofden en tien hoornen, en op zijn hoornen waren tien koninklijke hoeden, en op zijne hoeden was een naam van godslastering.' De dominee beweerde dat de Almachtige zich nooit in dat beest zou verstoppen en dat het beschreven beest geen Narwal kon zijn! Maar Theo verweet hem dat hij de Kabbala niet kende en dat de Narwal inderdaad een hoorn draagt, een lange, gedraaide tand van hoorn die soms drie meter lang wordt. Als de 'Godsdrager' (zo noemde Theo de Narwal) zijn kop uit het water steekt en hij draagt een hoed op die hoorn dan betekent dat dat hij zich vangen laat door degeen die vóór hij hem aanraakt briesend uitroept: 'Grijp den draak, de oude slang, dewelke is de duivel en satanas en bind hem duizend jaar! Werp hem in de kuil waarin hij duizend jaar blijven moet! Waarna hij nog een korte spanne tijds moet worden losgelaten, wee!' Stel je Theo toch eens voor. Wat een vreselijke waanzin! Zou hij werkelijk over de zeeën willen gaan om een Narwal te vangen met een hoed op zijn tand? 'Rokende zal ik over zee gaan en het beest vangen,' zei Theo. Op een gegeven moment heeft hij honderdveertigduizend gulden bij elkaar gespaard, hij schijnt heel wat uit de kas van het ministerie te hebben ontvreemd, heimelijk heeft hij een koffer gepakt en is zonder van mij, zonder van de kinderen afscheid te hebben genomen, zonder een spoor achter te laten, zelfs geen briefje heeft hij laten liggen, in het holst van de nacht uit huis vertrokken. Niets is van hem vernomen sinds zijn vertrek. Misschien heeft hij jarenlang het beest willen vangen en is allang vergaan. Ik weet niet of hij dood is, of dat hij misschien nog leeft. Maar het allerminst kan ik me wel voorstellen dat hij als een uitzinnige walvisvaarder over de zeeën trekt. Ik zou bij God niet weten hoe en wanneer dat idee van de Narwal intrek in zijn gemoed heeft genomen. Ik denk vaak, ik hoop soms, dat hij allang dood is maar ik ben bang als het stormt, dan ben ik als de vissersvrouw die haar man op zee weet. Belachelijk. Voor mij is het vreemdste dat hij de waanzin en zijn gewone leven precies gescheiden wist te houden. Het zou me niet eens verbazen wanneer hij volgende week thuiskwam en de dag daarop weer naar zijn werk ging alsof er niets is gebeurd. Wat ik hem echter het meest kwalijk neem is dat hij geen afscheid heeft genomen.'

De heer von G. heeft al die tijd aandachtig zitten luisteren en wijs met zijn kop van nee zitten schudden. Nu zegt hij: 'Wie weet komt hij ooit nog terug, misschien ook is hij zijn geheugen kwijtgeraakt en zit als krankzinnige in een ziekenhuis in Australië. Je moest er maar beter niet meer over nadenken. Zet hem uit je hoofd. Krankzinnigheid heeft niets met een smartelijk afscheid of een misverstand te maken.' 'Juist alles,' zegt Margot, 'ook jij zult nooit begrijpen wat er in me omgaat.' 'We praten er nog wel eens over,' zegt de heer von G., 'maar laten we nu teruggaan naar de salon, want ze zullen ons beginnen te missen...' De dame knapt zich wat op en vijf minuten later is ze weer met meneer von G. in de kamer. Eén van de heren zit Chopin te spelen en doet dat met verve. Als hij klaar is wordt er geklapt. Er worden glazen met parelende Rijnwijn binnengedragen. Eén raam staat nog half open en op straat is nu niemand meer te zien.

DEEL TWEE

Ik sta in het holst van de nacht op het strand en tuur over de zee. In de verte heb ik de lichtjes gezien van een klein schip. Het zal een zeewaardig jacht zijn, denk ik. De maan die vol staat, verdwijnt ieder ogenblik achter de wolken, maar in een periode dat hij vrij kan schijnen zie ik in haar licht een sloep die zich tussen het jacht en het strand bevindt. Er zitten, geloof ik, twee mensen in. De sloep gaat tegen de wind in. Ik ben nieuwsgierig en ga me onmiddellijk achter een paar rotsblokken en wat wrakhout verdekt opstellen. Na een paar minuten is de boot al door de branding. Er stapt een man uit. De man die in de sloep achterblijft, begint onmiddellijk terug te roeien. Mijn hart bonst van opgewondenheid en een lichte mate van angst. Zo nieuwsgierig ben ik te weten wat die man hier komt doen. Wil hij de douane ontlopen? Waarom zou hij anders zo heimelijk aan land komen? Hij draagt een net kostuum, de man ziet er goed verzorgd uit en hij heeft de gang van een heer. Zelfs in het zand. Op een veilige afstand volg ik hem over het smalle pad door de duinen. Hij daalt af, ik zie de vreemde haast niet meer. Hela! daar ligt een stadje. Heb ik nooit geweten. Als ik hier met vakantie ben loop ik vaak over het strand van E. naar O., maar ik wip hier nooit over de duinenrij. Wat een prachtige omgeving is het hier! Daar loopt de vreemde weer. Ik volg hem zo dicht mogelijk, zonder dat hij me horen kan. Hij loopt langs de kortste weg naar het kerkhof van het stadje. Hij bekijkt allerlei graven intensief, maar drie graven, waar hij vastberaden op af is gelopen, heel in het bijzonder. Hij mompelt de namen die op de stenen staan gebeiteld voor zich heen. Hij schrijft, terwijl er geen lamplicht is, iets op in een klein boekje. Hij slaakt een zucht. Van opluchting? Hij loopt door en gaat door een andere uitgang dan waardoor hij is binnengekomen, het stadje weer in. Hij gaat naar het park, waar hij op een open plek op een bankje gaat zitten. Na lange tijd haalt hij (wederom met een zucht) een doosje uit zijn colbert en haalt er een briefje uit dat hij langzaam begint te verscheuren. Vele, vele snippers maakt hij ervan, die hij in de papierbak achter zich laat vallen. Hij kucht een paar maal, snuit zijn neus, staat op en wandelt de stad weer in. Ik graai snel in de papierbak maar kan geen leesbare tekens op de snippers ontdekken. Dan ga ik op een drafje achter hem aan. Ben ik hem plotseling te dicht genaderd? Voelt de vreemde onraad? Hij staat stil en kijkt om. Ik heb me niet voorzichtig genoeg gedragen. Ik sta achter een boom. Hij ziet me niet. Als hij weer gaat lopen zorg ik ervoor wat minder gerucht te maken. Kriskras loopt de vreemde wel twintig minuten door het stadje. Hier en daar bekijkt hij een naambordje en een gevel. Als er ergens licht brandt, loopt hij er in een boogje omheen. Hij schrikt een paar maal van het gepraat en het gezang dat uit kroegjes komt. In een prachtige laan, die aan beide zijden is afgezet met hoge bomen, houdt hij zijn pas in voor een huis waaruit de stemmen van een voornaam gezelschap weerklinken. Hoewel de vreemde in het duister haast niet is te zien, kan ik toch waarnemen hoe hij aandachtig naar boven, naar de verlichte ramen tuurt. Het stemmengeruis neemt af en het geluid van een viool laat zich horen. Het ene ogenblik klinkt het instrument erg vrolijk, het andere moment zo droef dat mij de tranen haast in de ogen springen. De man loopt nog dichter naar het huis, werpt voor de laatste maal een blik op het naambordje, dat hij even met een lucifer bijlicht, en brengt dan met een onverwacht gebaar zijn rechterhand naar de bel. Zo blijft hij enige seconden staan maar hij belt niet, ik hoor tenminste niets, er wordt ook niet opengedaan. Ten slotte gaat de vreemde weer weg. Plotseling, na honderd meter te hebben gelopen, draait hij zich om, keert terug, wil weer bellen maar doet het nét niet. Hij loopt voor de tweede maal van het huis weg. Ik volg hem. Hij gaat weer naar de duinen, loopt over hetzelfde pad als waarover hij kwam terug naar het strand en begint met een kleine lamp lichtsignalen te geven. Na tien minuten is er een sloep op het strand. 'Toch maar niet,' hoor ik de man tegen de roeier zeggen. Dan stapt hij in en de roeier begint weer tegen de branding op te tornen.

De roeier moet een sterke zeeman zijn, want de heer doet niets en de sloep verwijdert zich snel! De vreemde zit met het hoofd in zijn handen. Met mijn ogen volg ik de sloep zo goed als mogelijk is. Het gaat een beetje moeilijk, want het is een beetje gaan waaien en het bootje verdwijnt ieder ogenblik achter de golftoppen tussen mij en de horizon (dat zijn er trouwens veel, en er zijn behoorlijk hoge bij). Toch zie ik hoe men in de verte op het jacht de sloep omhoogtakelt, ik schat de lengte van het jacht toch zeker op vijf en dertig meter, het is haast een kleine coaster met hulpzeilvermogen. Sommige lichtjes op het schip gaan aan. Andere uit. Dan, zonder een kik te geven, vertrekt het schip. Voor mij volstrekt onhoorbaar. Ik hoor zelfs geen geluid van piepende ankerkettingen, ik denk omdat de wind van mij af naar het schip staat. Ik ga zitten op een paar planken op het zand en begin mezelf vragen te stellen:

Wie was die man? Wat kwam hij hier eigenlijk doen? Was het een rijke reiziger, die met zijn schip hier toevallig voor de kust lag en zich afvroeg: 'Ik zou wel eens willen weten wat er eigenlijk achter gindse duinen schuilt.' Was het misschien een spion die een of ander geheim bericht moest doorgeven? Wellicht had hij dat op listige wijze reeds gedaan, maar dan zó, dat ik er niets van had gemerkt. Ja! wat schreef hij eigenlijk op, op het kerkhof? En wat hebben die papiersnippers te betekenen? Wellicht gaat het alleen maar om een getal. Om het getal van de snippers bijvoorbeeld. Of had hij misschien een boodschap af te geven in het huis waaruit de muziek klonk? Maar waarom heeft hij dan niet iets geroepen, gesteld dat de bel van het huis kapot was? Ik weet het niet. Ik kan er ook niet achter komen. Had ik alarm moeten slaan? Ken ik soms de gewoontes hier? Ik ben hier maar vreemdeling. Het is, denk ik, maar het beste dat ik niets heb gedaan. Maar omdat ik niets van het hele voorval begrijp of begrijpen kan, had ik het wellicht net zo goed níet mee kunnen maken.

Onrust

(fragment)

'In de geschriften van Gideon ontdekte ik ergens een lijst van ziekten, door de medische wetenschap vooralsnog niet in een groep ondergebracht, waarbij ik stuitte op het woord "Islomania", een zelden voorkomende maar geenszins onbekende geestesziekte. Er zijn mensen, zoals Gideon het bij wijze van uitleg stelde, voor wie eilanden iets onweerstaanbaars hebben. Het pure feit dat ze op een eiland zijn, op een geheel en al door de zee omgeven eigen wereldje, brengt hen in een onbeschrijfelijke roes.'
LAWRENCE DURRELL

I

Noord-Beveland, zon van mijn geest, licht voor mijn bewustzijn, lamp voor mijn voeten, heerlijke streek, balsem voor mijn ziel, drager van mijn onuitsprekelijk geluk, in regen, wind, mist, harde wind en bij vorst ben jij mijn liefde en het kleinood dat ik zachtjes, het behoedzaam voor iedereen verbergend, aan mijn borst koester. En bekijk ik de aarde, van de maan of Sirius af, dan zie ik, door mijn zeer scherp ingestelde kijker heen, de lichtjes van alle streken der aarde het heelal inpriemen behalve van Noord-Beveland dat op die manier op een rustbrengend zwart gat lijkt. In jou, in je vette kluiten, in je uien, gladiolen, aardappelen en suikerbieten, in je fazanten, korhoenders, konijnen, hazen, reeën, duinen, schorren en stranden heb ik mijn Paradijs op aarde gevonden. Jij bent het lief eiland waarnaar ik verlang, een zeer glinsterende parel aan de horizon van mijn voorstellingsvermogen, heerlijk land met je schepen, boten en water. Schaterend sla ik mijn armen over elkaar en ga voor een ogenblik, schuin naar achter op mijn stoel hangend, als in vervoering naar de wolkenlucht kijkend, met het geluid van duizenden automobielen in mijn oor, even aan je denken en zie je reeds rijzen als de glanzendste kindertekening, aandoenlijk, lief, vermakelijk door je maatschappelijke overzichtelijkheid. Kleinood der kleinodiën, altaar der altaren, huis vol godsvrucht en bescheidenheid, Noord-Be-ve-land – ik heb u zo lief. Vette zeeklei, Psalmen, meeuwen!!

Toen ik de laatste keer in Zeeland was, was ik heel gelukkig. Ik zocht rust voor wat ik in de stad had meegemaakt. Dezelfde warrigheid als waar u allemaal last van hebt wanneer u in Nederland in een grote stad woont. Ik zou u aanraden om eens een tijd niet de krant te lezen, niet naar de televisie te kijken en niet in een rijdende auto te gaan zitten. Ik was geheel op van de zenuwen door de niet aflatende inlichtingenstroom. Wat moeten wij af en toe toch veel verwerken. Soms is het zo erg dat wij naar een beetje rust verlangen. Er zijn moeilijkheden met de kinderen, met de belastingen en de gewone schulden, de auto doet het niet goed en het blijft maar slecht weer. Ik heb van al die dingen geen last maar ben des te zenuwachtiger omdat ik zo'n medelijden heb met al die mensen die als een kip zonder kop maar voortrennen. Die de in werkelijkheid niet bestaande zorgen proberen te verwerken. Want ze zoeken de ellende alleen maar op! Ze zoeken het allemaal zelf op!

Nu moet ik denken aan de Fuchsmannetjes, dat zijn de vijfjarige zoontjes van Rudi. We gingen ooit met z'n vieren naar het Botlekgebied. De zoontjes, Rudi en ik. Wat een industrie daar, wat een rook en smook, wat een geweldige pijpen, hele woestijnen vol met vieze havens en kraakinstallaties. De kleine Fuchsmannetjes zijn nog niet oud en moeten af en toe een plasje doen. Fuchs is de museumdirecteur en zegt niet veel. Af en toe mompelt hij 'mooi hè' en maakt een weids gebaar met zijn armen. De kleine mannetjes willen plassen en we laten ze even uit. Wat kunnen die lieve schatjes toch fijn plezier hebben bij het plassen! Opeens roept er eentje uit: 'Pappie, pappie, harde sneeuw.' Bij nadere onderzoeking blijkt dat het Fuchsmannetje op kleine stukjes autoruit staat te plassen! Maar we laten het voor de jongetjes natuurlijk bij harde sneeuw. 'Ik wil weer naar huis,' roepen ze. 'We moeten nog naar het punt waar we heen gaan,' zegt Rudi. 'Ik wil dat we er nu al zijn,' zegt een van de mannetjes. 'We zijn er nog lang niet,' zegt Rudi. 'Waarom is hier zoveel stank?' vragen de jongetjes. 'Daar drijft Nederland economisch op,' is het antwoord. Met ogen vol angst en verbazing zitten de jongetjes in het rond te kijken. Het is vast en zeker de grootste nachtmerrie van hun leven, maar de harde sneeuw was prachtig, dat was toch een enorme mop zeg, poepie bilscheet pisserdekakpies boven op harde sneeuw die steeds blijft liggen, hihi, haha.

Ja, en wat wilt u nu eigenlijk lieve lezer, moet ik u dan al mijn angsten gaan oplepelen? Dan kan ik wel meteen aan een werk van tweeduizend bladzijden beginnen want er is niets waar ik niet bang voor ben. Hebt u wel eens met een paard, dat genoemd is naar een Russische politieke gevangene, voor de Russische ambassade gestaan? En drie keer een petitie aangeboden die niet aangenomen wordt? Hebt u wel eens in Amsterdam staan demonstreren voor een andere Rus die vreselijk in zijn land geplaagd en gefolterd wordt, terwijl niemand een blik op u of op uw borden werpt: 'Boekovski moet vrij en wel zo snel mogelijk. De President van België en de Hollandse Koningin ondersteunen onze actie.' Hebt u wel eens meegemaakt dat er dan drie Amerikaanse, kauwgom malende jongens bij komen staan waarvan de een mij voor een gore fascist en de ander mij voor een smerige communist uitmaakt? Ze zien alleen maar de naam Boekovski en meteen denken ze dat we een Rus gevangen hebben en dat hij nu in Nederland in de gevangenis zit. De ene jongen denkt dat we hem vrij willen laten en de ander denkt dat we hem willen martelen. Terwijl de cameramannen geduldig staan te wachten – Roel van Duyn, een bekende wethouder, en professor Bezemer, een der prominentste slavisten die ons land rijk is, staan er ook een beetje afwachtend en lijdzaam bij, een beetje met een gezicht van: het haalt toch niets uit – begin ik in het kort alles aan de Amerikanen uit te leggen. Per slot van rekening is die camera mijn publiek niet, zelf kijk ik praktisch nooit naar de televisie.

'Dear men,' zeg ik, 'we live in a world. And this world is divided in three parts.' 'Gallia divisa est in partes tres,' giechelt Bezemer. Ten slotte kom ik aan mijn betoog toe: 'Boekovski is a very good man and he wants freedom for his people. That is the reason why he is foltered and injured, despised and rejected, the Russians make him ridiculous in his land. They are laughing at him on his own territory. They treat him maliciously in a special hospital. All the doctors are enemies to Boekovski.' 'Biesheuvel,' roepen nu de cameramannen, 'je bent niet hier gekomen om aan een stelletje maffe Amerikanen uit te leggen wat er aan de hand is, maar voor de televisie.' 'Ja maar,' roep ik uit... 'Jacob Maarten Arend,' lachen de anderen. 'Het gaat toch om een demonstratie,' zeg ik, 'wat heb ik met de mannen van de camera van doen, ik ben gekomen om het hier uit te leggen en hier is haast niemand die het wil horen en juist die drie die ervan willen weten staan er lusteloos bij en begrijpen het niet.'

Dan word ik gedwongen om mijn bord te pakken waarop staat 'Boekovski free' en ga er even, haast huilend van onbegrip, mee staan. Ik kan niet begrijpen wat dit nog voor nut kan hebben.

Zo zou ik ook een keer het voetbalveld opspringen toen Portugal nog tegenstanders van het regime aan het martelen was. De fanfare speelde het volkslied en alle mannen van mijn groep sprongen over het hek en gingen meteen voor de tuba en de marcherende trommels liggen maar ik durfde niet, daar schaam ik me nu nog voor.

Of bijvoorbeeld op het podium in de open lucht zitten om te demonstreren tegen straaljagers en niet geloven wat de sprekers roepen. Dan kijk ik naar de wolkenluchten over de Dam, ik zie witte ijsberen over de Bijenkorf heenscheren en denk: ach God, heb toch medelijden, wat is uw wereld toch heel mooi, wat is uw wereld toch heel vreselijk. Ik ben toch zo blij dat ik leven mag.

En wat dacht u dan van een test bij de Rijks Psychologische Dienst. Daar zit je als honderd schapen in een hok. Ik schrijf iets op een papiertje en meteen komt er een vrouwelijk vod langs en die geeft een grote kras door mijn papier: 'Fout,' snauwt ze. Hier zitten honderd volwassenen zich druk te maken of ze wel door het examen heenkomen, we worden gekeurd als varkens, het is me nog een wonder dat de gebitten niet worden nagekeken!

Op een gegeven moment gaat de telefoon. De telefoon gaat keihard door het examen heen. De dame die hem beantwoordt praat eveneens keihard: 'De heer Daantjes kan over vijf minuten bij u zijn.' Verschrikt kijkt de examinandus naar haar op. 'De heer Daantjes is namelijk juist aan het klaarkomen,' roept de dame. En een paar minuten later gebeurt er weer wat anders. Ze belt naar een dokter. 'Er zit hier iemand met een slecht hart, dokter, die man kan ieder ogenblik in elkaar zakken, moet ik hem toch maar gewoon het examen afnemen?' 'Ja, gewoon afnemen.' Ik bibber van de zenuwen en de angst. 'Examen,' denk ik, wat betekende dat allemaal niet in het Latijn? Ik ga het nog eens goed na: 'Bijenzwerm, menigte van slaven, onderzoek, beproeving en tongetje van de weegschaal.' Het is niet te geloven.

En weet u wel wat angst is? Dat vult de ruimte van het heelal van mijn gedachten tot in de uiterste hoeken! Kon ik het maar in de hoek trappen. Lieve lieve lieve God, hebt u dan nooit medelijden met mij? Blijft u me dan eeuwig plagen? Ik zie het er nog van komen dat ik niet eens mag sterven. Dat de nachtmerrie alsmaar doorgaat. Op een keer was ik zo bang dat ik de hele boekenkast met alle boeken erin over Eva heb heengetrokken. Ik dacht dat ze dood was, want ze zei niets meer. En toen ben ik het huis uitgerend. Heel ver weg. Helemaal de stad uit en de polder in. Daar vond ik een juist overreden egel. Hij is in mijn handen gestorven. Ik stond erbij te huilen. Miljoenen jaren heeft hij bij gevaar zijn stekels opgezet en bleef hij ongedeerd, maar autoband weet er wel raad mee.

Toen dacht ik: 'Ga maar weer gewoon naar huis, want dit is niets gedaan, veronderstel dat Eva iets overkomen is.' Onderweg zag ik verschillende kleine auto's waar heuse duivels inzaten met groenige gezichten, o ik was zo bang, maar ik heb me niet laten kennen en ben toch gewoon doorgerend naar huis toe. Er was geen agent die me tegenhield. Nu ik het opschrijf begint mijn hart weer harder te bonzen want ik dacht echt dat ze dood was. Toen ik op de kamer kwam was ze als de vogel Phenix uit de boeken herrezen. Honderden boeken lagen rond de plaats waar ze op de grond zat. Mijn lieve Eva, ach schatje, wat heb ik jou al niet aangedaan. Je zat daar te huilen met een van de poezen op schoot die een geweldige buil op zijn kop had. Een paar maanden later was ik opgeborgen in een gekkenhuis en was het eigenlijk nog erger.

Ik roep ineens tegen Eva. 'Gevaar autoos', het staat erop, ze hebben het er zelf op geschreven, 'Gevaar autoos'. 'Nee jongen,' zegt ze, 'daar staat gewoon Gevaert fotoos.'

En wat dacht u dan van het feit dat ik eigenlijk van heel Uzbekistan niets gezien heb? Waarvoor ben ik er dan helemaal naar toe gereisd? Toen we er eindelijk waren heb ik gezegd: 'Leg mij maar in dat brede marmeren kozijn, dan kijk ik wel naar de zwaluwen.' Dat is het enige wat ik heb gezien, de zwaluwen waren veel groter dan ik ze hier ooit gezien heb. Mijn verklaring daarvoor is dat de insecten die ze uit de lucht plukken daar ook veel groter zijn.

Paviljoen E

'Dit is bepaald niet de manier waarop men de Zoon des Heeren een ontvangst bereidt!' Deze woorden worden op krachtige wijze uitgesproken door een magere jongeman met zwart haar en ingevallen ogen, die als duistere modderpoeltjes glinsteren achter kleine, sterke brilleglazen. Zijn stemgeluid is hoog, nasaal en doordringend. De woorden van jammer klinken beklemmend na in de witte, haast lege dokterskamer. De zin is als met hamerslagen tegen de kale muur boven het bureau geslagen. De begeleiders van de krankzinnige, op wier gelaat een uitdrukking ligt van berusting en ook een licht gevoel van geluk, iets in de trant van 'Godzijdank hebben we hem heelhuids, zonder ongelukken hier gekregen', staan naast hun familielid en houden hem vast: de vriendin van de patiënt, de vader en moeder van de vriendin. Als het even stil is werpen de laatsten een meewarige blik op hun dochter. Ze spreken hun gedachten niet uit: 'Arm kind, wat ben je toch begonnen? Het was een aardige jongen, gevoelig, sympathiek, muzikaal, niet onintelligent, het is nog een aardige jongen, we stoten hem niet uit, maar nu is hij gek en misschien is het de vraag of hij ooit weer normaal wordt.' 'Jacob blijf staan!' roept de vader, 'ben je verdomme helemaal gek geworden?' De jongen staat wild te rukken en probeert aan de ijzeren greep van zijn schoonvader te ontkomen. Het zal hem niet makkelijk vallen, want de man die hem in de houdgreep heeft is op zijn minst honderd kilo spier; gezond doorzenuwd en doorbloed vlees. Alleen hieraan zou men al kunnen zien dat de patiënt die juist binnen is gebracht een klap van de mallemolen moet hebben. Hoe haalt hij het immers in zijn hoofd om met zijn zwakke lichaam – hij is ongeveer een meter zevenentachtig lang en weegt nog maar tweeënvijftig kilo – aan de greep van deze vriendelijke gorilla te willen ontkomen? De zware man zou slechts één keer goed behoeven te knijpen, het doet er niet toe op welke plaats, en de jongen is gebroken. Maar de man blijft ondanks de schop- en rukbewegingen van de patiënt lankmoedig en vriendelijk staan. Hij houdt Jacob slechts licht rond het middel en in zijn nek vast terwijl hij achter hem staat. De jongen geeft langzaam zijn verwoede pogingen op. Hij hijgt en zweet als een bezetene. Slierten zwart haar plakken op zijn voorhoofd. De omgeving bevalt hem kennelijk niet. Hij kijkt verwilderd in het rond en mompelt onbegrijpelijke dingen. 'Ze hebben me naar de kamer van het Beest zelf gebracht, onder zijn tafel zie ik de pilaar, op het bovenste stuk waarvan het boekje is dat ik zal nuttigen, dewelks inhoud zoet zal zijn in de mond, doch gruwelijk bitter in de maag. Wee! Heere laat deze drinkbeker aan mij voorbijgaan...' De moeder staan de tranen in de ogen. Het is ook vreselijk dat ze zoiets moet meemaken. Eva, de vriendin, bijt op haar lippen, ze wil zich niet laten kennen. Zelfs breekt een glimlach door om de zotteprat die Jacob uitslaat. 'Maar beste jongen,' zegt de schoonvader, 'gebruik je ogen toch, kijk nu eens goed, dat is immers helemaal geen pilaartje onder het bureau? Het is een wit geëmailleerde prullenbak...' De man kijkt naar de dokter alsof hij van hem instemming zou willen ontvangen. De man achter het lege bureau kijkt glazig voor zich uit, af en toe maakt hij aantekeningen, hij denkt na, hij ziet de schoonvader kijken en mompelt: 'Inderdaad meneer, een gewone prullenbak, een prullenbak van nog geen twintig gulden.' De patiënt kijkt ijzig naar de dokter. Wat wil die duivel in die witte jas, waarom heeft hij zo'n gele hoofdhuid, waarom heeft hij van die oogjes in zijn hoofd die glimmen als gloeiende kooltjes? Waarom verkleedt de duivel zich voor hem als een assistent van de professor of als een dokter? Waarom hangen in dit blinkend wit betegelde vertrek geen mooie etsen, waarom zijn er geen planten, waarom ligt er geen gezellig kleed op de vloer? Wat doet die operatie-lamp aan het plafond? Waarom schrijft die vent met zijn linker- in plaats van gewoon met zijn rechterhand? Waarom is hij niet als een pissebed voor

Jacob ter aarde gevallen om hem vergeving te vragen waarop hij de genadeslag zou krijgen? De klap die hij al duizenden jaren verdient? Ja, het is duidelijk... alle tekenen wijzen erop dat deze man de duivel is. Hij besteedt ook niet genoeg aandacht aan het gezelschap. Wat zijn dat voor manieren om de Zoon en zijn gevolg gewoon op het zeil voor het bureau te laten staan? Let maar eens op zijn glimmende zwarte schoenen, let op de witheid van zijn jas, op de mouwtjes die vlak boven de elleboog zijn afgeknipt, waarschijnlijk een jas van een badmeester, let op het zilveren potlood, op de zilveren vulpen in het borstzakje, allemaal geopenbaarde toebehoorselen van het Beest. Waar schrijft hij eigenlijk mee? Hij schrijft met een schaartje op een lapje stof. Vreselijk! wie heeft dit uitstapje voor de Zoon toch bedacht? Wat Jacob de laatste tijd heeft meegemaakt is zonder twijfel het dwaaste wat een mens kan overkomen. Geen Tsjechische, geen Poolse regisseur die een krankzinniger film zou kunnen maken. Het lijkt erop alsof de hele wereld Jacob gek wil maken: juist op de momenten dat hij vreselijk gelukkig is en hij de ellende achter zich waant krijgt hij een geestelijke tegenslag. Zo verwachtte hij nu voor Gods Rechterstoel te zijn beland. Hij had gedacht na al de pijnigingen en teleurstellingen van de laatste tijd in de hemelse heerlijkheid te zijn aangekomen. Ze hadden hem uit huis gedragen, heel zacht en vriendelijk, ze hadden zijn pantoffels nog aangelaten en hem in een rode raket gelegd, de bestuurder had het toestel rustig het luchtruim ingejaagd, geen brullende motoren, een zacht gezoem, ze waren veel ander ruimteverkeer tegengekomen, velen hadden gegroet, ruimtevaarders, op weg naar een nog onbekend doel, ze hadden hem in het duister van het heelal herkend en heldere sterren doen ontvlammen, als Goddelijk vuurwerk, ze waren op weg naar Gods hoge hemelse troon in een meteorieten-regen verzeild geraakt, de bestuurder was gestopt bij de Melkweg om nieuwe Gezangen uit de lucht te vangen, ze waren reeds op papier gezet, mooie, duidelijke muziek zoals het hoort in de hogere sferen, het toestel had een verbluffend mooie landing gemaakt voor de poorten van de hemel, de poort was van zilver geweest en er hadden gouden letters op het hekwerk gestaan, 'ENDEGEEST', de portier van de heerlijkheid had met een weids gebaar de poorten geopend, en de raket was uitgegleden tot voor de laagste treden van de troon van God. Toen hadden ze hem bedriegelijk naar binnen gevoerd en hem met deze duivel geconfronteerd in zijn klinische beulenkamer waar wening was en knersing der tanden. 'Het einde van de geest,' had Jacob gedacht, 'wat is alles mooi geregeld, hoe is alles wonderlijk mooi door de Vader zelf bestierd, dit is het einde van de geest dat gelijk ook het begin zal wezen.' Eindelijk was alles gegaan zoals Jacob het al zolang had gehoopt en nu kreeg hij deze teleurstelling. Tot voor vijf minuten lag hij te neuriën van geluk en nu staat hij op zijn eigen benen, in zijn eigen pantoffels, recht tegenover het monster dat als laatste nog vernietigd dient te worden. Hoeveel kwaad was er al niet verdelgd? Hoevele malen had hij al niet de hemel, een aai van God over zijn hoofd en liefderijk Engelengezang verdiend? Waarlijk, hij had het al honderd keer verdiend en nu kwam dit ertussen! Jacob beet op zijn tanden. Zodra de greep van de schoonvader wat minder werd (de man van wie hij wel als laatste had verwacht dat hij zo bedriegelijk met hem zou handelen), zou hij de gruwel achter zijn witte bureautje, dat stuk ongeluk met die platte, lage grijns op zijn smoel vernederen, vernietigen en voorgoed vertrappen.

Nu staat de dokter op vanachter zijn bureautje. Hij kijkt het beteuterde gezelschap vorsend, haast brutaal aan. 'Zo Jacob,' zegt hij, vriendelijk voor een ogenblik, maar eigenlijk uit de hoogte, 'vertel het me eens Jacob, wat kan ik voor je doen?' Wat er door de patiënt heengaat weten we niet. Het zal verontwaardiging zijn: hij had misschien aangesproken moeten worden met 'Aanbedene' of 'O van God gegeven Wezen', de patiënt zal kwaad zijn dat hij met zijn eigen naam, zijn gewone roepnaam wordt aangesproken alsof hij een gelijke van de man achter het bureau was. Het lijkt ons niet onwaarschijnlijk dat hij zich opwindt over het feit dat de dokter zijn domme fouten, zijn nalatigheid niet inziet en eindelijk voor de Zoon op de knieën valt om hem om vergeving te smeken voor het kwaad dat hij al zo lang over de Aardbodem heeft uitgestrooid. In ieder geval weet de juist binnengebrachte jongen zich los te rukken, de schoonvader moet zijn greep enigszins verminderd hebben, misleid als hij is door de schijnbaar rustige houding van de patiënt de laatste minuut. De patiënt rent op de arts achter zijn bureautje af en slaat hem tegen de grond. Hij spuwt op de man en schopt hem tegen het hoofd. De schoonvader rent achter de zieke aan en duwt hem in de hoek van het vertrek tegen de grond. De arts krabbelt op, er loopt een straaltje bloed over zijn hoofd. 'Jezus Christus,' mompelt hij. 'Hier ben ik!' roept de patiënt angstig met gedempte stem uit zijn ineengekreukelde houding, 'kom maar op, ik ben niet bang!' De arts let niet op de woorden. Hij betast pijnlijk zijn lichaam, mompelt nog een keer 'Jezus' en kijkt strak voor zich uit. 'Zoiets heb ik nog nooit meegemaakt, het spijt me, maar dit is wel een heel gevaarlijke patiënt, die moet onmiddellijk in een zware afdeling, ik had gedacht aan een lichte psychose, een overspannenheid, maar dit is te zot.' Hij drukt op een knop en een sirene weerklinkt met een paar korte stoten in een lange gang buiten. Vier witgejaste broeders komen met haastige pas het vertrek binnen. Ze krijgen aanwijzingen van de arts en nemen de zieke mee. Gillend en tegenspartelend laat de patiënt zich uit de kamer wegdragen. De moeder wist zich een traan uit het oog, ze is haar handtasje kwijt, het wordt haar door Eva aangegeven. Buiten horen ze nog lange tijd een geweldig spektakel. Ze zijn trouwens tóch te opgewonden om nu een rustig gesprek met de arts te kunnen hebben. De arts zelf wil er liever ook een eind aan maken. Ze maken een afspraak voor over een paar dagen. 'Zou hij nog beter worden?' vraagt de moeder. De arts trekt zijn schouders op. 'Je weet nooit hoe een koe een haas vangt', dat wil hij waarschijnlijk zeggen. Op de gang zingt iemand met stentorstem een lied. Hij zal zo de andere patiënten nog wakker maken:

'Ach, de Heer heeft mij doen bukken
voor 't gewicht der ongelukken.
Ja, mijn levenstijd verkort,

mij met rampen overstort.
'k Riep: O God mijn welbehagen,
spaar me in 't midden van mijn dagen,
Gij, door ruimt' noch tijd te krenken
kunt mij hulp... kunt mij hulp en uihuitkomst schenken.'

'Dat is Jacob,' zegt Eva blij verrast. 'Hij zingt anders nog goed,' mompelt de dokter. 'Is dat niet een Psalm?' vraagt de schoonvader aan zijn dochter. 'Dus de patiënt zit in het Ziekenfonds?' vraagt de arts. 'Studentenverzekering,' zegt het meisje. 'En zijn achternaam is?' zegt de arts. 'Colijn.' 'Dat is een naam die je niet gauw vergeet.' De dokter schrijft nog een paar gegevens op en laat dan het gezelschap weer uit. De automobiel staat in het maanlicht donkerrood voor het paviljoen te glimmen. De deuren worden geopend en dichtgeslagen, de motor aangezet en de auto glijdt weg, de vrijheid van de normale mensen buiten de poort tegemoet. Terwijl de vier witjassen de patiënt in een cel onderhanden nemen en hem proberen te kalmeren denkt Eva op de achterbank van de auto op weg naar het huis van haar ouders in Noordwijk aan de voorvallen van de laatste tijd. (Ze zal de komende maand niet naar haar kamer in Leiden teruggaan, bevreesd als haar ouders zijn dat ze in zal storten: Jacob voortdurend missende en voortdurend voorwerpen hanterende die haar de patiënt te levendig voor de geest zullen roepen.) Haar vader en moeder zwijgen. Het is een trieste rit. Eva probeert zich groot te houden. 'Het loopt wel goed af,' mompelt ze, 'zo erg is het niet.' De schoonvader herinnert zich een voorval van tien of twaalf dagen geleden. Om Jacob wat afleiding te bezorgen had hij hem meegenomen naar Limburg, hij moest daar zaken doen. Ergens in de buurt van een klein dorp had Jacob een uur of twee gewandeld. De schoonvader had hem, na de bespreking, op de afgesproken plaats afgehaald. Geheel buiten zichzelf, uitzinnig, met een griezelig vreemde uitdrukking op zijn gezicht was Jacob in de automobiel geklommen, hij begroette zijn schoonvader niet eens en zei met een geheimzinnig gezicht: 'Ik heb Engelen gezien, twaalf Engelen en ook zij hebben me weer veel geopenbaard.' 'Waren het misschien ooievaars? Grote vogels?' had hij zijn schoonzoon gevraagd, nuchter reagerend zoals altijd, en zichzelf corrigerend: 'Ooievaars, dat kan haast niet, die komen haast niet meer voor in deze streek... reigers misschien, grote vlaamse gaaien?' Nee, het waren bepaald geen vogels geweest, geen aardse beesten. Bovennatuurlijke wezens waren het geweest die Jacob in het oor hadden gefluisterd dat hij nog veertien dagen lijden moest en dat dán de heerlijkheid op aarde zou aanbreken. Ze hadden hem verteld dat hij het nog niet mocht merken hoe dankbaar de mensen waren dat uitgerekend hij de Messias was geworden om voor de tweede keer de zonden der mensheid te tillen. Hij had Jacob nog eens een paar keer goed aangekeken en was uitermate geschrokken omdat hij zich niet kon voorstellen dat het al zover met zijn schoonzoon gekomen was, hij herinnerde zich nu ook weer hoe Jacob gisteren verteld had dat hij een nacht lang met een Engel gevochten had, een uitputtend gevecht met een Engel die van een verblindende schoonheid was geweest. Tijdens de rit terug had hij meer dan drie uur geprobeerd zijn schoonzoon van zijn waanzin te overtuigen dat er geen Engelen zijn, dat God misschien bestaat maar waarschijnlijk niets ziet, dat de wereld bepaald niet op een Messias, maar wel op een goede jurist, een capabele journalist of politicus zat te wachten. Maar Jacob had niet geluisterd. Hij was beledigd dat mensen met zulke praatjes aan durfden komen. Waarom wilden ze niet zien dat hij de verwekker van de uiteindelijke Zaligheid was? 'Een profeet wordt nooit in zijn vaderland geëerd.' De laatste dagen was er een soort verwijdering ontstaan tussen Jacob en zijn schoonvader. Jacob had het laatste half jaar, vooral de laatste drie maanden gewerkt aan een pseudo-wetenschappelijke verhandeling, getiteld 'Over het ontstaan van de wereld, haar reilen, zeilen en de zin van dat al.' Jacob had er stukken uit voorgelezen aan zijn schoonvader die het allemaal vreselijke flauwekul vond, vol met stop- en modewoordjes. 'Onbelangrijke, oninteressante tendenspraatjes,' had hij ze genoemd, 'koren op de molen van hasj pruimende zogenaamde nieuwlichters, de halfzachte magiërs in hun voddenbalenkledij.'

Eva zat te overdenken of het nu werkelijk nodig was geweest Jacob naar een inrichting te brengen. Spoedig kwam ze tot het duidelijke inzicht dat dat inderdaad het geval was. Een krankzinnige vriend verzorgen is wel aardig maar het moet niet een al te zenuwslopende zaak worden. En als de patiënt bovendien nog gevaarlijk voor zijn omgeving wordt... Op een gegeven moment had Eva hem rechtop in bed, panisch verschrikt kijkend aangetroffen. Hij riep haar. Ze kwam. 'Ik zal je moeten slachten,' zei Jacob, 'het is het enige zoenoffer dat God nog aan wil nemen, je hoeft niet zo verschrikt te kijken... er zijn meer mensen geofferd tot nog toe, als God dit van me vraagt dan zal ik het doen, ga maar op de tafel liggen.' Eva keek naar Jacob. Hij zat in bed en hield een vlijmscherp broodmes onder de dekens in zijn handen. Ze was eigenlijk nog angstiger dat hij op die manier zichzelf zou verwonden dan dat hij haar iets aan zou doen, terwijl ze toch wist wat hij van plan was en door de warrigheid van zijn geest bepaald niet zou schromen om haar inderdaad de keel af te snijden. Wat was het toch moeilijk om met een gek door het leven te moeten gaan. Hoe was hij nu toch aan dat smerig scherpe mes in bed gekomen? Wanneer was hij er dan uit geweest? Vertwijfeld stond Eva in haar keukentje met de handen in het haar. Je kon toch niet overal tegelijk aan denken? En nu hij het mes eenmaal had, hoe moest ze zich nu uit dit lastige parket redden? Ze had geen godsdienstige opvoeding genoten en daarom was het voor haar des te moeilijker om met de zieke om te gaan. Zo ze de Bijbel, de Psalmen en de Catechismus van haver tot gort had gekend zou het haar aanzienlijk makkelijker zijn gevallen om de zieke in zijn af en toe zeer vreemde gedachtenvlucht bij te kunnen benen. Een glimlach gleed over haar gezicht, ze had iets gevonden. Ze trad de kamer binnen en keek Jacob zonder angst aan. 'Waarom ga je niet op de tafel liggen?' herhaalde hij zijn bevel, 'alleen op de tafel mag ik je offeren...' 'Misschien is het beter dat je eerst nog bidt, als je goed bidt hoeft het misschien niet te geschieden?' 'Bidden?' had hij glazig gezegd, 'zal ik de Heer vragen of hij ook met een ander offer genoegen neemt?' 'Dat is het wat ik bedoel,' zei Eva en onmiddellijk was Jacob in een hevig gebed vervallen. Nog nooit had Eva een man zo ernstig, zo omslachtig, zo vol overgave en devoot zien bidden. Jacob lag op de grond en sloeg met zijn samengebalde vuisten haast een gat in de vloer. Ook zijn voorhoofd raakte regelmatig de harde houten planken. Het zweet gutste hem van het lijf, het liep hem tappelings van het voorhoofd. Zijn ogen hield hij krampachtig gesloten. Mede door zijn magerte deed zijn houding en gestalte Eva denken aan die van de bidsprinkhaan. 'Als hij maar niet net zo wreed is en mij levend opeet,' dacht ze. Ze keek naar de zweterige pyjama die op zijn lichaam plakte, naar de zwarte slierten haar op zijn voorhoofd en zijn kromme tenen. Vreselijk! was dit een mens? Was dit een schepsel van God, een waardig wezen? Na een kwartier stond Jacob op. 'God neemt genoegen met het offer van Basje,' mompelde hij, 'Amen.' 'Basje slachten?' riep Eva beangst, 'wat heeft dat dier in vredesnaam misdaan?' en troostend nam ze de grote kat in haar armen. Het dier snorde en likte zijn voorpootje. Uit zijn ooghoeken hield hij Jacob nauwlettend in het oog maar dat zal toeval zijn geweest. Voorzichtig zette Eva de kat op de grond en verzocht Jacob nog een keer het woord tot God te willen richten in het gebed: misschien was er nog een ander offer waar hij genoegen mee nam. Weer bad Jacob. Ditmaal stond hij na tien minuten alweer overeind. 'We zullen een brood moeten offeren,' sprak Jacob, 'een half bruin, als het mogelijk is volkoren, dat is het beste.' Opgelucht was Eva opgestaan en was de tafel gaan dekken. Brood had ze neergezet, boter, stroopjesvet, suiker en koffie, maar Jacob had er niet veel van gegeten. Een paar uur later was ze boodschappen gaan doen. Bij het weer thuis komen vond ze Jacob staande op tafel en als hogepriester verkleed. Beha's, nylons, een ochtendjas en meer kledingstukken had hij kapot geknipt. Twee straatstenen (die Eva onder geen beding mocht aanraken) hingen op zijn buik. Dat waren de offerblokken die voor de avond niet afgenomen mochten worden of er zou iets vreselijks geschieden. Er volgden nog meer vermommingen en ten slotte wilde uitbarstingen van uitzinnigheid.

'Het is toch maar het beste zo,' dacht Eva, 'ik had hem echt geen dag of uur langer meer thuis kunnen houden, de toestand was al dagen onhoudbaar, hij was gevaarlijk, hij had zichzelf of anderen met het grootste gemak kunnen verwonden. Wat Godsdienst een mens al niet aan kan doen... Misschien blijkt het op den duur een geestelijke loutering voor Jacob te zijn... Wellicht kan hij over een paar maanden weer studeren.' Met die gedachten viel ze op de achterbank van de automobiel die haar vader met zekere hand naar Noordwijk stuurde in een rustige, droomloze doch korte slaap.

Maar keren wij terug naar de patiënt zelf. Hij is door een hoge fel verlichte gang naar een lege cel gesleept. De broeders hebben hem daar op de houten tegels van de vloer gelegd en willen hem een injectie geven. Het is hun tot nog toe niet gelukt. De patiënt slaat als een wildeman om zich heen. Hij gedoogt niet dat iemand hem aanraakt. Begrippen als angst en pijn kent hij op dit ogenblik niet eens. Op caleidoscopische wijze trekt de geschiedenis, de wordingsgang van de wereld aan het oog van de verwilderde voorbij. Het ene ogenblik is hij half bewusteloos, maar zodra hij bijkomt ziet en weet hij duidelijk waar hij is. Hij meent beulen te zien. Hij hangt als bokje aan het kruis, hij ligt als gespalkte albatros krijsend op tafel. Hij ligt als een vis op het droge, hij hangt als een koe in het abattoir, als mier probeert men hem te verdrinken, vreselijk, hij heeft een glazen gebit, men keilt er een kiezeltje tegen aan, de scherpe glasscherven vallen tot diep in zijn rauwe, bloedende keel, weer raakt hij bewusteloos en wordt als steen wakker in de woestijn, een konijn bewerkt hem met een fonkelend, verchroomd hamertje, hij zal nog splijten, hij ziet een rochelende God uit een zwarte kist oprijzen, een God van walging en haat, hij zweet, zucht, kermt, kreunt, stinkt, praat wartaal, een ruft borrelt door het ingewand, een doordringende smerige zwaveldamp baant zich een weg door een met vette, witte aambeienzalf dichtgesmeerde aars. De patiënt bloedt aan zijn ellebogen, schuim staat op zijn lippen, hij probeert zijn belagers te schoppen en te slaan waar het maar mogelijk is. Een van hen loopt reeds pijnlijk krom en flink wijdbeens wegens de trap die hij in zijn kruis heeft gekregen. Een ander heeft een blauw oog, het is bij elkaar genomen een monsterlijk Inferno, over de lichamelijke toestand van de patiënt zwijgen we, het is een deerniswekkend gezicht, dat geteisterde, uitgemergelde lichaam in het bezwete, vieze ondergoed. Het oppervlak van de cel is precies vierkant. Het plafond is heel hoog. Er hangt een peertje aan een draad te bungelen, dat een gemeen licht naar beneden zendt, stekend bereikt het de bijziende ogen van de hoop vlees op de grond tussen de witgejaste broeders. Zij zouden de patiënt met zijn kop tegen de vloer kunnen slaan, dusdanig dat hij goed buiten bewustzijn raakt en ze een spuit in zijn ontspannen dij- of bilspieren kunnen leggen, maar ze zijn lankmoedig en sparen de patiënt hoewel ze beginnen te vrezen voor het hart van de zieke. Het zal nog knappen als hij zo doorgaat. De dokter die toevallig langskomt vraagt zich te goeder trouw af of de broeders hem nu niet beter een geweldige rotklap zouden kunnen verkopen, voorzichtig, een klap met overleg, niet te hard en niet te licht. Zachte heelmeesters maken stinkende wonden. Hoe zou dat moeten? De krachten van de patiënt lijken immers haast onuitputtelijk en hij incasseert voortdurend al oplawaaien. Is er dan geen enkele manier waarop men deze patiënt snel en deugdelijk een injectie toe kan dienen? Gelukkig helpt het toeval een beetje: de dienst van een van de broeders is afgelopen en hij wordt vervangen door een broeder die hier pas een half jaar werkt, het is een vriendelijk uitziende neger van zwaar postuur. Zodra deze zich neerzet naast Jacob en zijn hoofd in zijn kolenschoppen van handen neemt, slaat de patiënt de ogen op, ziet de zwarte kop, het kroeshaar en de witte tanden, de oogjes die hem vriendelijk toeglinsteren vanuit dit onbeschaafde maar hartelijke, van medelijden getuigende gezicht. 'Ezau,' mompelt de patiënt, 'ben je dan eindelijk gekomen? Vader... in uw handen beveel ik mijn geest.' De patiënt omhelst de nieuwgekomen broeder. Hij schijnt geenszins bang te zijn van de witte jas, hij kust het voorhoofd van de neger en valt in een diepe slaap. Nu wordt hem de injectie toegediend. Twee en een halve centiliter vloeibare trilafon. Een hoeveelheid van een rustigmakend middel waar een paard van om zou vallen. De patiënt slaapt er dan ook drie volle dagen en nachten op. Het is echter een griezelige crisistijd: in zijn slaap ligt hij te woelen, Psalmen te zingen, te zweten en te praten. Voor normale mensen die langs de stikdonkere cel lopen een angstig makend geluid. Hij droomt voortdurend van de confrontatie met het Beest. In zijn slaap herinnert hij zich alleen het Beest te hebben geslagen. Voortdurend is hij op weg naar de hemel, eindelijk zal hij rust vinden en komt dan in aanraking met die afschuwelijke man die eruitziet en zich gedraagt als een arts, die doet als iemand die op één of andere manier boven Jacob zou kunnen staan, voortdurend ziet hij het monsterlijke hoofd van de dokter en zijn kale, ongezellige kamer, hij hoort zijn stem: 'Zo Jacob? Vertel het eens Jacob, wat kan ik voor je doen?'

Als Jacob wakker wordt zijn er, zoals reeds gezegd, dagen en nachten verstreken. Hij realiseert zich niet waar hij is. Hij komt er ruikend, tastend en metend achter dat hij in een stenen vertrek is van vier bij vier meter. Een donker vertrek. Voor de ruiten (als er tenminste ruiten zijn) hangt een zware stalen lambrisering die alle licht buiten houdt, aan de andere kant zit een deur, ook van ijzer of staal die van binnen uit niet te openen is. In het vertrek is geen wasplaats of wc. Jacob ligt in zijn eigen stront, pis en kotslucht. (In werkelijkheid zijn de broeders twee keer per dag schoon komen maken, ze hebben de houten vloer met lysol gereinigd. Er is inderdaad geen toilet. Maar waar is een toilet goed voor als iemand er niet eens op kan gaan zitten, of zelfs niet weet waar de stenen pot toe dient? Toevallig heeft de patiënt een half uur geleden gescheten, de rommel zal volgens het dienstrooster over anderhalf uur worden opgeruimd, ook als er geen rommel was geweest zou er worden schoongemaakt. Zoals u ziet wil ik op alle manieren de schijn vermijden iets te hebben tegen de manier van verpleging van zulke zware patiënten. Eerlijk gezegd ben ik ook niet van mening dat een wilde zot als deze in een bed op zaal verpleegt dient te worden, met een rubber zeiltje onder zijn blote billen, in Godsnaam, laten we ons verstand gebruiken en niet menen dat dit een aanklacht is. En wie van mening is dat het beter zou kunnen, menswaardiger voor mijn part, moet zelf maar eens op een zware afdeling van een gesticht gaan werken om ervaring en gezond verstand in deze op te doen.) De vloer bestaat uit houten tegels, niemand kan hierop te pletter vallen of gevaarlijk struikelen. Een bed bevindt zich niet in het vertrek. De zieke ligt onder een paardedeken op de vloer. Hij lacht omdat hij zich herinnert een paar keer gedroomd te hebben onder een tochtige paardedeken te slapen, onder een grote stijve kartonnen plaat op de grond of in een vreselijk hoog bed op wieltjes dat langzaam door een mooie tuin gereden wordt; onder de als vlaggen wapperende dekens en lakens is een bijzet-tafeltje geplaatst om het geheel wat luchtigheid te verlenen, de zieke ligt met zijn benen en borst tussen de houten pootjes van de tafel geklemd.

'Waar ben ik?' mompelt Jacob. (Een tamelijk normale vraag, een vraag die we ons allemaal wel eens stellen.) Hij kruipt in het donker, niet begrijpend, door zijn cel. 'Waar is Eva?' 'Wat is er aan de hand, ben ik in de gevangenis? Waarom word ik zo alleen gelaten?' Hij trommelt met zijn vuisten op de ijzeren deur maar krijgt geen gehoor. (Er trommelen zoveel patiënten op deuren.) De artsen helaas denken dat nu, na drie dagen en nachten volstrekte eenzaamheid en rust, de werkelijke crisis reeds achter de rug is en dat de patiënt wel rustiger zal worden. Helaas moet de echte klap nog komen: 'Het gevecht met de broeders, dat is het ergste nog niet. Waar het om gaat is dat ik niemand mag laten vallen, alles is volbracht en tóch ben ik nog geen goede Verlosser, want één mens heb ik uitgestoten: de dokter heb ik verwenst en geslagen, ik weet dat hij de Duivel of het Beest is en ik zie zijn aanwezigheid liever in de hel dan hier vastgesteld. Maar hoe zouden de mensen in het Paradijs kunnen leven als ze wisten dat er één was, namelijk de dokter die mij heeft verzorgd, die leefde in wening en knersing der tanden? In de cel zag ik op een gegeven moment het Paradijs voor me: het was een jeugdherinnering. We waren met z'n allen in een boomgaard die in volle bloei stond. De bolle, rijpe vruchten, pruimen, appels en peren hingen boven onze hoofden te wiegelen. Tussen de stammen van de bomen waren schapen en lammetjes aan het grazen. Hier en daar lag een pluk hooi, het gras was sappig groen, de zon donderde als een vrolijke, dikke, lichtende god langs het zwerk, de bladeren aan de bomen geurden, je rook slechts mooie dingen, stekelbaarsjes dansten in de sloot, zo was het hele Paradijs, alle mensen waren gelukkig, geen fabriek, geen mijnen, geen kantoor, geen bibliotheken. De mensen lagen in de zon en aten van de bomen. Koeien en varkens leidden, zo men dat zeggen kan, een menswaardig bestaan, ze werden niet geslacht maar genoten net als wij van een rustige oude dag. Automobielen waren er niet, alleen paarden en ezels om ons te vervoeren, er was geen uitbuiting en geen angst, er waren geen politieke schandalen, er was geen oorlog. Karel zat op een keukenstoel in een perelaar, wat hoger dan de anderen, hij at een appel en was God. Maar onderdehand zat ik in mijn donkere cel en wist nog niet dat ik de Duivel zelf blijk zou moeten geven van mijn oprechte liefde, vóór het Paradijs echt kon aanbreken. Ik zat in het pikkedonker en verkende mijn cel. Ik dacht voortdurend aan God de Vader. Ik wilde en kon de Vader niet zijn. En toen ik het was begreep ik dat hij de meest allenige, trieste en zieke man van de wereld was. Maar ik wist heel goed waarom hij zo ziek was! God had de duivel laten vallen. Ik, die bij wijze van spreken nu aan de beurt gekomen was om voor een paar maanden de rol van God op me te nemen, zou moeten tonen dat er ook nog een barmhartige God was, ik zou zelfs mijn ergste vijand vergeven. Ik herinner me uit die tijd in de cel afschuwelijke en angstige reizen door de ruimte en door de tijd. Mij werd van alles geopenbaard. Kleurrijk, vol kleine feiten en de meest belachelijke details trok de geschiedenis aan mijn oog voorbij. Ik zag mijn fouten en falen. Op een keer klom ik tegen de stalen lambrisering voor de ruiten van de cel. Ik meende een klok te horen. Maanden later kwam ik erachter dat er maar één klok in het gebouw was, die tikte op een manier, zoals ik in het duister en de stilte van mijn cel, in de verte een klok meende te horen tikken. Ik was bang van mezelf. Ik vocht tegen mezelf maar vermocht niet een overwinning op mezelf te behalen. Hij die zichzelf overwint is sterker dan een stedendwinger. Ik lag met mezelf in de knoop omdat ik de dokter haatte. De dokter was een bedrieger en maakte me bang. Ik hoorde in het duister een klok die twintig meter verder hing, ik was van het geluid gescheiden door minstens vier dikke muren, ik was bang en zag in gedachten de hele wereld in elkaar storten. Vierhonderd plaatsen in de jurisprudentie waar het begrip 'goede trouw' moet worden uitgelegd! Zijn er geen behoorlijke huisvaders meer? Schande, in wat voor een wereld moest ik leven, wat diende er al niet veranderd te worden! Ik kroop door mijn cel, ijsberen kon ik niet. Ik verkende de muren, de deur, de verwarming en de vloer. De paardedeken legde ik nu eens hier, dan weer daar. Soms ging ik er bovenop liggen, tien minuten later weer eronder. Ik had rust noch duur. Driemaal per dag kwam Sollie binnen, een vriendelijke broeder. Ook hij noemde me Jacob, net als de dokter, maar hij mocht me zo noemen want hij hield van me en ik hield van hem. Het was een dikke man met een bol, lachend gezicht, hij leek op de melkboer van vroeger die me achter in zijn karretje naar vioolles reed. Hij had ook een lucht van melk, boter en kaas om zich heen, een gezonde, zoutige lucht. Onlangs zag ik hem in de stad. Hij is tevens krantenbezorger. Hij heeft veel kinderen en verdient als broeder blijkbaar niet genoeg. Daarom rijdt hij in een dikke leren jas 's avonds door de stad op zijn zware brommer, hij heeft zware pakken kranten in tassen langs zijn achterwiel. Ik dacht: 'Verdomd, daar gaat Sollie, de mensen die tijdens hun leven al een standbeeld verdienen bezorgen in mist en regen de kranten. Wanneer ik 's avonds na mijn dagelijkse, lichte arbeid wil weten hoe het met de kunst is gesteld en de krant blijkt niet bezorgd, dan scheld ik de bezorger voor alles wat los en vast zit... vreselijk, het is een schande.' Twee keer, drie keer per dag ging de ijzeren, dikke deur open en betrad Sollie mijn cel. Dan dweilde hij het vertrek en gaf mij m'n verschoning. Daarna ging hij de pap halen. Grote diepe borden met gele vanillevla. Hij kwam naast me zitten en legde mijn hoofd in zijn schoot. 'Zo jochie, het wordt weer tijd dat jij iets binnen krijgt.' Hij voerde me de pap. Hij goot het me als bij een klein vogeltje of kalf door de keel. Ik was niet bang en genoot. Ik kende zelfs geen angst als hij in zijn zakken graaide en er een handje zware pillen uit opdiepte. Die kwakte hij als losse krenten in mijn pap. Hij zal me een te zware medicatie hebben gegeven, of juist een te kleine, het doet er niet toe, hij heeft me betergemaakt! Zoveel artsen begrijpen niet hoe belangrijk het contact tussen de verzorger, de broeder en de patiënt is. Ik herinner me dat ik Sollie een keer vroeg of hij wist of de dokter die me behandelen moest de baarlijke duivel zelf was, de heer en meester in het onderaardse. 'Ja,' antwoordde hij, 'het is een schoft die niet beter verdient dan dat hij een klap op zijn smoel krijgt. Die smeerlap met zijn vrouwen en kapsones. Je weet niet hoe wij, de broeders, het lagere personeel, je dankbaar zijn voor de dreun die je de dokter hebt verkocht.' Dat antwoord stijfde me in mijn ideeën. Ik vertrouwde Sollie en zelfs hij beweerde dat de dokter een duivel was! Toen ik alsmaar magerder werd begonnen ze me naast de vla ook biefstuk en eieren te voeren. De cel werd twee keer per dag schoongemaakt. Ik had goede en slechte momenten maar echt vrolijk was ik nooit. Uit schaamte dat ik zat opgesloten en de wereld niet beter kon maken liep ik een paar keer hard met mijn kop tegen de muur. Ik bloedde als een rund maar de schedel was niet gebroken. Ik was de opgesloten God en wilde dood. Ik probeerde mijn adem in te houden tot ik dood was. Ik trachtte mezelf te wurgen. Mezelf dood te slaan. Het hielp allemaal niets. De hand was te zacht. Er was niet genoeg spierkracht in m'n benen om de muur waar ik tegenop stormde te laten werken als een hamer tegen m'n hoofd. Ik luisterde naar de geluiden op de gang. Probeerde licht te maken. Er was geen knop. Er was geen hoop. Ik kroop en kroop en overdacht mijn zonden. Ik begreep de geluiden die overdag van buiten mijn cel kwamen niet. Ik kon ze niet duiden.

Lange tijd daarna, misschien drie weken later kwam ik erachter wie er aan de andere kant van mijn muur in de cel zat. Het was een wilde roodharige man, die in het gewone leven taxi-chauffeur was. Zijn deur stond open en ik waggelde eens toevallig bij hem naar binnen. Hij zat, berustend als een Boeddha-beeld, op een keukenstoel midden in zijn cel. Hij had maar één been, het tweede been, een kunstbeen hadden ze hem afgenomen omdat de man gevaarlijk was. Dat kon de man niet verkroppen. Het was smeerlapperij, zei hij, dat zijn dure nylon been met de scharnieren en leertjes nutteloos in een werkkast, waar hij niet bij kon komen, was opgeborgen. Tijdens ons merkwaardige gesprek – zotten klagen elkaar gaarne hun nood maar kunnen elkaar ook niet begrijpen, ze zijn hoogst verontwaardigd als blijkt dat de luisteraar geen angst heeft voor bijvoorbeeld een spin in een lege emmer, maar wel voor de idee van de martelkamer – was zijn oog op een grote, in de nok van de cel rond het peertje zoemende bromvlieg gevallen. Hij verloor hem niet meer uit het oog. 'Godverdomme,' mompelde hij, 'die klerelijers hier ook.' Op een gegeven moment griste hij met een razendsnel gebaar de vlieg, toen hij even in een lager rondje was verzeild, uit de lucht en hield hem tussen duim en wijsvinger bij zijn vleugels vast. Hij keek mij aan en sprak: 'Gerechtigheid, voor de donder' en trok de vlieg één van zijn poten uit. Terwijl hij dat deed lag er een smerige grijns op zijn gezicht. Hij trok de vlieg op één na alle poten uit en voegde aan zijn eerste woorden de volgende toe: 'Ik één poot, jij ook kreng! En dan mag je nog van geluk spreken dat je vleugels hebt.' Daarna wierp hij het dier weer in de lucht, het hernam zijn rondjes rond het schamele peertje en zoemde op dezelfde wijze als voorheen.

Langzaam werd ik écht gek. Ik zat als een geslagene in m'n hoekje en huilde. Op een keer ging de deur open. Ik kon op die manier een andere patiënt aanvallen die op de gang voorbijwaggelde. Ik schaamde me omdat ik niet wist waarom ik hem aangevallen had. Krampachtig probeerde ik te denken aan de dingen die vroeger werkelijkheid voor me waren geweest, er kwam steeds weer een versje in mijn herinnering bovendrijven, een onbetekenend versje maar wat was het belangrijk! Het was de enige geschreven tekst die ik me in die tijd herinnerde, een liedje uit mijn jeugd. In de oorlog en na de oorlog, in ieder geval nog vóór mijn zesde jaar baadde m'n moeder me in een zinken teil die op tafel in de huiskamer stond. Daar placht ze een liedje bij te zingen dat het volgende refrein had:

'En te midden van die rommel, rommel
dreef de torenspits van Bieba Bommel.
En te midden van die rommel, rommel
dreef de torenspits in 't rond.'

Ik zag een wijde waterplas, misschien overstroomd land, daar
dreven kopjes, flessen, notariële stukken, boeken, tafels, lampen,
oude pijpen, stukken wrakhout, kapotjes, bolle matrassen, dode
dieren, gezwollen sigaren, lijkkisten. Te midden van die rommel
dreef een torenspits. Die spits was ik en de toren huilde. Huilde
in bergstroompjes. De spits had het koud en dreigde te verdrinken. Nooit zouden het land, de mensen en de voorwerpen meer
droog worden. Pas als de spits weer op de toren stond zou het goed
worden, maar hij was de weg kwijt. De spits haatte een sigaar met
het gezicht van de dokter en daarom ging alles fout. Nooit van
mijn leven ben ik zo angstig en zo eenzaam geweest. Nooit heb ik
de werkelijkheid door zulke vreemde brilleglazen gezien. Ik had
trouwens geen bril. Die zwierf ergens tussen mijn kamer en het
ziekenhuis ten gevolge waarvan ik de duisternis heviger ervoer, ik
miste een hulpstuk dat me meer dan vijfentwintig jaar trouw had
gediend en voelde me daarom hulpelozer dan ooit. Waarom bracht
niemand me mijn oogprothese terug? Ze hadden toch moeten begrijpen dat het begin van gezondheid is gelegen in een duidelijke,
scherpe blik op de stand van zaken. De dokter had die bril waarschijnlijk ingenomen. Hij probeerde door mijn glazen te kijken net
zoals hij, in m'n verbeelding, in m'n manuscripten zat te snuffelen.
   Op een gegeven moment was de hele wereld gereduceerd tot
mijn cel. Ik had geen weet meer van wat er eigenlijk buiten gebeurde, waar ik vandaan kwam en wat ik me voorgenomen had.
De hele wereld was een cel, deur open, deur dicht, duisternis en
een vlaag van licht, vage geluiden van buiten en angst, de ge-
woonste voorvallen verkeerd uitleggen, niets meer begrijpen,
Sollie met de pap, Sollie met de pillen, het versje, de dokter die
de Duivel was, het roffelen met de vuisten tegen de muren en de
deur, het proberen de kop te splijten. Op een gegeven moment

werd ik gebaad. De hele omgeving hielp mee om me wilder, angstiger en uitzinniger te maken dan ik al was. Eerst werd ik uit mijn cel over een lange, geel en wit betegelde gang geleid waar mensen op stoeltjes aan kleine tafels gesprekken voerden waar ik niets van begreep. Toen werd ik om zo te zeggen haast het badvertrek ingedragen waar ik begon te gillen van de angst, vooral toen de dokter kwam kijken om te zien wat er aan de hand was. In dit spierwit gekalkte vertrek zou ik worden geslacht, geofferd, gemarteld. De in de vloer verzonken baden met het hete water kwamen me voor als werktuigen uit de hel. De koperen buizen langs de muren, het schelle licht, de vele kranen, de matglazen ruiten, de opzichter in het vertrek met zijn gespierde armen en de felrode badhanddoek om zijn nek. Ik krijste als een varken in het abattoir. De man pakte me bij kop en kont. Ik spartelde hevig tegen en beet van me af, maar hij kreeg me in het water en begon me met een spons en borstel af te rossen. Er raakte zeep in mijn ogen en mond, het kwam me voor als vergif en ik spuwde het uit. Ik probeerde de man die me waste te trappen. Twee meter verderop zag ik een andere patiënt die ook gebaad werd. 'Houd moed kameraad!' riep ik, 'weldra zal de dag komen dat we de ketens verbreken.' Nu ik dit zag begreep ik ook weer de rust, de vrede en de schoonheid van het Paradijs in de boomgaard, waar Karel meester was. 'Karel vergeet je niet,' riep ik naar de andere patiënt, 'hij is vol liefde, hij houdt van iedereen, rijk of arm, dun of dik, gewoon of gek, hij zal ons verlossen.' Hardhandig werd ik uit het water getild en met de rode handdoek afgedroogd tot ik zo rood zag als een kreeft. Ik keek toevallig in een spiegel en schrok van m'n eigen gezicht, de ingevallen ogen, de uitstekende jukbeenderen, de blauwe plekken en het lange zwarte haar, de dunne, gammele nek. Ik werd naar m'n cel teruggebracht en gevoederd. Daarna deed Sollie het licht uit en sloot de zware deur. Ik was weer alleen. Waarom dat weet ik niet precies maar ik had een beslissing genomen: de dokter mocht niet als enige mens vallen, ik zou hem vergeving schenken en hem mijn liefde doen blijken, pas dan zou ik een betamelijke zoon van God de Vader zijn. Voor een paar ogenblikken gelukkig dommelde ik in een rustige slaap.'

Enige dagen nadat hij was opgenomen stond Eva voor de buitendeur van Paviljoen E. Ze had toestemming verkregen om Jacob op te zoeken. Omdat de toestand van de zieke geen langere tijd toeliet zou ze slechts een kwartier bij hem mogen blijven. Bij ernstige patiënten wordt vaak pas veertien dagen na opname voor het eerst bezoek toegestaan. Toen er werd opengedaan kreeg ze te horen dat het helaas niet mogelijk was om de zieke te zien. Hij had al bezoek gehad. Van een ouderling. De man had tijdens zijn gewone ronde bemerkt dat zich in cel 18 een nieuwe patiënt bevond. Zijn Christenplicht had de ouderling ertoe gedwongen om ook deze man op te zoeken, hoewel de broeders hem hadden verteld dat het met deze patiënt niet zo best was gesteld en dat hij niets wilde of kon begrijpen. De ouderling had de deur van de cel laten ontsluiten (ouderlingen schijnen mirabile dictu recht op bezoek aan krankzinnigen te hebben), hij was met een opengeslagen Bijbeltje, een uitgestoken hand en met zalvende woorden binnengelopen en was begonnen met zijn 'zorg voor zieken'. Hij had Jacob voorgelezen uit het Nieuwe Testament, ze hadden gebeden, ze hadden samen een Psalm gezongen. Jacob had gemeend dat het hier om een volgeling ging. Iemand die, naar hij beweerde, buiten dit huis woonde, was er in binnengedrongen om de Zoon des Heeren nog vóór de opstanding in zijn graf te ontmoeten. Het waren voor Jacob gelukkige, zeer gelukkige ogenblikken geweest. Lang nadat de ouderling weg was zong Jacob nog Psalmen in zijn benauwde cel. De Psalm die hij het liefst zong was Psalm 42:

''t Hijgend hert der jacht ontkomen,
hijgt niet sterker naar 't genot
van de frisse waterstromen
dan mijn ziel verlangt naar God.
Ja mijn ziel dorst naar den Heer',
God des Levens ach! wanneer
zal ik naad'ren voor Uw'oogen
in Uw huis Uw naam verhoogen?

Urenlang had hij achter elkaar om Eva zitten roepen en had in grote tegenstelling met zijn goede voornemens de dokter die even zijn hoofd om de deur stak, in het gezicht gespuwd. De dokter was nu meer het Beest dan ooit. Eva kon de ontwikkelingen wel zo'n beetje begrijpen en verwenste Jacobs geloofsgenoten hevig. Ook begreep ze niet hoe de dokter zo dwaas kon zijn om nu en hier een ouderling bij Jacob toe te laten. Staande in het halletje hoorde ze Jacob roepen. Hij had haar stem gehoord en trapte zijn blote voeten stuk tegen de ijzeren deur. Het speet de ziekenhuis-leiding vreselijk maar Eva moest weer weg. Het duurde nu nog negentien dagen voor ze hem voor het eerst weer zien mocht. Thuis vertelde ze het verhaal. Slechts met grote moeite konden moeder en dochter haar man en vader van zijn plan afbrengen de ouderling te gaan opzoeken om hem een geweldig pak ransel te verkopen! De atheïst en amateur-bokser was des duivels.

Op een gegeven moment maakt een broeder de deur van een cel open om Jacob te kunnen helpen. Maar hij wordt plotseling weggeroepen en vergeet de deur te sluiten. Wij zien de patiënt door de kier kijken, hij heeft zijn hoofd al halverwege op de gang, hij kruipt de gang in. De andere patiënten kijken verbaasd. Ze hebben deze man tot nog toe niet gezien. Waar komt hij vandaan? Jammer genoeg sturen ze hem niet terug. Jacob kruipt op handen en voeten naar het kamertje van de dokter. De deur staat aan. De dokter is bezig injectiespuiten te vullen. Een broeder staat voor de dokter in het vertrek en houdt een blad vol spuiten voor zijn buik. Plotseling wordt de deur opengeworpen en een wilde, dolle hond in de vorm van een bezwete jongeman komt razendsnel de kamer binnenkruipen. Hij gaat recht op de dokter, die van kleur verschiet, af, trekt zich aan zijn broekspijpen omhoog en kust hem de hand. Een vreselijk wild gebaar, een schokkend, snikkend lichaam, krampachtig probeert het zich staande te houden maar valt om. Jacob ziet hoe de injectiespuiten en de flesjes op de grond vallen. De naalden breken. Jacob kijkt naar de dokter en lispelt: 'Ik heb u lief... zelfs ú heb ik lief, beste man.' 'Voor de donder,' zegt de dokter, 'die vent is er erger aan toe dan ik dacht. Breng hem terug naar zijn cel, geef hem zwaardere medicijnen en laten we er het beste van hopen.'

Zo eindigt deze treurige geschiedenis eigenlijk. De patiënt krijgt veel zwaardere medicijnen dan voorheen. De broeders zijn het erover eens dat het een aflopende zaak is met Jacob Colijn. 'Hij is ten dode opgeschreven.' 'Een hopeloos geval.' Een uur later valt de patiënt in zijn cel in slaap. Hij is volkomen gelukkig omdat hij het uiterste van zijn lichaam en zijn geest heeft gevergd: hij heeft zich nu met inspanning van alle krachten zelfs over de dokter ontfermd, God zal blij zijn en morgen het beloofde Paradijs als beloning voor de grote inspanningen die Jacob zich heeft getroost doen aanbreken. Het Beest heeft verlossing gevonden.

De volgende dag treffen de broeders niet, zoals het in een goed en aangrijpend verhaal eigenlijk hoort, 'de patiënt dood in zijn bed aan. In zijn verstijfde handen knelde hij een blaadje uit de Bijbel, waarop een tekst uit de Openbaringen. Niemand wist waar Jacob dat vandaan had en men is er ook nooit achter gekomen'. Nee, Jacob leeft zoals altijd. Slikt zijn tweemaal groter geworden hoeveelheid pillen en wordt langzaam beter. Over vijf maanden zal hij genezen zijn en ontslagen worden. Hij zal over anderhalf jaar zijn studie afmaken en krijgt een behoorlijke baan. Hij woont samen met Eva in een mooi huis en is gelukkig. Hij werkt en doet aan sport. Van godsdienst wil hij niets meer weten. Hij leest de krant en weet dat er oorlog, armoede, angst en onzekerheid is. In tegenstelling tot vroeger houdt hij nu zijn handen voor zijn ogen. Hij ziet de ellende door de vingers. De Verlosser is hij niet meer. Hij laat het wel uit zijn hoofd de wereld in zijn eentje te willen verbeteren. Het is een pan, een doorsnee mannetje kan daar niets aan veranderen. Jacob is weer helemaal Jan Lul, en soms huilt hij daarom, maar Eva lacht hem uit, neemt zijn hoofd in haar handen en zegt: 'Ik zie je liever als een gewoon mannetje dan als God.' De verlegen ambtenaar doet nog wel eens gekke dingen. Zo beweert hij af en toe tegen vrienden dat Karel, een hoogleraar Russisch en bekend publicist, eigenlijk God is, dat de hele wereld wacht op zijn verlossende woord. Dat hij echter voortdurend weigert om het uit te spreken. Een gemakkelijke, een zeer doorzichtige manier om van de echte moeilijkheid of het schuldprobleem af te komen. Voor de aardigheid vermelden wij nog dat hij veel leest, de laatste tijd graag zeilt op de Westeinder, in tegenstelling tot vroeger iedere dag een paar schone sokken aantrekt en zowaar een buikje krijgt waar hij een verwoed gevecht tegen levert!

De wereld moet beter worden

'Ja, en nou zit je hier, het is allemaal je eigen schuld dat je hier zit, als je niet zo gek doet kom je niet in een gekkenhuis.'

'Ik doe helemaal niet gek.'

'Vooruit, je doet niet gek maar je doet in ieder geval te veel, we zijn het eens nagegaan: je speelt viool, piano en je zingt, je studeert nog verschillende andere instrumenten, je moet overdag je werk doen om je brood te verdienen, je bent voorzitter en beschermer van een vereniging tot bescherming van de fundamentele rechten van de mens, je zit in een jury voor het beoordelen van schilderijen, je doet acties tegen de vivisectie, je houdt zelf zes poezen, je schrijft iedere dag één of twee verhalen, je maakt een schilderij en twee etsen, je schrijft opstellen voor literaire en wetenschappelijke tijdschriften, je hebt twee weeskinderen over wie je je ontfermen wilt, je geeft al je geld weg, maar niet aan erkende liefdadigheidsinstellingen zodat je steeds meer in de knoop komt met de belastingen, je bent een groot, hartstochtelijk bestrijder van het Christendom, je houdt je kortom met alles tegelijk bezig.'

'U vergeet het haarknippen nog.'

'Wat?'

'Ja dat doe ik ook graag, haarknippen, dat is ook een van mijn bezigheden, toiletten schoonmaken, fietsen repareren, klokken en meer van dat soort handwerk, dat doe ik als ontspanning, 's zomers bouw ik tuinhuisjes met mijn vader, anders groeien de moeilijkheden me boven het hoofd.'

'Het is te gek om los te lopen, hoe wilt u daarbij nog normaal blijven?'

'Ik ben ook niet zo normaal, vannacht had ik nog een afschuwelijke droom. Ik had een schaap van een poes. Het was al jaren bij ons. Het was zo mak als een lam. Het was erg bang van mensen. Het was van iedereen bang behalve van mij. Ik ben de poes kwijt geraakt. Ze moeten hem mee hebben genomen. Ik droomde dat een vent in het ziekenhuis erin aan het snijden was. Dat mijn poes wakker werd uit zijn halve verdoving toen de darmen nog buiten zijn lijf lagen. Toen heb ik die man een bloedneus geslagen. Ik had hem dood willen slaan maar dat heb ik niet gedaan.'

'Wat was nu het afschuwelijkste van die droom?'

'Dat ik die man dood wilde slaan, maar dat ik het niet over mijn hart kon verkrijgen. Ik had medelijden.'

'En uw poes?'

'Die is onderhand gestorven. Ik stond met mijn vuisten gebald, de tranen stonden in mijn ogen. Ik was machteloos. Ik stamelde alleen "Waarom?" en weende.'

'U bent zo gevoelig dat u gek bent geworden. U doet ook te veel.'

'Waarom ben ik dan zesentwintig jaar gewoon gebleven? Ik ben nog nooit in een gekkenhuis verpleegd geweest! Ik ben helemaal niet te gevoelig. Ik heb mijn diensttijd, zij het met grote walging, uitgediend. Ik doe helemaal niet te veel. Als er niet onverwacht krankzinnige dingen gebeuren doe ik niets te veel, op een manier dat ik er gek van word.'

'Hoe bent u nu dan wel gek geworden?'

'Ik wilde een tijdje vrij zijn en daarom wilde ik net als vroeger weer gaan varen. Ik heb vroeger twee en een half jaar gevaren. Ik kwam op de Rijndam, een passagiersschip. Vroeger voer ik op vrachtschepen waar het leven hard was. Dit was een drijvend hoerendorp. Een Sodom en Gomorra op zee. Allemaal christelijke studenten uit Amerika. Ze barstten van het geld. De een was nog ongelukkiger dan de ander. Ze spoten en rookten bij het leven. In welke haven we ook kwamen, steeds kwam er weer voor een honderdduizend dollar aan verdovende middelen aan boord. Ze hadden het over God en over Jezus. Ze waren erg zenuwachtig. Ze maakten een studiereis. Het Midden-Oosten was te gevaarlijk. Naar Vietnam gingen ze ook niet toe. Sommige van de slappelingen begonnen soms zonder enige aanleiding te huilen. Sexueel waren het de grootste smeerlappen die ik ooit heb ontmoet. Ze neukten maar door en werden alsmaar onverschilliger. Iedere dag werd geopend en gesloten met gebeden en preken. De geestelijke verzorgers en de dominees namen meisjes van zestien jaar mee naar bed. Communisten moesten dood omdat het spleetogen waren en als het geen spleetogen waren, zoals de Russen en de Oostduitsers, om de loutere reden dat het atheïsten waren. Ze hadden het over de Lieve Heer Jezus Christus en over de ellende in de derde wereld. Ze gingen naar Portugal om Fatima te bekijken. Daar heeft de moeder Gods vlak na de Russische revolutie gezegd: 'Pray for the Russians.' Ze gingen naar Griekenland en Turkije. In Ethiopië spraken ze met mensen met zoveel goud op hun galakostuum dat de hele Nederlandse bevolking van het geld dat het pak bij verkoop op zou brengen dagenlang zou kunnen eten, terwijl Ethiopië het land is waar duizenden sterven van honger. Ze vonden het allemaal de reis van hun leven. Alleen zo dwaas dat ze niets van opgetogenheid lieten merken. Dat kwam misschien omdat ze rijke ouders hadden: ook nooit opgetogen. Ik was steward op die boot en gooide per dag met bloedend hart voor duizenden dollars voedsel, kostbaar voedsel in zee, ik dacht aan de mensen die doodgaan van de honger en aan deze Amerikaanse Christelijke studenten die een wereld-studiereis maakten. Ik begreep het niet en werd gek. Ik kon een hoop begrijpen maar dit niet meer. Dit ging mijn bevattingsvermogen of mijn verstand te boven.'

'Die andere stewards, werden die ook gek?'

'Nee die hadden het dolste plezier. Die neukten mee. Er waren driehonderdvijftig krols-vrome meisjes aan boord. Van iedere neukpartij waar ze van terug kwamen namen ze vijfhonderd dollars mee, gestolen, de meisjes merkten het toch niet. Die jongens vonden het ook normaal om voedsel overboord te werpen.'

'Er was toch voor betaald? De maatschappij werd toch geen schade gedaan?'

'Er was voor betaald. Inderdaad moest ik vaak lachen dat Amerikanen zoveel geld willen uitgeven om de vissen die ze met afgewerkte stookolie willen vernietigen, tegelijkertijd iedere dag voor krankzinnig veel geld weer voedsel te geven.'

'Heeft u wel eens het idee dat u wartaal uitslaat?'

'Hoe bedoelt u?'

'Nou bijvoorbeeld een paar dagen geleden, die toiletgeschiedenis?'

'Maar dat was toch geen wartaal. Ik vertelde u dat ik op die boot Jezus geworden was. Dat ik zo onschuldig geworden was dat ik babypoep was gaan schijten.'

'Ja, en dat u de uitwerpselen in een sigarenkistje hebt bewaard om ze later aan Professor Van het Reve te overhandigen.'

'Inderdaad, want ik meende nu eenmaal dat hij God was en ik was zijn zoon. Die babypoep dat was een teken voor mij. Het was een goddelijk teken dat ik helemaal Jezus was geworden. Vrij van al het normaal menselijke. Ik had zelfs geen zwartbruine poep meer, maar groene, lichtgroene drolletjes, stuk voor stuk van twee centimeter doorsnee, net kogellagers, het was het beste wonder dat ik ooit heb gezien. Maar nu begrijp ik wel, zij het onder pressie, dat het kwam van de vreemde stofwisseling. Dat ik al die tijd geen vast voedsel tot me had kunnen nemen uit zenuwachtigheid, van angst moest ik na een paar bruine bonen al kotsen, allemaal zenuwen, en daarom heb ik wekenlang net als een kind aan de moederborst slechts op melk geleefd, vanzelf krijg je dan baby-poep, het was dus eigenlijk geen wonder.'

'Heeft u dat doosje nog aan de professor overhandigd?'

'Nee, maar ik heb het hem later wel verteld. Hij vond het betreurenswaardig dat de dokter het sigarenkistje met inhoud had vernietigd omdat hij nog nooit kinderpoep van een volwassene had gezien.'

'Ja, en toen bent u bij ons in het gekkenhuis maar weer vast voedsel gaan gebruiken?'

'Omdat ik ertoe gedwongen werd. Het ging veertien dagen goed maar ik poepte niet meer. Toen heeft broeder Peters heel liefdevol een zetpil van behoorlijke afmetingen ingebracht. Daardoor werd het zo gloeiend heet in mijn gat dat ik brullend door de zaal rende en af en toe iets zong om de pijn te vergeten.'

'Maar u weet toch heel goed dat "Als Ge in nood gezeten, geen uitkomst ziet, wil dan nooit vergeten, Hij verlaat U niet" dan een heel ontoepasselijk lied is?'

'Het was heel toepasselijk want 't ding verliet me niet en ik zat in grote nood en pijn. Angstwekkend: altijd kwellingen en spanningen!'

'En waarom hebt u op het toilet zo zitten brullen en later de pot gebroken?'

'Dat die pot gebroken is dat is ook een teken. Ik vatte het op als een teken maar ik begrijp nu dat het door de keihardheid van 't ding kwam. Het brullen deed ik van de pijn. Er zat gewoon een ronde steen voor mijn sluitspier. Dat voelde ik al. Hij kwam er ook uit als een steen en zo heeft hij de pot gebroken. Als een stenen kurk uit een champagnefles. Ik heb 't ding uit de pot geraapt en op de vloer laten vallen, twee plavuizen zijn gebroken. Toen ben ik ermee naar buiten gerend en heb hem aan iedereen laten zien. Het was geen uitwerpsel! Het had iets steens, het was lichamelijk geworden Godsvrucht, ik dacht nog aan de gebeurtenissen op het schip. Ik begreep niet hoe het ding met een hamer niet stuk geslagen kon worden. Alle patiënten hebben er met een hamertje en houwelen op geslagen maar hij ging niet stuk. Wij begrepen het niet. Met een drilboor was er nog geen schilfer vanaf te krijgen en toen zijn we op de grond gezonken en hebben de Psalm gezongen.'

'U hebt de andere patiënten nog gekker gemaakt dan ze al waren!'

'Verkerende in een extatische toestand, slechts verrukking kennende en grote deemoed, voelende dat alleen Zijn hand hier bezig kon zijn geweest. Ik zie nu, onder pressie, in dat het gewoon een verstopping was maar het blijft merkwaardig, vooral omdat ze het ding ook nog niet in de pletterijen van IJmuiden of Rotterdam klein hebben kunnen krijgen. Ze hebben er met geweren en met pistolen op geschoten. Ze hebben hem tussen een slagkruiser en de wal willen verpulveren maar het is ze niet gelukt!'

'Ja maar u hebt tóch beledigingen geuit aan het adres van de Allerhoogste! U hebt een Volksdeel beledigd. U hebt de Psalmen met viezigheid besmeurd.'

'Geenszins. En ik was niet de enige. Voor ons was de steen om hem maar zo te noemen iets onbegrijpelijks. De steen was een teken. Het had ook niets meer met de gebroken pot of stofwisseling te maken. U bent een echte Nederlander om zo hardnekkig in termen van uitwerpselen te willen en blijven denken. U kunt ook helemaal niet begrijpen dat de Psalm er precies op slaat. Dat ik als het ware geboren, uitverkoren ben om de Psalm in vervulling te laten gaan. Bovendien ben ik niet begonnen met het zingen van de Psalm. Dat heeft de heer Grijsjes gedaan!'

'Hoe luidt die Psalm ook weer?'

'De steen die door de tempelbouwers veracht'lijk was een plaats ontzegd
is tot verbazing der beschouwers
van God ten hoofd des hoeks gelegd,
dit werk is door Gods alvermogen
door Zijnen hand alleen geschied
het is een Wonder in onz'ogen
wij zien het maar doorgronden 't niet.'

'Dus u bent van mening dat de Professor een tempel aan het bouwen is?'

'Jazeker.'

'En waar dan?'

'In de buurt van Groet, een beetje naar het Noorden in de richting van Petten. Daar komt de tempel te staan. En als hij af is zal God er gaan wonen.'

'En God is Professor Van het Reve?'

'Karel is God. In het Oudrussisch betekent Karol "Vredevorst".'

'En zojuist zei u dat u twijfelde of hij het echt was?!'

'Dat heb ik niet gezegd. Maar dat van die steen dat klopt. Eerst is hij verachtelijk terzij geworpen. In een closetpot! Het allersmerigste geval waar je een hoeksteen in werpen kunt. Ze proberen nu de steen te vernietigen. Maar morgen wordt de steen door de vervoersfirma Boot uit Lisse naar Amsterdam gebracht, daar zal hij aan Karel overhandigd worden die me gisteren schreef dat hij alleen nog een hoeksteen voor zijn tempel miste. Als hij hem geplaatst heeft zal het wonder zijn geschied.'

'Dus daarom zingt u altijd Psalmen en doet u net of u een vogel bent.'

'Nee meneer, daarom doe ik dat niet. Ik heb voor alles precies mijn redenen. Ik zal niet alles tegelijk zeggen maar voorlopig dit: Ik ben een Engel en mij is veel geopenbaard. U zegt altijd dat ik te druk ben. Dat is natuurlijk grote onzin. Ik ben niet te druk. Al geeft u mij nog zoveel pillen. Al spuit u mij helemaal dood, de komst van het Koninkrijk kunt u toch niet tegenhouden. Als u in de komst van het Koninkrijk geloofde en het tegen zou willen houden zoudt u een duivel zijn en de duivels heb ik allemaal onder de knie. De duivels zijn allemaal een pilletje en die pilletjes worden tot mij gebracht en ik slik ze, ik ben niet bang van duivels want er huizen er duizenden in mijn lijf. Het zijn allemaal kleine duivels die me rustig willen houden, de duivels moeten me rustig maken, het Paradijs mag niet aanbreken, maar ik ben de duivels te slim af, ik loop de hele dag te springen en te dansen om het mijn kwelgeesten moeilijk te maken. De wereld is een vreselijke puinhoop. De Christenen hebben de grootste viezigheid en oorlog gemaakt. Het meest schuldig zijn de wetenschappelijke Christenen want die hadden beter kunnen weten. Een referendaris van een ministerie of een lector die Zondags naar de kerk gaat zal nooit vergeven worden, nooit zullen ze genade vinden in Gods ogen, de Christelijke psychiaters ook niet, ook de ongelovige psychiaters zullen geen genade vinden, ze zijn Gode allen evenzeer onwelgevallig en waarom?, omdat ze de Laatste Heiligen tegenhouden, omdat ze de gekken verhinderen de Laatsten der Heilige Dagen te zijn, de Heilige Dagen mogen niet aanbreken van die psychiaters en dat is tegen de zin van Professor Van het Reve, al zijn hele leven vecht

75

hij voor een betere wereld, hij heeft nu reeds duizenden volgelingen in binnen- en buitenland maar ze worden haast allemaal in een gekkenhuis opgesloten!, ik heb psychiaters horen zeggen dat de Professor zelf ook opgesloten moet worden, dat zal me een mooie boel worden als een mens, een psychiater, God zelf in een cel opsluit en hem kalmerende middelen geeft! Dat kan niet door de beugel! Psychiaters zijn vreselijke schoften, nu zegt u weer dat ik me niet als een vogel mag gedragen, maar ik ben een Engel, bovendien heb ik drie namen en de laatste naam is Arend, dat is een bergvogel, een roofvogel en die moet vliegen, anders komt hij niet aan de kost. U kunt mij ook geenszins verbieden om Psalmen te zingen, alles moet gaan zoals Hij het wil en daar kan geen mens tussenkomen. Psychiaters doen alles verkeerd, ik heb u eens een keer gevraagd wat ik nu bij de komende sollicitaties moest zeggen als de personeelschef me zou vragen wat voor ziekte ik had gehad, ik heb u gevraagd of ik dan rustig zeggen kon dat ik last had gehad van een neurotische degeneratie-psychose en toen bent u hard gaan lachen, dat was het niet, hebt u gezegd, het was ook geen godsdienstwaanzin, het was geen depressie, paranoia of schizofrenie, nu vraag ik u, een mens moet toch wát hebben, héb ik soms geen ziekte? en toen hebt u gezegd dat u mijn hele dossier nog nooit gezien had, dat u nog nooit een letter over mijn ziektebeeld had gelezen. Dat gaat zomaar niet makker, dat doe jij om uit te lokken, jij doet dat om me kwaad te maken en als ik dan opspring en brul: 'Wat?! hebt u nog nooit mijn dossier gezien? nou zal die verdomme goed worden! dan kunt u glimlachen en weer zeggen dat ik te druk ben en mij de normale pilletjes voorschrijven, ik heb dat wel in de gaten en daarom heb ik toen eveneens met een glimlach op mijn gezicht gezegd: Tja, dossiers zijn er om opgeborgen te worden, ventilators om te roesten en klokken om stil te staan, de wereld draait om zijn as om de zeeën op diepte te houden, daar begreep u vanzelfsprekend niets van en tóch had u een reden om mij een heviger medicatie te geven, maar ik ben niet gek! ik heb dat alleen maar gezegd omdat ik niet op wilde springen van woede. Nog nooit mijn dossier gezien! Psychiaters proberen uit te lokken!

U weet bijvoorbeeld heel goed hoe ik over Rusland, Portugal, Turkije en Griekenland denk, allemaal wrede dictators, fascistische regimes, intolerantie, gebrek aan meningsuiting, angst en terreur, en wat zegt u?!: Die langharigen op de Dam dat is niks, die hasjrokers dat is niks, de gevangenissen in Nederland zouden groter moeten worden, aan de galg met dat werkschuw tuig, we zouden in Nederland een Stalin, een echte dictator nodig hebben, flink wat cipiers en beulen, met de karwats erover! U wilt dan dat ik 'vuile schoft' ga roepen, maar ik zeg 'Zo heb ik er zelf ook altijd over gedacht' en dan zit de psychiater toch zo raar te kijken! U moet ook geen vogel opsluiten, u moet er geen engelen in een gekkenhuis op na houden want die zijn u te slim af, je hebt nu eenmaal gekken die het voor altijd in de bol geslagen is, u moet eens begrijpen dat er gekken zijn die zo ongeneselijk ziek zijn dat ze de wereld beter willen maken, dat is een ziekte waarvan men zelfs in bed geen genezing kan vinden, u moet zich daar bij neerleggen dat je van die mensen, van die wezens hebt, het zijn kinderen des Heeren, ze zijn allemaal op de hand van Reve aan wie grote macht gegeven is, u bent maar een gewone psychiater, u moet eens inzien dat het nutteloos is om tegen een hoogleraar te vechten want op de noodzakelijke momenten fluistert hij ons allen in: 'Steek je hand op', 'Zeg nee', 'Wees vriendelijk voor de dokter', 'Wind je niet op', 'Verpest het niet voor de andere volgelingen; als iemand je op de rechterwang slaat keer hem dan ook de linker toe.' Wij zijn vreselijk gevaarlijke gekken, wij zijn zo ziek dat u ons beter kunt ontslaan want er zit geen verbetering in, wij moeten de wereld in om onze liederen te zingen, wij moeten de wereld verbeteren, alléén een gek kan de wereld nog verbeteren, een minister of een gewone hoogleraar kan het niet, daarom moet Reve het doen, Professor Van het Reve is zelf gek, maar tegen een hoogleraar durft u niets te ondernemen, uit angst dat de Koningin er een stokje voor zal steken. U bent voor niemand bang, iedereen durft u op te sluiten behalve de ministers en de kamerleden, de belangrijkste industriëlen en een normale hoogleraar. U bent een vreselijke dokter, u bent een dokter die er niets van begrijpt, u zijn de Tekenen niet gegeven. U zegt bijvoorbeeld tegen mij dat ik te druk ben als ik mijn fiets repareer. Als je een fiets repareert moet je hem op zijn kop zetten, ook in een gekkenhuis, u weet dat ik horendol word van een rammeltje in mijn fiets, ik heb een Rudge, een echte Engelse Rudge met handremmen en een pompje, zo'n fiets kost tegenwoordig een hoop geld: Zoveel geld verdient u met al uw poeha nog niet in een hele week, weliswaar is de fiets nu al achttien jaar oud maar daarom mag hij nog niet rammelen! Daarom zeg ik tegen Bertie als hij onderweg een kik geeft: Wat krijgen we nou jongetje? dat mag toch niet Bertie? waar zit de pijnlijke plaats? en dan herstel ik het leed op hetzelfde moment, daarom heb ik altijd tangetjes en een kleine schroevedraaier bij me om Bertie te kunnen helpen, hij mag niet rammelen of pijn hebben, en als je al achttien jaar rijdt en er komt ineens een rammeltje in de geheel ijzeren kettingkast, in de kast met het automatische oliebad, en van welke kant je de kast ook bekijkt, nergens kun je iets van de ketting zien!, als zoiets zich ineens voordoet dan moet je een fiets kunnen herstellen, ik ben dol op mijn fiets, wij begrijpen elkaar, deze fiets richt zich geheel naar mij, hij gaat naar links, naar rechts, harder en zachter al naar ik wil, niet zoiets eigenzinnigs als bijvoorbeeld een Fongers, nee! heden nee! een Rudge laat zich volkomen temmen en africhten, maar daarvoor wil hij dan ook zonder een rammeltje rijden, hij wil tussen het andere verkeer onopgemerkt blijven, je mag hem niet horen, het enige dat je van Bertie hoort zijn de snorrende bandjes, het is net een poes, reusachtige snelheden laten zich op de Rudge ontwikkelen, wat dacht u? van mijn leven ben ik maar twee keer door een auto ingehaald en die kregen ook onmiddellijk pech, je moet ook niet te veel vragen van een carburator! als ik met Bertie bezig ben en hem op de schouders klop moet u niet zeggen dat ik te druk ben want dan beledigt u een Engels ros! dat moest u eens begrijpen, die psychiaters denken maar: poeh! een gewone fiets, maar deze fiets is niet gewoon, u heeft nog nooit het binnenste van het chassis bekeken! maagdelijk wit! een soort crèmekleurige verf zit daar en de ventielen zijn uitzonderlijk van constructie, als de band niet lekt blijft de lucht er eeuwig in zitten, dat is een idee dat op naam staat van een laat negentiende-eeuwse Aartsbisschop die te fiets ging. Maar genoeg over de fiets, ik zie het er nog van komen dat u Bertie onder behandeling neemt, ze zal u van het zadel werpen! ze zal u naar de afgrond rijden, wee! het zal u slecht vergaan! en dan zegt u altijd dat ik me aan moet passen, dat ik normaal in de maatschappij moet kunnen meedraaien, wat bedoelt u daar eigenlijk mee? Dat ik mijn verlangens en idealen opgeef? Dat ik de wereld niet meer verbeter? Hoe kan iemand die normaal meedraait de wereld beter maken? Dan weet u niet hoeveel ellende er is en tegen hoeveel slechtigheid en misverstand er gevochten moet worden! Aanpassen! Dacht u dat het Nieuwe Testament ooit geschreven was als Jezus zich aangepast had? Nee! De Christenen zijn schoften. Die doen allerminst wat hun Heer ze voorhoudt. Je hebt Christelijke pornografieverkopers, Christelijke hoeren, Christelijke kapitalisten, Christelijke staatslieden, Christelijke ambtenaren en ik weet niet hoe het mogelijk is, zelfs de geestelijken zijn tuig, men begrijpt niet hoe God het toe kan staan, als er iemand schuld heeft zijn het de geestelijken. Die kijken alles door de vingers en staan de kerkgangers op Zondag de smerigste leugens te vertellen, ik kan het weten want het is mij geopenbaard, huichelaars en boeven zijn het, ze moeten nog even geduld worden en dan zullen ze op hun plaats worden gezet, ze moeten van hun tronen! ze beloven gouden eieren en wat krijgt de mens na de dood? Niets! Allemaal bedrog. Allemaal zoethoudertjes. De geestelijken willen niet verklaren dat wij zélf van de wereld een Paradijs zullen moeten maken. Hic et nunc! Het Paradijs na de dood bestaat niet, het kan niet na de dood verwezenlijkt worden, het Paradijs bestaat slechts in de tastbare werkelijkheid, de mensen moeten het geluk zelf verwezenlijken. En dan zegt u maar steeds dat dat idee van mij om de wereld te verbeteren een ziekte is, gelooft u dat nou zelf ook? hoe kan iemand die de wereld beter wil maken ziek zijn? Zotteklap! Dan was Schweitzer ook ziek, dan was Mozes ziek, dan waren de oprichters van het Rode Kruis tijdens de Krimoorlog ziek, dan was de uitvinder van de penicilline ziek, wat denkt u eigenlijk? dat u God bent? Je kunt in je eentje niet de wereld verbeteren, dat zegt u. Ja maar duizenden, miljoenen kunnen het wel. En er moeten er toch een paar zijn die beginnen? Bovendien kent u het gezegde toch wel: Verbeter de wereld begin bij jezelf? Nou dan! Jaja, en dan gooit u me altijd die oude ruzies voor de voeten, ik zou mensen geslagen en geschopt hebben, dat is niet waar, ik zou zeven mensen geslagen en geschopt hebben, dat is niet waar, ik heb zeven mensen een bloedneus geslagen en één vent heb ik eens door het raam geslagen, maar dat is dan ook alles, en ik geef u de verzekering dat er redenen waren voor mijn verontwaardiging, die vent door het raam wilde niet van me weten waarom ik een bestrijder van het Christendom was, hij had het over 't nut van de zending, nou moet je daarvoor uitgerekend bij mij aankomen! Eerst worden de mensen bekeerd en dan pak je ze alles af, en als ze daartegen protesteren zeg je dat ze opstandig zijn tegen de overheid en tegen God die alles heeft gewild, die het alles zo heeft gepredestineerd; als je opstandig bent door te zeggen dat je je bek niet mag opentrekken en dat je zoontje niet studeren mag, dan krijg je hel en verdoemenis over je hoofd uitgegoten, je pakt de inboorlingen hun grond, hun erts, hun mineralen af, je laat ze havermout eten en trekt ze een apepakkie aan, je giet ze Gods woord met de paplepel naar binnen en ze zijn willig, ze laten zich uitbuiten net als de Westerse bijgelovige werknemer, wat je de mensen te kort geeft aan voedsel en geld dat laat je door een geestelijke in posthume zegeningen uitkeren! mooie boel, 't nut van de zending, de zending dat is een smerige zaak, daarom heb ik die vent door het raam geslagen, wij hebben de Indianen geen beschaving te brengen, als een Indiaan een forel vangt vraagt hij hem eerst om vergeving voor hij hem de kop in slaat, 'misschien zijt ge wel de koning van het vissenvolk' zegt hij, 'maar ik moet ook eten, het spijt me zeer', een kraai is voor een Indiaan een gevleugelde persoon, of een zwarte heer met spitse bek, een nuttig wezen dat goede boodschappen kan brengen! en hoe denkt u over een kraai meneer? u hebt er nog helemaal niet over nagedacht? daar zit er juist een buiten, hij kijkt hier naar binnen, hij geeft mij een teken, u hebt het niet in de gaten omdat een kraai voor u maar een stomme vogel is. En wie is de meester van dat vogelijn? De goede God! dat is de meester. Weet u wat de kraai zegt? 'Nog vijf minuten spreken Maarten anders jaag je de dokter nog meer tegen je in het harnas.' Daar moet u om lachen hè? Maar toch zegt die vogel het en daarom zal ik het kort maken. Een van die bloedneuzen was een verdediger van het Koningshuis. Het Nederlandse Koningshuis was helemaal niet zo rijk, zei hij. De leden waren altijd oppassende en nette lieden geweest. Er is maar één waardig lid van het Koningshuis meneer de dokter en dat was Willem de Zwijger, Willem van Oranje, de Vader des Vaderlands, maar die is dan ook doodgeschoten door Balthazar Gerards. Ik zelf heb mijn vingers in het kogelgaatje in de muur gelegd. Dat heb ik gedaan in Delft. Ze waren juist het glasplaatje aan het restaureren. Ik had mijn vinger op de plaats van de kogel die door het hart van de koning was gegaan! Weet u wat er door me heen ging? Weet u wat me overkwam? Helemaal niets! Er was niets, vrede en rust. Ik wist dat het goed was. Het trilde door mijn vinger heen: de wereld moet beter worden, geen angsten, misverstanden, pijn, kwellingen en martelingen meer, geen uitbuiting, vernedering en armoede. Willem de Zwijger was geen verzamelaar van aardse schatten. Ik heb ooit iemand een bloedneus geslagen omdat ik niet in het nut van het Nederlandse Koningshuis geloof. Het had bij Willem de Zwijger moeten blijven. Koningin Juliana is op geen enkele manier een bloedverwant van de Vader des Vaderlands. Als het wél waar is ben ik een afstammeling van Columbus! Maar het is beter dan met een President. Moge Nederland gespaard blijven voor de Republiek! Je hoeft toch niet gek te zijn om een hekel aan het Koningshuis te hebben? En dán heb ik iemand eens een bloedneus geslagen omdat hij het had over 't nut van de hulp aan de derde wereld en van hulpacties aan noodlijdende gebieden. Eerst schrapen we de derde wereld leeg en dan sturen we er vrijwilligers heen om te gaan helpen, eerst ontketenen we een ramp en dan beginnen we een hulpactie. Waarom? Om er rijker van te worden! Voor niets gaat de zon op. Ik had een vriend en die hield zo van het oude Rusland. Hij wilde altijd schieten, hij rookte grote sigaren, hij hield van de jacht, van een groot huis, van bedienden en van een automobiel. Hij had dat alles niet. Nu heeft hij het. Hoe? Hulp aan de derde wereld! Hij verspreidt scheikundeboekjes in het Verre Oosten. Hij is schatrijk en een 'weldoener'. Hulp aan de derde wereld. Het is een schande! Apekoek! En nu spreek ik nog maar niet over waar ons geld blijft dat verzameld wordt voor hulpacties in verre getroffen gebieden, overstromingen, oorlog en epidemieën, het geld verdwijnt in de kalfsleren portefeuilles van de organisatoren, het blijft hangen bij de vliegtuigmaatschappijen, een pakje met de mond geschilderde ansichtkaarten komt aan, moet je dát geven aan kinderen die om- komen van honger, dorst, ellende en angst? moeten ze zoiets soms gaan naschilderen? Iemand ging inboorlingen in Afrika of Thai- land de grondbeginselen van de landbouw bijbrengen, de Neder- landse landbouw! kosten noch moeite werden gespaard, na twee jaar waren er tien kroppen sla, die kroppen kostten, als je het goed uitrekent, vierhonderdduizend gulden per stuk (irrigatiewerken, mestschepen, landbouwingenieurs, stencils, vliegtuigen, ploegen, eggen, pornografie, landbouwzaden), niemand van de inboorlin- gen lustte sla, de kroppen werden gedroogd, de bladeren werden in de hete zon fijngestreken en toen hebben ze geprobeerd of de slabladeren te gebruiken waren als schutblad voor de sigaren van het opperhoofd, ze waren te gebruiken maar het smaakte niet lek- ker, de sigaren zijn in zee gegooid. De grondbeginselen van de landbouw bijbrengen, hulp, zending, het is waanzin, een beledi- ging.

'Houdt u even uw mond, de telefoon gaat.'

'Ja dokter.'

'Hallo...'

'?'

'Wat zegt u me nou? Een edelsteen ja. Niet kapot te schieten. Gewalst tussen een slagkruiser en de wal. Ja... Eh, dat weet ik niet. Ja. Nee. Jaja. Wat?'

'?'

'Maar dat is onzin!'

'?'

'Wat wilt u eigenlijk? Wat bent u dan van plan?'

'?'

'Een krankzinnige is voor de wet niet beschikkingsbevoegd, dat weet u.'

'?'

'Gerechtshof? Hoge Raad? Het kabinet? Is de zaak zo belangrijk? Een uitzondering... Hebben ze dat gezegd? Nou ja, vooruit dan maar.'

'Meneer Biesheuvel, wat moet er gebeuren met dat ding waarvan we aanvankelijk abusievelijk dachten dat het slechts een uitwerpsel was?'

'Die moet door de vervoersfirma Boot uit Lisse naar Amsterdam worden gebracht. Amstel 268. Dr. K. van het Reve.'

'De steen moet naar Amsterdam. Amstel 268. Schriftelijke bevestiging volgt. Dit is de enige, pertinente wil van de krankzinnige. Ik heb zoiets nog nooit meegemaakt...'

'?'

'Tot uw dienst meneer, goedemiddag.' (Legt hoorn op de haak.) 'Nou heeft u al die tijd zitten praten en ik heb zitten luisteren. Vindt u dat normaal? Moet het zo gaan tussen een patiënt en zijn dokter? Zou het juist niet omgekeerd moeten zijn? Ik begrijp het niet. Waarom geeft u ineens geen antwoord meer? Wat wilt u nu toch eigenlijk zeggen?'

'De wereld moet beter worden. De gekkenhuizen en de gevangenispoorten open, geen oorlog en zenuwen meer.'

'Is dat alles?'

'En zoudt u de gekken van de grote zaal een eigen waterkraan willen geven? Nu komen ze alsmaar drinken uit de pot van de WC naast mijn cel. Ze trekken door en drinken. Ook gekken kunnen 's nachts dorst hebben.'

'Ik zal erover denken. Wacht u hier nu even rustig en netjes op de broeders. Binnen een paar minuten wordt u weer teruggebracht. U wilt me wel excuseren.'

Het Bal

Toen ik hoorde dat Adèle Bloemendaal haar medewerking aan het Boekenbal zou geven en bovendien dat het bal in Rotterdam zou worden gehouden, een stad die enigszins mijn geboortestad is (want ik ben in Schiedam geboren), besloot ik erheen te gaan. Ik moest die dag toch al voorlezen in Hoogvliet en zou dus in de buurt zijn. 'Maar zo'n feest wordt erg laat,' zei Eva, 'dan komen we nooit meer thuis.' Kordaat als ze is bestelde ze slaapplaatsen in het vlak bij De Doelen – waar het feest gehouden zou worden – gelegen Hilton-hotel. 'Allemachtig,' dacht ik, 'als ik maar niet een van mijn buien krijg uitgerekend op die dag.'

Een paar weken later togen we naar Rotterdam, op Centraal Station stapten we uit de trein en gingen over op de metro. Ik keek mijn ogen uit, want zag dit alles haast voor de eerste keer. Verder dan de Maashaven was ik met de metro nog nooit geweest. Vanuit de stad komende komt de metro na de Maas boven de grond om er verder te blijven. Ik herkende de omgeving niet zo goed meer. Hoogvliet was Hoogvliet helemaal niet meer, maar een stelletje kraakinstallaties in de verte en hoge pijpen en een nieuwbouw-buurt waarin de metro stopte. Eva en ik sjokten naar de school. Ik verbaas me altijd weer hoever mijn mare al is gegaan. In zekere zin ben ik een beetje beroemd en ik kan dat niet zo goed verwerken. De directeur van de school schiet me aan en zegt stralend: 'Dus u bent de heer Biesheuvel op wie we al een kwartier zitten te wach-ten?' Iemand anders zegt: 'Zo, daar hebben we de schrijver zelf in ons midden.' Ik kan om die opmerkingen alleen maar zenuwach-tig lachen. Eva en ik werden naar de lerarenkamer gebracht waar men ons koffie gaf. Mijn jas werd vanzelf opgehangen. Ik hield mijn tasje nauwlettend in het oog: daar zaten mijn boeken in en daar zou ik uit moeten voorlezen. 'Als het nog eens moet gebeuren, neem ik werk van Joseph Conrad mee,' dacht ik, 'ze hebben het toch niet in de gaten, als er maar voorgelezen wordt en er maar iemand achter een net iets te klein tafeltje ingewikkeld zit te doen, stotteren, zich met een zakdoek het voorhoofd wissen, met de linkerhand door het haar gaan, in de neus pulken, bril verplaatsen, benen over elkaar slaan en weer rechtzetten, handen in de zakken en weer eruit, neus snuiten, vragen om een glaasje water, alles is goed als het maar een beetje gek of artistiek is.' Ik begon met een heel lang verhaal, (er zaten wel vijfhonderd leerlingen te luisteren), het was meer een landschapsbeschrijving, namelijk 'Logger', en daar werden de kinderen erg onrustig van, het verhaal kon ze kennelijk niet boeien. Toen ik er na een klein half uur mee klaar was, kwam Eva op me af snellen en zei: 'Dat is helemaal verkeerd, je doet het weer helemaal verkeerd, je moet korte leuke verhalen voorlezen, dus van die Carmiggelt-achtige of van dat Piet Grijsachtige. Lees bijvoorbeeld "Hoe ik bij de krant kwam" voor, dat gaat er altijd in, en neem dan je poepverhaal met die padvinder, dat vinden ze ook prachtig, maar niet van die beschouwelijke lange geschiedenissen.' Ik volgde haar raad op en sindsdien ging het voorlezen van een leien dakje. 'Allemachtig,' dacht ik steeds, 'vanavond moet ik naar het Boekenbal, als dat maar goed afloopt.' Ik kreeg een staande ovatie en ging weer naar de leraarskamer waar nu bier werd aangerukt. Een leraar aardrijkskunde praatte alsmaar tegen me aan. 'U bent toch meester in de rechten is het niet?' vroeg hij, 'en u hebt toch in Leiden gestudeerd? Ach daar heb ik het merendeel van mijn vrienden achter moeten laten. Waar hebt u zoal gewoond?' Ik vertelde hem dat ik eerst in Oegstgeest had gewoond en later een hele tijd op het Rapenburg en na het gekkenhuis nog een tijdje op de Nieuwe Rijn nummer 88, op de hoek van de Uiterste Gracht. 'O ja, dat is daar schuin tegenover Boom de slijter,' zei de aardrijkskundeleraar, 'ik heb nog een vriend gehad op de Hogewoerd, nou dat was een malle hoor, altijd met buksen schieten. We waren eens op zijn zolder bezig, ik met een Romaybuks en hij met een MacDonald...,' ik kon hem onderdehand al niet meer volgen want er naderde een zenuwebui of liever gezegd een angstaanval. Toch dronk ik bier, wetende dat ik dan mijn portie van dertig of veertig milligram valium niet meer kan innemen die me weer een beetje tot bedaren kan brengen. Ik denk dat ik bij elkaar wel vier flesjes op heb, terwijl ik er van Eva maar één per dag mag drinken. Af en toe hief ik mijn glas naar haar op en ze glimlachte terug, ze vond het blijkbaar goed dat ik dronk. Waar was ik, in wat voor een omgeving was ik terechtgekomen, hoe? Wat deed ik hier eigenlijk? Waarom deden alle mensen om me heen of ze me kenden? Allemaal onbekende gezichten. 'En waar gaat het geld heen?' werd er gevraagd, 'moet dat op de bank of via de giro?' 'Het geld gaat naar moeder Teresa in Calcutta,' mompelde ik, 'die zorgt daar voor de stervenden.' 'Wat is haar rekeningnummer en welke bank heeft ze?' hoorde ik nu. 'Dat moet u aan mijn vrouw vragen,' antwoordde ik, 'dat weet ik niet zo precies.' Het drinken ging door en nam nu pas eigenlijk een aanvang. Twee leerlingetjes waren blijven zitten, ik vond het schatten van jongetjes, de een leek mij dertien, de ander zestien. Ik vroeg aan de jongste of hij het leuk vond op school. 'O jawel hoor meneer,' zei hij en nu volgden er allerlei grappige anekdotes die betrekking hadden op de school. Er was een keer een skelet omgevallen met zijn hand op het pakje brood van de leraar, dat herinner ik me nog en meer van dat soort grappigheden. Als ik een angstaanval heb moet ik steeds plassen, ik krijg een droge keel, hartkloppingen en knikkende knieën. Als een getroffene sleepte ik me naar het toilet en liet me daar zakken, ik stroopte mijn broek naar beneden en liet het klateren. Vijf minuten nadat ik gedaan had zat ik er nog. Ik voelde mijn hart en slikte veel. Met mijn tong probeerde ik mijn verhemelte weer nat te maken. Wat bonsde het toch overal in mijn lichaam. Waarom was ik zo onzeker? 'Je hebt gewoon een angstbui,' mompelde ik bij mezelf, 'nu ga jij opstaan en je trekt netjes je broek weer aan, je gaat geen gekke dingen doen, bijvoorbeeld niet gillend met je geslacht uit je broek die lerarenkamer weer binnenrennen, roepende: "Angst, angst! ik heb zo last van angst, ik word nog krankzinnig hier, waarom laten jullie mij niet gaan?"' Ik ging terug omdat Eva anders bang zou worden. Toen ik terugkwam in het zaaltje kwam ze onmiddellijk op me af en vroeg: 'Wat is er toch aan de hand Maarten? Waar ben je toch al die tijd geweest?' 'Ik moest poepen,' loog ik en durfde haar nog niet te bekennen dat ik een angstaanval had. 'Als het echt een hele erge is, ziet ze het vanzelf wel,' meende ik, al die angsten zijn toch al zo'n belasting voor haar, ze leeft altijd erg mee maar kan me natuurlijk niet helpen, wat ze zich diep in haar hart verwijt. 'Hoe gaat het met je?' vroeg ze, met innige belangstelling in haar ogen. 'Raromtiedee,' antwoordde ik, 'tarom-tiedaah, zo'n gangetje.' 'Het is niet zo'n gangetje, maar zijn gangetje,' zei Eva. We gingen allebei weer zitten. Eva naast de rector, ik naast de mij vertrouwde leraar, ik schat dat er ongeveer twintig mensen in het zaaltje waren. 'Het leven is geen lolletje,' hernam de leraar zijn betoog. Ik zuchtte en ging even opstaan. 'Staat daar een klok buiten?' vroeg ik. 'Ja, maar ik kan u ook de tijd wel precies vertellen,' zei de leraar. 'Dat hoeft niet,' mompelde ik onbeschoft en liep met stijve benen en geknepen billen in de richting van het raam. Ik ging aan het raam staan met in mijn linkerhand een glas bier. 'God,' mompelde ik, 'heb toch medelij met een arme sloeber, waarom moeten ze altijd mij hebben?' Ik keek naar de levensgrote klok die buiten in een lichte motregen stond, maar kon er niet achter komen hoe laat het was. 'Het is nu halfdrie of halfvier,' mompelde ik, 'of is het'– de grote en de kleine wijzer door elkaar halend – 'twintig over zes?' Met mijn rechterhand wreef ik over mijn ballen, met schrik plotseling bedenkende dat dat hier helemaal niet hoorde. Wat was Eva toch vrolijk, waarom had ze voor de donder helemaal niets in de gaten? Ik begon me af te vragen of er hier ook kleine geluiddichte kamertjes waren met een eenpersoonsbed. Een niet tikkende klok, twee schilderijtjes en gordijnen die het daglicht volkomen buitenhielden zouden al voldoende zijn. Ik durfde er niet naar te vragen. Met even stijve passen als ik naar het raam was gelopen liep ik nu weer terug naar de leraar. Ik ging naast hem zitten. 'Het leven is geen lolletje meneer Biesheuvel,' zei hij weer tegen mij. Had hij soms in de gaten dat ik er slecht aan toe was? 'En ik zal u vertellen waarom het leven geen lolletje is,' ging hij door.

Ik luisterde maar ving niet veel woorden op. Het was natuurlijk het gewone verhaal: verlangen naar verandering, naar een nieuw leven, een nieuw huis, een andere baan, een andere kop. Ik heb nog nooit beweerd dat het leven geen lolletje is, terwijl ik het toch erg moeilijk heb. Ik probeerde aandachtig te luisteren maar het wilde niet lukken. Midden in zijn betoog wendde ik me tot het dertienjarige jongetje en vroeg hem: 'En vind jij dat meneer gelijk heeft?' 'Ik weet het niet,' antwoordde de jongen, 'maar ik meen dat iedereen zijn eigen peultjes maar moet doppen.' 'Dat is zo,' zei ik. Ik keek nu wanhopig naar Eva die Godzijdank mijn blik opving en naar me toekwam. 'Ik wil weg hier,' zei ik tegen haar, 'ik voel me niet zo goed.' Nu pas besefte ik hoe slim ze was geweest om een kamer in het Hilton-hotel te bestellen want ik was nu al niet meer in staat om de reis naar Leiden nog te maken, daar ik tijdens een angstbui ook last van treinangst heb. 'We moeten nu weg,' zei Eva plompverloren tegen de rector. 'Nee, maar wat jammer nu,' zei hij, 'het begon juist zo gezellig te worden.' Eva en ik werden in onze jassen gehesen, zij pakte haar koffertje waarin de kleren die ze vanavond zou dragen en de pyjama's en de tandenborstels, en ik mijn kleine tasje waarin de drie boeken zaten en we begaven ons op weg. 'Voor hen was er geen plaats in de herberg,' zei ik toen we buiten door de regen sjokten en de spiksplinternieuwe school verlieten. 'Hoe bedoel je dat zo?' vroeg Eva die altijd denkt dat ik iets bedoel als ik iets te berde breng. 'Ik zou het zo niet weten,' antwoordde ik, 'nee, waarachtig ik weet het niet hoor.' 'We zijn toch aardig ontvangen,' zei Eva, 'en in het Hilton wordt op ons gerekend.' 'Eva, waarom ben ik toch zo bang?' zei ik, 'wat is er toch met ons aan de hand de laatste tijd?' 'Ik weet het ook niet,' antwoordde ze, 'maar een ding weet ik zeker: het zal allemaal overgaan.' 'Ja, als ik in mijn graf lig is het over,' mompelde ik. 'Dat bedoel ik niet,' zei ze, 'het zal eerder overgaan, veel eerder.' Ik keek haar in de ogen en had haar lief. 'Denk je echt dat het voor mijn dood over zal gaan?' vroeg ik nog eens. 'Ja hoor,' zei ze monter en liep door. Ik volgde haar en wilde huilen. 'Eva,' zei ik, 'ik wil huilen.' Met dat ik het zei dacht ik: 'Als ze zegt "hier op straat een potje gaan huilen en aan mijn schouders hangen dat gaat niet door..." dan loop ik kwaad weg.' Ze zei: 'Huil jij maar als je dat goed vindt.' Ik probeerde te huilen en vertrok mijn gezicht maar ik kon het niet. We liepen door de nieuwbouw en zagen de pijpen in de verte. 'Voor de donder,' kakelde ik, 'in wat voor een wereld moeten wij toch leven, er is geen landschappelijk schoon, het lijkt hier Japan wel waar al die auto's en al dat speelgoed vandaan komen, het maakt mij zo bang. Waarom schaft onze regering de productie van benzine toch niet af? Wat moeten we toch met al die chemische fabrieken? Wij mensen maken de wereld alleen maar kapot. Ik ben bang, ik ben zo verschrikkelijk bang.' 'Kun je niet huilen?' zei Eva. 'Nee,' antwoordde ik. 'Het is altijd zo'n opluchting als je gehuild hebt,' zei Eva, 'het spijt me voor je dat het niet lukt.' 'Ach praat toch geen onzin,' zei ik, 'wij mensen leven en doen maar zo'n beetje.' 'Wat bedoel je?' vroeg ze. 'Ik probeer mezelf moed in te spreken,' zei ik, 'als we maar zo'n beetje leven en zo'n beetje doen en verder helemaal niet nadenken dan zijn er helemaal geen donkere wolken aan de einder, dan is er geen stront aan de knikker.' 'Weet je wat het is?' zei Eva, terwijl we ons tegelijkertijd in de richting van de metrohalte begaven, 'het wordt gewoon tijd dat jij weer een baan krijgt. Jij hebt het altijd over een baantje, maar dat moet je niet zeggen, je moet echt aan een bááan denken, een loopbaan, iets met verantwoordelijkheid, iets dat je bezighoudt, iets waarbij je niet de kans loopt om te kunnen gaan piekeren of aan verhalen te denken. Jij moet een heel gewone baan hebben. De hele dag thuiszitten dat is voor jou niets gedaan, daar word je stapeldol van, gek, krankzinnig. Jij moet gewoon werk hebben.' 'Met juristen kun je tegenwoordig de grachten aanplempen,' zei ik, 'er zijn er veel te veel van. En gesteld dat het niet zo was, wie wil er een jurist die zes maanden in een gekkenhuis heeft gezeten omdat hij dacht dat hij God was.' 'Jij hoeft niet meer te denken dat je God bent,' antwoordde ze, 'want je slikt toch trilafon? Trilafon is heel goed voor jou. Dat helpt je van je Messiasschap af.' 'Ja, maar de bijwerking ervan zijn toch die angstbuien,' zei ik. 'Nou ja,' ging Eva ferm door, 'toch moet je weer een baan hebben. Je hebt het toch altijd over klokken en je hebt er toch zoveel verstand van? Waarom probeer je het dan niet als klokkenmaker? Dan ga je in de omscholing en hoef je geen juristenbaan meer te zoeken. Maar zoals het nou is, dat is een gekkenhuis. Als jij de hele dag je handen vol hebt met werk dat je echt interesseert dan kun je niet gaan lopen piekeren. Er is voor jou heus wel het een of ander te vinden. Onze maatschappij zelf is toch zeker niet krankzinnig geworden. Dacht je nou echt dat het de bedoeling was dat jij je verdere leven in huis en in bed slijt. En hoe moet ik zo studeren als jij de hele dag in je bed ligt? Je wordt almaar passiever en inactiever, je wordt nog een verwerpelijk sujet. Ja, ik weet wel dat de krankzinnigheid erfelijk is in jullie familie, maar je kunt er toch tegen vechten? Als je doodgaat moet je kunnen zeggen: "Ik was krankzinnig, maar ik heb er van alles tegen gedaan, ik heb me kapot gevochten, maar ben nooit met mijn hoofd tegen een blinde muur opgelopen." Het moet zo zijn dat je trots bent op jezelf. Kijk eens naar meneer Philippi. Die voerde nog een correspondentie met Den Uyl over staatszelffinanciering en hij hield lezingen in Oxford over geologie en de wetenschappelijkheid van aardstralen, terwijl hij al ver over de negentig was. Dat is pas een man waar ik echt achting voor heb.' 'Ja maar die man was toch niet krankzinnig?' zeg ik. 'Jij bent ook niet krankzinnig,' zegt Eva, 'je hoeft maar te zeggen: "En vanaf vandaag gaat alles normaal", en het gaat goed, je moet wilskracht hebben, je moet een baan hebben, ja vanaf vandaag ga ik ervoor zorgen dat je weer een baan krijgt, want zo is het niets gedaan, nu krijg je steeds meer de kans om weg te zakken in een poel vol ellende en duisternis.' 'Eva,' zeg ik, 'doe toch niet zo wreed. Waarom zeg je al die dingen juist tegen mij als ik een bui heb?' 'Voortaan ga ik jou helemaal als een gewoon mens behandelen,' zegt ze, 'we gaan dat varkentje wel eens wassen, we hebben je veel te lang ontzien.' De schrik sloeg mij om het hart. Veronderstel dat Eva voortaan niet meer al die blijken van liefde en begrijpendheid in acht zou nemen? Die toegeeflijkheid? Dan zou ik pas echt krankzinnig worden. Dan zou ik bij niemand meer uit kunnen huilen. 'Eva ik moet huilen,' zei ik. 'Goed,' zei ze, 'huil maar. Onderdehand lopen we door en doen we net of er niets aan de hand is.' Ik probeerde te wenen maar het wilde niet lukken. Onderdehand waren we bij de metro gekomen. Ik voelde me vreemd, onwennig, raar en onzeker op het station. Welke kant moesten we nu op? Eva scheen het te weten. Links waren pijpen en was volgens mij het eindstation. Rechts waren pijpen en daarachter lag Rotterdam. Maar volgens Eva was het juist andersom. 'Eva,' zei ik, 'ik heb toch een baan.' 'O ja?' zei ze, 'wat heb jij dan.' 'Ik ben schrijver,' zei ik trots. 'Jij bent helemaal geen schrijver,' zei Eva, 'wat jij doet dat zijn maar toevallige bijproducten, ga nu zelf eens na hoe vaak je een verhaal schrijft?' 'Dat is inderdaad niet zo vaak,' zei ik, 'maar als het lukt zijn ze toch goed.' 'Jij hebt last van een grenzeloze zelfoverschatting,' antwoordde ze, 'Jacobsen, dat was een schrijver, Broch, Roth, Kafka, Canetti, Carmiggelt is er een, Joyce, Toergenjev, Tolstoj, Babel, dat soort mensen kun je rustig schrijvers noemen, maar jou niet. Guy de Maupassant schreef met de regelmaat van een burgerman-kantoormens. Die regelmaat heb jij toch immers niet? Jij kunt er je dag niet mee vullen. Vestdijk studeerde en schreef. Ik heb jou nog nooit zien studeren voor een verhaal. Jij moet gewoon weer een baan hebben en daarmee basta!' 'Eva,' zei ik, 'welke kant moeten we nu op. Staan we wel op het goede perron?' 'Ja,' zei ze, 'dat kun je toch aan de borden zien?' 'Maar ik zie helemaal geen borden,' antwoordde ik. 'We hebben ze gezien toen we naar boven liepen,' zei Eva berustend, 'geloof mij nou maar, we staan hier goed.' Eva sprak een tijdje niet en ik begon me weer helemaal aan mijn angstbui te wijden. 'Ik wou dat je het maar eens kon overgeven,' zei Eva. 'Ja,' antwoordde ik zenuwachtig lachend, 'ik moet overgeven.' 'Is het echt waar?' vroeg ze met schrik in haar stem. 'Nee,' zei ik, 'het was maar een grapje.' 'Hè flauwerd, wat hebben we nou aan die geintjes,' zei ze, 'doe toch eens een keertje normaal.' De trein kwam eraan – of moet je een metro een tram noemen? – en angstig ging ik op een stoeltje zitten. Terwijl ik Eva strak aankeek dacht ik: 'Dat gaat verkeerd, we rijden naar het eindstation. Kijk maar, wat ik nu zie heb ik daarnet niet gezien, het is allemaal nieuw. We gaan steeds verder van Rotterdam af.' Ik sloot mijn ogen en toen ik ze opendeed waren we bij de Maashaven. Ik toonde geen verbazing en glimlachte naar Eva. Ik voelde aan mijn hart, het ging behoorlijk tekeer. Bij de halte 'Stadhuis' verlieten we de metro, we hoefden nu alleen nog maar onder de straat door te lopen om bij het Hilton-hotel te komen. Ik moest een formulier invullen en zocht beverig naar een balpen. Hij werd me al door de bediende aangereikt. Er waren tien hokjes voor de voornaamletters maar ik begon al mijn namen op te schrijven: 'Jacob Maarten Arend,' het werd op het laatst een verschrikkelijke warboel omdat alle letters door de lijntjes heengingen wat me erg deed schrikken. 'Heb ik het nu verkeerd gedaan?' vroeg ik onzeker aan de bediende. Deze zei: 'Geeft niets hoor meneer, het is maar een formaliteitje.' Toen kwam het paspoortnummer dat ik anders altijd zo goed uit mijn hoofd ken voor de girokascheques. Nu kon ik er niet meer opkomen en schreef een volkomen verkeerd nummer op. Daar ben ik naderhand nog lang over gaan zitten piekeren. Ik gaf het papier aan de man en die zei: 'Uitstekend, neemt u kamer 712.' Hij gaf ons een sleutel en wij gingen met de lift naar boven. Ik vond wel kamer 711 en kamer 713 maar 712 niet. Eva had in de gaten dat die recht achter mijn rug was. Ik liet haar de kamer opendoen, lette niet op het vertrek, kasten en de badkamer, wierp even een blik naar buiten over het bezige Rotterdam, rond het plein beneden reden honderden auto's en dat was me veel te lawaaiig hier, trok mijn schoenen uit en mijn jasje en ging toen gekleed onder de dekens liggen. Daar lag ik nou voor honderdveertig gulden per nacht. Waarom kon ik toch niet normaal zijn? Voor iedereen zou het slapen in het Hilton een enorme belevenis betekenen. Voor mij was het een nachtmerrie. De gordijnen waren gesloten, maar er viel toch nog te veel licht op mijn oogbal, met iedere hartslag zag ik een klein ogenblik licht als door een duivels geiteoog. Ik sloot mijn ogen krampachtig, het was nu donker, maar nu begon mijn hart weer te bonzen. Zelfs onder de dekens had ik last van de geldtel-tremor, steeds maar knipte ik met mijn vingers over elkaar. 'Dat hout is niks,' dacht ik, 'dat is ook alweer spaanplaat.' Terwijl een jongeman in

Connecticut bezig was aan zijn scriptie over Tolstoj, terwijl in Japan uurwerkmakers bezig waren, terwijl een sleep door de Middellandse Zee ging, terwijl een man, ergens in Arabië, bezig was een prachtig boek te schrijven, terwijl er schepen werden gesluisd in het Panamakanaal, terwijl iemand zich zat te bezatten in Las Vegas, terwijl er glazen werden geblazen in Leerdam, lag ik hier als een wrak onder de dekens bij vol daglicht. Om mij niet te ontrieven was Eva ook maar onder de dekens gegaan. 'Hoe gaat het nu met je?' vroeg ze. 'Het gaat wel,' loog ik, ik voelde me zeer beroerd. Hier lag ik nou midden in Rotterdam, iedereen was hier normaal, de PTT werkte op volle toeren, in de havens ging ook alles zijn gewone gang, waarom moesten ze altijd mij hebben? Hoewel ik niet ruiken kan, vond ik dat er een vreemde lucht hing in de Hilton-vertrekken, een fantoomlucht. Zo ruik ik op het toilet seringen en op de seringenberg in Wassenaar vitriool en fosfor. Ik lag onder de dekens te woelen dat het een aard had en kon geen rust vinden. De meest rare gedachten gingen door mijn hoofd. Veronderstel dat Eva en de portier verwisseld waren en ik had het niet gemerkt, het is toch heel goed mogelijk dat iemand ineens iemand anders gestalte aanneemt en andersom. Dan lag ik hier met de portier in bed in de gestalte van Eva. Het waren twee bedden, er stond een nachtkastje tussen. 'Zal ik bij je komen liggen?' vroeg ik aan Eva, 'we kunnen toch wel met zijn tweeën in een eenpersoonsbed.' 'Ja,' zei ze, 'doe dat maar, als je het beter vindt.' Ik kroop bij Eva in bed en legde een van mijn armen over haar borsten. Maar nu voelde ik twee harten kloppen, dat van haar en dat van mij en daarom kon ik de ritmes niet uit elkander houden. Eva lag daar zo rustig in en uit te ademen, echt iemand die er even haar gemak van neemt. 'Hoeveel is 83 maal 76,' dacht ik. Ik kon het niet uitrekenen. 'Bah, wat ben je toch voor een sukkel,' meende ik, 'zo zul je wel nooit voor een test slagen. Wat is de wortel uit 0,0000003?' Ik kon er niet achter komen en begon aan mijn gestorven moeder te denken. Waarom heb ik mijn moeder zo beledigd toen ze nog leefde, waarom moest ik altijd aan haar godsdienst komen? Nu is het niet meer goed te maken want ze is dood, zo dood als een pier en ze zal nooit meer opstaan. Ik dacht eraan hoe heerlijk het was om als vijfjarige bij haar op schoot te zingen. Psalmen te zingen terwijl ze me begeleidde op de piano. 'Moedertje,' mompelde ik, 'lief moedertje, nou ben je dood, je begint al uit te drogen.' Ik had mijn bril afgezet en zag, meende nu allerlei vreemde dingen in de kamer te zien. Ik tastte naar mijn bril, ging het bed uit en begon de kamer aan een nauwkeurig onderzoek te onderwerpen. Hier stond dit, daar stond dat, hier waren de kasten, daar waren de gordijnen. 'Ga toch liggen,' zei Eva, 'je moet aan schapen en lammetjes denken.' Ik ging weer liggen en begon aan Noord-Beveland te denken, aan het arbeidershuisje aan de dijk waar we drie maanden gewoond hadden. Ik dacht aan het potkacheltje, aan de regen 's avonds en de klapperende gesloten blinden, ik dacht aan de licht zwaaiende olielamp die een gezellig licht door het vertrek verspreidde, ik dacht aan de vele verhalen die ik daar geschreven had. 'Was ik nou gelukkig op Noord-Beveland?' vroeg ik aan Eva. 'Nee,' zei ze, 'juist daar zijn we ruzie gaan maken en ben je opgehouden met schrijven. Je had ook nooit aan die vertaling moeten beginnen.' 'Ik herinner me boer Leendertse nog,' zei ik, 'zijn horloge zat tijdens het werk helemaal onder de bagger. We waren bezig met aardappels rooien. Je moest ze gewoon van onder een laag van tien centimeter regenwater opbaggeren. Toen was ik toch wel gelukkig hoewel mijn rug veel pijn deed. We vroegen steeds aan Leendertse: "Hoe laat is het nou?" "Kwart voor vier," zei hij dan. En een tijdje later weer: "Hoe laat is het nou Leendertse?" "Kwart voor drie." Zo ging het maar door. Ten slotte zei ik: "Maak dat raampje van uw horloge toch eens schoon." Hij deed het en zei: "Het is acht uur." "Dat kan niet," riepen we allemaal uit, "dan zou de zon allang onder water hebben moeten wezen." Hij luisterde aan zijn horloge en zei toen: "Het staat stil." O o, wat hebben we toen gelachen. Dat was ongeveer ook het moment dat die zes zwanen overkwamen. Ze vlogen zo prachtig laag en hadden zo'n mooie wiekslag. Ze kwamen van de Sophiawerkhaven en koersten op Veere aan. Jaja, er zijn toch echt wel ogenblikken geweest dat ik me gelukkig voelde. En weet je nog hoe het was in het huisje als ik bij de potkachel zat en het buiten zo hard regende?' 'Ja,' zei Eva, 'ik weet het allemaal nog wel, maar toch overdrijf je een beetje. Je liep de hele dag maar te ijsberen en zachtjes te vloeken, je had nergens zin in, niet in lezen en niet in schrijven. En dan die verschrikkelijk koude bedden daar, het werd er op den duur een hel voor mij. Jij ging af en toe nog eens naar Den Haag, maar ik zat er maar opgesloten. Hoe voel je je nou?' besloot ze haar zin. 'Het gaat wel,' zei ik, 'maar ik denk toch niet dat ik naar het Boekenbal ga, hoe laat is het nu?' 'Het is op het ogenblik precies zes uur,' zei Eva. Ik ging weer bij de gordijnen staan en keek naar buiten. 'Dat verdomde verkeer ook,' mompelde ik, 'waarom moet het zo'n lawaai maken? Ik heb volstrekte rust nodig.' Ik ging weer liggen maar voelde me niet op mijn gemak. 'Als er hier eens brand uitbreekt,' dacht ik, 'hoe komen we dan veilig beneden?' Mijn hart bonsde nog steeds. Ik ging weer uit bed om te plassen en dronk een glas water. 'Zou je niet een stelletje valium innemen?' vroeg Eva, 'dan gaat het op den duur toch wel weer beter?' 'Dat zal niet gaan,' antwoordde ik, 'dat weet je toch ook wel, ik heb immers gedronken vanmiddag.' 'Ja, wat ben je toch ook een knuppel om te drinken als je weet dat er een angstbui komt,' zei Eva. Ik haalde mijn schouders op en ging weer liggen. De slaap kon ik niet vatten en de meest vreemde gedachten tolden door mijn hoofd. Tegen zevenen kwam Eva het bed uit en zei: 'We hebben tussen de middag niet gegeten, daar moet nu toch eindelijk iets van komen.' 'Nee Eva,' smeekte ik, 'laten we nou toch niet de drukte ingaan om het een of andere malle hapje te gebruiken, ik blijf liever met een lege maag liggen. We kunnen toch water drinken?' 'Nee,' zei ze beslist, 'jij komt eruit en we gaan een hapje eten, dat kan alleen maar goed voor ons zijn.' We gingen met de lift naar beneden. Daar krioelde het werkelijk van de mensen. Eva en ik zochten een plaatsje in het eenvoudige restaurant. Zij bestelde een forel en ik spaghetti. Toen de forel kwam giechelde ik: 'Ze hebben de kop van de vis eraan laten zitten.' 'Welnee,' zei Eva. 'Ja,' zei ik, 'dat is nou eenmaal de gewoonte bij forel.' Rillend sneed Eva de kop af en begon te eten. Ik kon niet goed overweg met de spaghetti, terwijl ik die toch anders zo handig om mijn vork kan rollen. Werkelijk alles viel van mijn eetgerei. Ik probeerde gesprekken op te vangen die achter mij gevoerd werden. 'Die vrouw is niet normaal,' hoorde ik een heer op leeftijd zeggen, 'ze heeft een Volkswagen gebaard.' 'Begrijp jij nou hoe zoiets in de buik past?' vroeg zijn tafelgenoot verbaasd. 'Het regent op het ogenblik in Cornwall,' zei de eerste weer. 'Hoe weet je dat?' vroeg de tweede. 'Och, ik denk het maar zo,' zei de eerste, 'heb je die halve gare Biesheuvel al zien zitten? Ja, dat is die schrijver uit Leiden. Hij weet niet eens hoe hij zijn spaghetti moet eten. Kijk nou toch eens voor de donder, hij begint de hele zaak fijn te snijden.' 'Ja vreselijk,' antwoordde zijn tafelgenoot die helemaal achterstevoren was gaan zitten. Nu hoorde ik een hoge vrouwenstem helemaal achter uit het zaaltje: 'Die Biesheuvel is getikt,' hoorde ik haar roepen, 'waarom wordt hij hier niet onmiddellijk verwijderd? Hij heeft in gekkenhuizen gezeten.' Ik bleef mijn spaghetti snijden, het zweet stond me op het voorhoofd, met een lepel werkte ik de zaak nu naar binnen. Een meisje met een laag uitgesneden jurk kwam de bestellingen verder opnemen. 'Dus u wilt drie blondines voor de nacht?' vroeg ze. 'Ja,' zei ik beslist, 'drie blondines, maar waar moet ik Eva dan laten?' 'Daar vinden we wel een oplossing voor,' zei het meisje, 'wilt u er peper en zout bij?' 'Je kreeg daar drie gangen en een trap na,' hoorde ik de man achter me zeggen, 'het was werkelijk een hoogst komische boel.' 'Daar in de hoek bij het raam zit Biesheuvel,' hoorde ik nu weer van een heel andere kant, 'dat is een zielig geval hoor, hij heeft last van angstaanvallen.' 'Wilt u nog een sigaar na?' hoorde ik nu weer hetzelfde meisje met de rare jurk. 'Nee,' zei ik, 'geen sigaar na, het moet nu maar eens afgelopen zijn met dat gedonder hier.' Eva had haar forel op en ook ik had gedaan met eten. Ik liet haar betalen, zelf heb ik nooit geld op zak omdat ik er niet zo goed mee om kan gaan. Gebukt, hinkend en zwetend maakte ik dat ik wegkwam. Het was nu ineens acht uur. We gingen de lift in en waren in mum van tijd weer op de kamer. 'Een koud bad is goed voor fobische patiënten,' zei ik tegen Eva, 'zal ik dan maar een koud bad nemen?' Ik kleedde me uit en liet het bad halfvol lopen met koud water. Ik durfde er niet in te gaan zitten, het was net iets te koud. Nu liet ik er nog een liter of honderd warm water bij en ging zitten, het bad was helemaal vol. Langzamerhand begon ik me nu een beetje ontspannen te voelen. 'God o God,' dacht ik, 'wat moet de ware kunstenaar toch lijden. En ik ben niet eens een ware kunstenaar, ik ben maar een prutser, kun je nagaan wat Van Gogh en Gauguin hebben moeten aflijden.' 'Nu is het bal begonnen,' ging ik bij mezelf verder, 'zo zal ik Adèle Bloemendaal nog missen. Nu ja, het is beter hier in bad te zitten dan in een angstbui naar haar optreden te zitten staren, want dan begrijp ik er toch niets van.' 'Eva,' riep ik, 'weet je waar ik nu trek in heb? In een sigaar.' Eva kwam met de doos Balmoral, die we speciaal hadden meegenomen, naar de badkamer. Met graagte stak ik er eentje op na het puntje te hebben afgebeten. Nu had ik weer een zorg: ik zat zo makkelijk in bad dat ik wel eens makkelijk mijn hand met sigaar en al in het water zou kunnen laten zakken. Toch gebeurde dat niet. Ik deed mijn uiterste best om niet de rook te inhaleren. Met grote zorg dacht ik aan de binnenkant van mijn longen, hoe zwart die er al niet uit zouden zien. 'Rokers hebben een heel dik zwart pantserschild in hun longen, dat niet elastisch is,' heb ik al eens iemand horen zeggen, 'als ze hard gaan lopen willen de longen gaan pompen, ze dijen uit en krimpen in, maar dat schild blijft op zijn plaats en zo krijg je dat gepiep.' 'Ik inhaleer niet,' dacht ik en hield het een hele sigaar vol. Ik riep Eva erbij. 'Weet je dat ik van deze hele sigaar geen trekje in mijn longen heb gehad, nog niet het laatste tiende van een trekje?' 'Maar dat is prachtig,' zei Eva. 'Voortaan inhaleer ik nooit meer,' beweerde ik en meende me dat stellig voor te kunnen nemen. Ik ben zeker twee uur lang in dat bad blijven zitten. Als het me iets te koud werd liet ik weer warm water bijlopen. Wij hebben thuis geen ligbad, alleen een douche. Zo komt het dat ik alleen bij de Pollen, een keer in Zweden en nu in het Hilton in een ligbad heb gelegen. Je zou aan je kennissen, van wie je weet dat ze een ligbad hebben, kunnen vragen: 'Zeg vind je het goed dat ik bij jullie even een bad neem.' O ja, bij Van der Vlis in Kampen en bij Pim in Leiden ben ik ook in bad geweest. Ik geloof dat ik thuis ook zo'n bad zou moeten laten bouwen want ik knap er erg van op. Het was tien uur en deels door de genietingen van de sigaar, deels gesterkt door het feit dat ik niet geïnhaleerd had, deels omdat ik twee uur lang in dat heerlijke water had gezeten, was ik zover aangesterkt dat ik er wel weer uit kon. Eva had een tijdje in bed gelegen maar liep nu door de kamer te scharrelen, ik kon het vanuit de badkamer duidelijk horen. 'Hartelijk dank,' mompelde ik, 'ik ben weer een beetje genezen, ik zie geen dingen meer die ik niet horen kan en ik hoor geen dingen meer die ik niet zien kan. Alles is begrijpelijk. Ik ben in Rotterdam en in een hotel. Ik ben die en die en dan en dan geboren. Alles klopt. Nu ben ik naakt maar straks zal ik aangekleed zijn. Ik ben gelukkig.' Ik begon me af te drogen en me langzaam aan te kleden.

Toen ik in de kamer kwam zag ik dat Eva haar uitgaansgewaad al had aangetrokken. Ze had het speciaal voor deze gelegenheid aangeschaft, het was een lange zwarte jurk. Ze begroette me heel hartelijk, maar we zeiden verder niets. Ik dacht: 'Zij heeft haar jurk aangetrokken, dus ze wil toch nog naar het feest.' Zelf wist ik niet of ik nu nog wilde gaan of maar in bed stappen. Maar Eva een pleziertje misgunnen dat wilde ik toch ook niet dus zei ik: 'Wil je nog naar het bal gaan?' 'Nou ja,' antwoordde ze, 'alleen als jij je een beetje goed voelt.' 'Ik voel me prima,' zei ik overmoedig. Ik kreeg een kus. 'Wat fijn voor je,' zei ze. Daar gingen de jassen aan en zakten we al in de lift naar beneden. Ik weet nooit wat je met een sleutel moet doen. In de deur laten zitten, op bed laten liggen, meenemen of beneden afgeven, het is altijd anders. Maar Eva wist het wel. 'In het Hilton nemen ze de sleutel altijd mee,' zei ze en ik had er vrede mee. Nu liepen we buiten, de frisse avondlucht deed me goed. Ik had het gevoel dat ik alles aankon. 'Zou je nu voor de zekerheid nog niet wat valium slikken?' vroeg Eva. Ze pakte het buisje met geneesmiddelen en ter hoogte van de winkel waar vroeger de Turk was nam ik nog dertig milligram valium in. Het was naar De Doelen maar vijf minuten lopen.

Hoe moet een Boekenbal eigenlijk zijn? Ik had me voorgesteld er schrijvers te zullen zien, een romantische sfeer aan te treffen, maar dat was niet zo. Ik denk dat er zo'n driehonderd mensen geheel doelloos door De Doelen liepen. Ik zag een kippenhok met twee poppen erin, levensgrote poppen, een man en een vrouw. Maar ik begreep niet waar het toe diende, vooral omdat er ook nog schrikachtige duiven door het hok vlogen. Ik zag onder andere een boek uit 1839 dat geheel geperforeerd was en ik maakte me kwaad. Het enige dat ik echt leuk vond was een bureau met een schrijfmachine erop. Op dat bureau lagen proppen van beschreven papier, op de grond lag het bezaaid met dat soort proppen, de prullenbakken puilden ervan uit. Dat denk ik vaak: 'Mijn ziel is even zo leeg als mijn prullenbak vol is.' Overal in de gangen waren opstootjes maar als je je in een groepje mengde bleek er niets aan de hand te zijn. De enige schrijver die ik gezien heb was Guus Kuijer en die was ook helemaal verlegen onder de situatie. Adèle Bloemendaal heb ik nergens meer gezien. Ik had het idee dat de mensen zich verveelden. Ik bekeek die mensen en dacht: 'Nu ben ik eindelijk normaal en nu moet ik zoiets meemaken. Waarom kan het niet wat vrolijker en geanimeerder? Waarom worden er geen walsen gedanst? Waarom worden er geen korte verhalen voorgelezen of gedichten?' Er stonden overal tafels met drank en de dames daarachter waren druk aan het verkopen. Het was een hol en leeg feest. Er was geen echte vreugde. Voor ik uit het Hilton wegging had ik me nog geschoren. Er was geen 220 volt maar 110 voorradig. Daarom schakelde ik mijn toestel over, vergat echter om het weer op 220 volt te zetten. De volgende dag schoor ik me weer en alles ging goed maar uit zenuwen vergat ik het toestel op 220 volt terug te zetten. Toen we thuiskwamen, na een enorm bedrag aan het Hilton te hebben betaald, bleek dat Eva flink wat geld had uitgegeven. Ik ging me thuis scheren en hoorde een knalletje in mijn driekops Philishave, hij stond nog op 110 volt. Ik ging ermee naar de elektriciteitswinkel, maar daar zeiden ze me dat ik net zo goed een nieuw apparaat zou kunnen kopen omdat hier een heel nieuwe motor in moest. Daarna merkte Eva ook nog dat ze ergens honderd gulden had verloren. 'Jaja,' zei Eva, 'zenuweaanvallen, een duur hotel, een waardeloos bal, geld kwijt en Adèle heb je niet eens gezien, dat krijg je er nou van.' Ik ging de straat op en dacht aan de rust van het huisje op Noord-Beveland dat 'het huuske' wordt genoemd, uitzicht tot aan de horizon, geen droevig makende dure feesten, een potkachel en een olielamp. Ik keek naar de huizen om mij heen in de buiten-wijk en zong zachtjes bij mezelf:

'Het huuske, het huuske, hoe zal het daar mee gaan?
het huuske, het huuske, dat zal er nog wel staan!'

Er kwamen donkere wolken aan en langzaam kwamen er ook donkere wolken in mijn ziel: ik was bang voor de volgende angst-bui.

Angst

Ik fietste op een kerkepad bij Zoeterwoude en dacht dat alles goed ging. Een kerkepad is een smal geasfalteerd paadje van een halve meter breed dat soms kilometers lang door de weiden en het laagland gaat. Ik had niets om me heen dan futen, kluten, zwaluwen, leeuweriken, zwanen en koeien. Tot aan de horizon viel er geen mens te bekennen. Ik stond stil bij een hek – hier en daar gaat de eigendom van de wei over in handen van tweeden en derden, het is niet de bedoeling dat de koeien net als ik die hekken open kunnen maken om te gaan staan en lopen waar ze willen –, en zag in de hoofdpaal een paar gaten die geheel door het binnenste gingen. Ik vatte het plan op om volgende keer een briefje mee te nemen, in een plastic enveloppe. Op dat briefje zou ik schrijven: 'Ik besta, Maarten Biesheuvel, oud zesendertig jaar, Meester in de Rechten en op het ogenblik werkeloos, Bibliothecaris van het Vredespaleis maar weggelopen omdat ik het niet meer begreep, ik besta.' Dan zou ik ook twee houten kurken meenemen, het briefje in de paal doen en aan voor- en achterzijde van het gat de kurken slaan zodat regen en wind voortaan over mij zouden gaan, een koeiestaart en een vogel die tien centimeter boven mijn boodschap zit. Toen ik dat had besloten zette ik mijn fiets tegen het hek en ging op de grond in de weide zitten. Het is daar een heel eigenaardige plek, hoewel Peer het niet helemaal durft te geloven. Je zit daar op de dijk die ten tijde van de Romeinen in Nederland de dijk van de Rijn was. Ik heb het hem laten zien aan de hand van de schelpen langs de slootkanten. Hier en daar zie je zelfs een dode krab. Hier is het eind geweest van de Delta, de begrenzing van de watervloed in de tijd dat nog schoon bergen beekwater ter hoogte van Katwijk of nog verder de zee in stroomde. Ik heb het hem uitgelegd maar hij lachte en waagde het mijn theorie te betwijfelen. 'Maar je ziet toch dat wij hier drie à vier meter hoger lopen dan het beneden ons gelegen gebied?' vroeg ik, 'kijk maar eens hoe onze dijk door het landschap meandert.' Het is niet eens een dijk. Je hebt hoog land en laag land en waar het lage land is stroomde vroeger de Rijn. Ik heb daar ook wel eens met een schilder gelopen en zei tegen hem: 'Dat kunnen jullie niet meer schilderen, Potgieter, Van Ostade, Ruysdael, Van der Velde, Koekoek, die wisten er wat van maar jullie maken dat niet meer; die wolkenluchten en dat uitgestrekte laagland, die boerderijtjes, de koeien en de bruggetjes, de sloten en de molens.' 'O ja hoor,' pochte hij, maar bewijs heeft hij me nog niet geleverd. Vaak, als ik daar alleen loop, pak ik een schelp of een oude krabbepoot op en zeg: 'Wachten jullie maar tot wij gedaan hebben, dan kan de Rijn zijn oude stroom weer hervatten, dan zijn er weliswaar ook geen mensen meer om van Mozart te kunnen genieten, maar er is dan tenminste vrede. Wachten jullie maar, beste schelpen, oude krabben, alles komt weer bij het oude, alles sal reg kom, zoals mijn vader placht te zeggen voor hij dood ging.' En pathetisch breid ik dan mijn armen uit en roep het uit: 'Mijn lieve, getergde land.' Ik ging er eens zitten op die soort van dijk en droomde helemaal weg. Langzaam naderden er koeien en op het laatst stonden er zestien snuiten om mijn lichaam, o wat zijn die beesten nieuwsgierig, het zijn echte kwajongens, voor zover je dat van vrouwtjes zeggen kan, snuffelen en snuiven maar en likken natuurlijk. Op een gegeven moment begon mijn schuldbewustzijn te spreken. 'Ik eet jullie,' dacht ik maar ik zou zelf nog geen koe durven slachten, 'ik geef de poezen runderbrokken, ik snijd hart.' Langzaam stond ik op en duwde de koppen van mij af, de koeien weken als koek, zo gedwee als teddyberen liepen ze terug en van mij vandaan. Ik was bang. Waar loop ik eigenlijk op? Op leren schoenen. Vaak draag ik een runderleren jasje, ik gebruik alles van de tamste dieren die er rondlopen, laffe zak die ik ben. Wat ben ik eigenlijk waard, wat beteken ik nou als je mij zet naast Nabokov of Sartre? Dan ben ik toch maar een heel klein lulletje. Ik ben te lui en te weinig geïnteresseerd om iets te kunnen presteren. Zelfs het Vredespaleis, waar ik een baan had als een luis op Gods zere kop, heb ik niet uit kunnen houden. Het begon te waaien en ik werd bang. Vlug fietste ik het pad weer af in de richting van mijn huis. Halverwege het kerkepad, ik was het tweede hek al voorbij, keek ik omhoog en dacht bij mezelf: 'Het heelal, is dat nou begrensd of niet?' Ik heb thuis een foto van een hele volksmenigte die van plan is om met stokken een vosje dood te rammelen. En wat doet dat vosje? Het schijt van louter angst. Zo moest ik ook ineens en trok de broek van mijn gat en ging gehurkt zitten. Het was alsof ik mijn hele darminhoud er in een keer uitloosde. 'God,' kermde ik, 'heb toch erbarmen.' Het is ook helemaal fout dat ik me zo vaak helemaal alleen opstel. Hebt u wel eens in het holst van de nacht, lezer, op het achterdek van een groot schip gestaan bij bewolkt weer? Dan is er geen licht van de maan, dan is er geen licht van de sterren. Het enige wat er gebeurt is dat je iets hoort: het schroefwater beneden je en verder is er een grauwe, verraderlijke zwartheid tot aan de horizon. Achter mij, boven de kombuis, ongeveer twaalf meter achter mijn rug begint het eerste lichtje, een rood lampje boven de ingang van de kombuis, dat mij moet waarschuwen opdat ik mijn kop niet stoot bij het binnenlopen. Maar ik kijk van het schip af en houd dat maar precies vijftig seconden vol en dan ren ik reeds naar de pantry en bestel een dubbele whisky. Angst. Angst. Onzekerheid, kwaadaardige argwaan, enge gevoelens, oprispingen, maar het meest van al ben ik onzeker. 'Besta ik eigenlijk wel?' Als de wereld en de horizon zo ver weg zijn, als het heelal zo groot is, wat helpt mij dan mijn geschreeuw? 'God!' schreeuw ik. 'God, geef toch een keer antwoord.' Vanuit de verte antwoordt een hond. 'Hond,' denk ik, 'in het Engels is dat "dog". God geeft mij een teken door zich in het Engels om te draaien.' Dat is alles wat ik geloven kan. En zegt de dichter het al niet? 'Wat helpt me mijn geschreeuw, wat mijn klagen? D'echo komt me alles wederdragen.' En dan sta ik met mijn handen om de railing geklemd en voel het hele schip trillen. Angst, als ik nu val verzuip ik langzaam en er is niemand die het merkt. Geen God die een poot naar me uit zal steken. Ik ben nu eenmaal in dit leven geworpen en nu moet ik ook maar voort. Alles wat moeilijk is, daar sta je alleen voor en het ergste van alles is eenzaamheid. Toch heb ik mijn oude zieke moeder nu al in geen maanden opgezocht. Ik kan haar langzame verscheiden niet aanzien en bovendien ben ik zelf op van de zenuwen. Doch laat ik niet vooruitlopen.

Ik was in de weide en scheet. De wielen van mijn Raleigh-rijwiel tolden zo dwaas na. Het was net een schilderijtje van Rousseau le Douanier. Die spiksplinternieuwe fiets lag daar zo gek te blikkeren in het maanlicht dat ik er bang van werd. En mijn onderbroek hing zo raar op mijn knieën. Toen ben ik op mijn rug gevallen – net naast de stront. Ik heb niet eens de moeite gedaan om alles weer op te hijsen, ik keek naar omhoog en dacht: 'Heelal, heelal, is het wel of niet een bal?' en op hetzelfde moment werd ik gek. Nog net durfde ik te zingen: 'Waar moet dat heen, hoe zal dat gaan, waar komt die rotzooi toch vandaan?' maar echt menen deed ik het al niet meer, ik zong meer dat liedje om mezelf in slaap te sussen: 'Andere mensen hebben het ook moeilijk.' Twee minuten lang bleef ik recht omhoog kijken en werd met de seconde angstiger en gekker. Ten slotte wist ik het: de werkelijkheid kan niet bestaan en is slechts bedrog der zintuigen. Ik sloeg een kruis tegenover mijn fiets omdat ik dacht dat hij van de duivel bezeten was, wat glom het nikkelen pompje – dat is van Peugeot en niet van Raleigh, dat heb ik altijd al zo vreemd gevonden – raar in het maanlicht. Ik probeerde de bel maar er was geen vogel die antwoordde. Pas nu merkte ik dat er links en rechts van mij een pony en een ponyveulen stonden. 'Wat komen jullie nu weer doen?' mompelde ik, 'is het nog niet gek genoeg soms zo. En waarom hebben jullie er zo'n gein in dat ik hier in mijn nakie en het angstzweet lig. Rot op, klotebeesten, jullie kunnen mij ook niet helpen. Jullie zijn er alleen maar op uitgestuurd om het mij nog een beetje moeilijker te maken. En dan dat kleine beest op zijn houten pootjes, moet dat soms op mijn lachspieren werken of mijn vertedering opwekken? Ik heb er de balen van. Ik geloof er niet meer in. Wat heeft het voor zin dat een pony en een ponyveulen mij hier staan uit te lachen? En als ik niet besta, dan bestaan jullie zeker niet, dus vlieg maar weer als in mijn persoonlijke nachtmerrie verder, vooruit en achterwaarts. Vadite retro ponii.'

Ik stond op, begon mijn kleren recht te hijsen, veegde zelfs mijn achterste af met gras – aan alles werd gedacht –, de gulp werd netjes gesloten en toen gebeurde er iets heel raars: als er iemand bang is van mensen en er een afschuw van heeft dan ben ik het wel en nu dacht ik ineens: 'Ik moet naar mensen toe, de enigen die me nu nog kunnen helpen zijn mensen.' Ik krabbelde op mijn fiets en zette er een flinke gang in. Er waren nu af en toe wolken voor de maan zodat het erg moeilijk werd om het kerkepad in het donker van het omliggende gras en het slootje aan de ene kant te onderscheiden. Toch kwam ik heelhuids in Zoeterwoude, ik ging het laatste hek door en was in een buitenwijkje. Nog altijd zo'n acht kilometer van mijn huis en fietsen kon ik echt niet meer. Ik wist dat ik aan het raar worden was en bedacht dat mijn fiets wel eens betoverd kon wezen.

Er stonden een paar mensen voor een nieuw huis, ik was in een pasgebouwd buitenwijkje. Ik fietste recht op ze af, remde pas midden in het groepje, stapte af, maakte een statig buiginkje en sprak toen de woorden: 'Goedenavond, kunt u mij helpen? Ik geloof dat ik aan het gek worden ben.' 'My goodness, come in please,' antwoordde een vrouwtje van een jaar of dertig. Ze liet mij in haar huiskamer op een sofa zitten en zei: 'Please make yourself comfortable. Can I do anything for you? Take it easy. Phone your wife or family if you want so.' Ze rende de kamer uit en de trap op – naar mij naderhand gebleken is om haar man te vragen wat 'gek' eigenlijk betekent. Hij zat in bad en riep 'out of mind'. Ze kwam weer naar beneden rennen en hielp mij met Eva's nummer te draaien. Ik zei tegen Eva dat het niet zo goed met me ging, dat ik een zenuweaanval had maar bij heel vriendelijke mensen terecht was gekomen. Onderdehand stond ik argwanend het interieur hier in mij op te nemen. Men krijgt wel eens folders van een meubelhuis in de bus geduwd. Omdat ik nieuwsgierig ben blader ik die altijd goed door. Het was nu net of ik in een toonkamer was. Werkelijk alles was hier anders dan bij mij thuis en alles maakte ook een indruk van nieuwheid. 'Die vrouw zit ook in het complot,' dacht ik, 'die is erop uitgestuurd om mij hier op te vangen en een raar rad voor mijn ogen te draaien.' Nu kwam de man naar beneden. Hij was in tenniskledij en droeg blote knieën. 'Jij bent ook niet te vertrouwen vriendje,' dacht ik, 'jij hebt er ook iets mee te maken.' Ik zei dit alles niet hardop. – Het was trouwens nog waar ook: het lot had mij hem in zijn maag gesplitst. – 'Vooruit,' dacht ik, 'het is een zware beproeving maar we doen net of er niets aan de hand is. Waarom wonen er hier geen kennissen, waarom woont hier voor mijn part geen familie? Die zijn er tenminste een beetje van op de hoogte hoe ik ben.'

'Wat doet u zoal voor werk,' vroeg de man. 'Nie... niets,' stotterde ik. Ik zag hier vijftien boeken in de kamer waarvan zeker twaalf in de Engelse taal en dan nog een rijtijdengids van de Nederlandse Spoorwegen. 'Ik heb eigenlijk nog nooit iets gedaan,' ging ik vrolijk keuvelend verder, alsof dat niet iets was waar men zich toch eigenlijk voor schamen moet. 'Maar hoe komt u dan aan uw geld?' begon de man die langzaamaan bezorgd werd nu te vragen. 'Ik heet Biesheuvel,' legde ik uit, 'en ik ben invallend lid...,' nee ik moest nu geen onzin gaan uitkramen, 'u denkt toch zeker niet dat ik familie van de oud-minister-president ben?' vroeg ik argwanend. 'Ik weet het niet,' zei de man, 'ik ben niet zo op de hoogte.' 'Dat bestaat niet,' dacht ik, 'dat is alweer een bewijs, de naam Biesheuvel kent toch zeker iedereen in Nederland? Nou mag jij wel met een Engelse vrouw getrouwd zijn mijn waarde, maar daarom hoef jij nog niet zo aanstellerig te doen.' Ik rechtte nu mijn hoofd ongeveer zoals een degenslikker en begon vreselijke geluiden te maken als iemand die een tennisbal uit zijn maag wilde verwijderen. De geluiden die ik maakte, waren als van een oorlogssoldaat die juist door een kogel getroffen is, of als van iemand die ligt te rochelen vlak voor hij sterft, ik heb dat zelf meegemaakt vlak voor de dood van mijn vader. 'Angst,' krijtte ik, 'het is allemaal angst.' 'Maar waarvoor bent u dan zo bang?'

vroeg de man nieuwsgierig. Ik keek hem fel aan en antwoordde: 'Voor niets in het bijzonder of liever voor de hele werkelijkheid. De werkelijkheid bestaat namelijk niet, anders was ik nu niet bij u. Alle werkelijkheid komt neer op bedrog der zintuigen, dat is het eigenlijk. Hebt u wel eens gehoord van het uitdijend heelal en hoe dat mogelijk is. Dat kan alleen maar als er steeds materie bijkomt. Dat kan ik niet geloven want dan zou uw huis op den duur moeten scheuren.' 'Dat doet het ook,' zei de man, 'op de eerste plaats van ouderdom en op de tweede plaats zijn deze huizen niet zo goed gebouwd.' 'Dat is flauwekul,' antwoordde ik, 'ik bedoel dat het huis nu groter moet worden, als dat niet het geval is dijt ook het heelal niet uit.' 'Ik begrijp u niet,' zei de man, 'u voelt zich natuurlijk niet lekker.' 'Nee, lekker voel ik me niet,' antwoordde ik. 'Do you swallow pills?' vroeg de vrouw, 'my husband can collect them for you.' 'Ja prima,' zei ik, 'ze zitten in de fietstas onder het zadel, voor de zekerheid neem ik ze altijd mee.' 'En als u dan de pillen geslikken heeft,' zei de vrouw nu ineens in bijna feilloos Nederlands, 'dan zal ik u naar your huis rijden.'

Tien minuten later al zat ik naast haar in een automobiel. Mijn fiets had ik in de garage van het huis achtergelaten, die zou ik later op komen halen zodra het een beetje beter ging. Ik zat in de auto bij de vreemde vrouw en dacht: 'Ik moet nu dood, hoe eerder ik dood ben hoe beter het voor me is. Ik kan het leven niet meer dragen. Laat ik als er een zware vrachtwagen aankomt plotseling aan het stuurwiel trekken in de richting van het gevaar, liever drie lijken op de weg dan één gek in huis.' Maar ergens in mijn achterhoofd was steeds een stemmetje dat riep: 'Niet gevaarlijk doen, geen grapjes of we grijpen in.' Toen ik thuiskwam zag ik Joep Bovenlander die arts is bij zijn auto staan, ik rende op hem af en omhelsde hem bijna. Hij stond omgeven door een groepje mensen die vreemd opkeken toen ik aan zijn borst snikte: 'Joep... existentiële angst, het is weer zover.' Nu stond hij net op het punt om met die mensen weg te rijden naar een verjaardag, maar hij liep met mij en Eva ons huis in. De Engelse dame was inmiddels al met de noorderzon vertrokken, wat mij behoorlijk speet: hoeveel mensen zouden de deur niet voor je dicht smijten als je hun vertellen kwam dat je bezig was gek te worden. 'Aan mijn lijf geen polonaise,' denken duizenden en gelijk hebben ze want je weet nooit wat voor type, wat voor een gevaarlijke man je eigenlijk in huis haalt. Het zou zo gezellig zijn geweest als zij, Joep, Eva en ik, in een besloten huiselijke omgeving nog even na hadden kunnen kaarten.

Nu ging ik onmiddellijk naar bed en kon pas na uren de slaap vatten. Ik vertrouwde mijn eigen kamer niet en was onzeker. Eva had een legerstede ingericht op mijn studeerkamer, een matras op de grond omdat het aan de voorkant zo druk was en ik was toch al zo onrustig. Het rare is dat je nooit precies kunt uitleggen hoe iemand zich gedraagt die gek van angst is. Ongerichte angst. Het lijkt nog het meest op een hamster in een werkende koffiemolen. Ik was nog niet in slaap of had de volgende droom (al die tijd hadden Joep en Eva aan mijn bed gezeten, bezweringsformules mompelend van: 'Er is echt niets aan de hand jongen, je kunt rustig gaan slapen nu.' 'Jij gaat nu rustig slapen en wij zorgen wel dat er geen herder binnen komt rennen.'):

Toen dr. Angoisse aan de deur klopte – de bel deed het niet –, duurde het niet lang voor er binnen een deur openging en hij een vrouwengezicht voor het ronde raampje in de buitendeur zag verschijnen. Hij stond op de gaanderij van een flat in de buitenwijk en het regende behoorlijk om van de kracht waarmede de wind tekeerging nog maar te zwijgen. Hij droeg een wijde jas die hem hier haast over het hoofd dreigde te waaien, het was een jas van zwarte gabardine, zijn hoed, die we eerder een flambard moeten noemen, hield dr. Angoisse stevig met zijn linkerhand op het hoofd gedrukt. Hij had hoofdpijn en hoopte met een licht geval van doen te hebben. In ieder geval koesterde hij toch het idee dat het hier niet om een acute opname in een gekkenhuis zou gaan, met zijn rechterhand draaide hij aan het topje van zijn neus, toen de deur eindelijk openging.

'Godzijdank dat u er bent,' bracht de vrouw uit die juist had opengedaan, 'het is zo voor mij geen doen meer, er moet onmiddellijk worden ingegrepen, ik kan geen kant meer uit en weet niet meer wat ik verder nog kan doen. Alles heb ik in het werk gesteld om hem weer normaal te krijgen maar lukken wilde het niet. Het is eigenlijk belachelijk om op dit tijdstip een arts langs te laten komen want het is al te laat, ik verwacht niet anders dan dat hij vannacht nog zal sterven, hij is op van de angst, weet u wel waar u aan begonnen bent?'

De dokter haastte zich naar binnen en duwde ruw de vrouw opzij. 'Waar is de patiënt?' vroeg hij bars, 'hoe eerder ik bij hem ben hoe beter, het zou voor mij de eerste keer zijn dat ik te laat kwam en, iets geheel anders, ik mag u feliciteren dat u uitgerekend mij hebt laten komen want ik ben de enige die nog iets kan doen, als het inderdaad zo erg is met uw man als u het wilt voorstellen.' 'Het is mijn man helemaal niet,' vertrouwde de vrouw de dokter toe, 'het is mijn vriend maar ik ken hem nu al meer dan zestien jaar.' 'Geen kletspraatjes,' zei de dokter die nu zijn jas en hoed al had afgelegd en over een fiets die in het halletje stond had gelegd. 'Waar moet dat heen, hoe moet dat gaan, waar komt die rotzooi toch vandaan,' klonk in het halletje flauw de muziek van de buren door. 'Luidruchtige buren hebt u,' zei de dokter tegen de vrouw. 'Ja maar Joop hoort er toch niets van,' antwoordde deze, 'daar hij in de rustigste kamer van het huis op de grond ligt. Weliswaar weer tegen het halletje van de andere buren aan maar die zijn op het ogenblik niet thuis en als ze wel thuis zijn, maken ze niet zoveel lawaai als de buren op nummer tweeëndertig die u nu hoort. Loopt u maar meteen door.'

'Dat dacht ik ook zo,' mompelt de arts onder zijn snor, want die heeft hij ook nog. Het lijkt erop of hij nog geen kwartier geleden bier heeft gedronken want het schuim staat hem nog in de bruine stekelige haren. Het is een zogenaamde King Alfred-snor waarvan de punten wekelijks moeten worden bijgeknipt. Hij is nog niet onmiddellijk bij de zaak betrokken daar hem iets in het particuliere leven dwars zit. Hij woont in Den Haag in een net iets te duur huis voor zijn doen en heeft – hij woont in zijn eentje –

door de portier een pak naar de kleermaker laten brengen om het zitvlak te laten herstellen. Nu is hij de omslagen van zijn broek kwijt, daarvan heeft de kleermaker een minuscuul stukje gebruikt als verstellap, maar de zeker zes vierkante decimeter stof die er over moeten zijn gebleven heeft hij niet – zoals de gewoonte is bij een dergelijke reparatie – in een van de broekzakken gestopt zodat – het gaat om het lievelingspak van de dokter – wanneer het zitvlak weer hersteld moet worden, en dr. Angoisse acht het niet uitgesloten dat dat bij intensief gebruik van het pak (tweemaal per week dragen, auto in auto uit) binnen een paar maanden alweer het geval zal zijn, er dan geen stof meer zal zijn om uit te putten als voorraadje voor nieuwe herstellingen. Hij vindt dat een zeer onprettig idee en hoopt, hij weet nog niet langs hoeveel wegen, de kostbare decimeters stof toch nog in zijn bezit te krijgen. Terwijl hij dus hieraan denkt loopt hij door het huis dat hem geheel vreemd is. Hij loopt door de keuken die vol hangt met zeege-zichten, meest van kalenders gescheurd, en een ding dat wel een echte Van der Velde lijkt te zijn – hoe kunnen zeeschilders zich in hun graf omdraaien van nijd als ze zouden weten op welke tri-viale plaatsen men hun werk durft te hangen –, vervolgens door een luxueuze badkamer waar een hele muur bedolven ligt achter een geplastificeerde plaat waar drie schoeners op staan afgebeeld en die voor de rest – de heer des huizes wil blijkbaar in stijl blij-ven – met blauwe tegels is bemetseld en dan door de laatste deur die toegang geeft tot een studeerkamer waar op een matras op de grond een man ligt uitgestrekt. En deze man, de jurist dr. Joop Versteeghen, bekend van zijn publicaties in het internationale recht – wij schatten het aantal centimeters dat de ruggen van zijn juridische geschriften in druk beslaan op ongeveer vijfenveertig, niet voor niets behoort hij tot de coryfeeën van de Leidse Univer-siteit –, ligt daar als een dier op die matras te rochelen, de ogen puilen hem haast uit het hoofd, het zweet loopt hem tappelings over de wangen, zijn haar hangt in slierten over zijn achterhoofd, hij is licht kalende en draagt gewoonlijk een dikke hoornen bril, op het ogenblik veilig met de pootjes toegevouwen en opgeborgen in een van de Engelse schoenen die naast hem staan. Af en toe verdwijnt een angstig handje in het binnenste van het schoeisel om te zien of de bril nog wel op zijn plaats is.

Zo is trouwens de hele gesteldheid van de geleerde: angstig en argwanend. Af en toe zet hij de bril op om iets in de kamer te kunnen ontwaren. 'Wat hangt daar nou toch eigenlijk?' kan hij ineens mompelen om dan zijn bril feilloos snel uit de schoen te rukken en op te zetten, 'ooh, dat is dat douchedingetje dat ik daar zelf voor de grap heb opgehangen.' Wie een kuil graaft voor een ander valt er zelf in. Er is in de kamer een wastafel met stromend warm en koud water. Die wastafel zit ongeveer een meter van de deur die toegang geeft tot de badkamer. Nu heeft Versteeghen een tijdje geleden op straat een douchesproeier met het buisje er nog aan gevonden, hij heeft het tussen de wastafel en de deur in zijn kamer, haast tegen het plafond, bevestigd door er een grote spijker in de muur te slaan en daar het buisje op te steken, het lijkt nu net of je je in de kamer kunt douchen, zo levensecht komt dat buisje met die sproeier eraan uit de muur zetten. Soms zegt hij tegen gasten voor de grap: 'Ga daar eens staan,' en hij laat hen dan plaats nemen onder de sproeier. Dan draait hij aan de kranen van de wastafel waarop iedereen verschrikt wegspringt, pas op het laatst ziende dat het water gewoon in de wastafel loopt en niet uit de sproeier komt, pas dan zien ze dat het douchedingetje maar een loos ornament is en dat de wastafel er helemaal niet op is ingericht om naar boven te spuiten. Je hebt in badkamers bij de regelkranen immers altijd een knop waarmee je kunt regelen: water uit de kranen of water uit de douche.

Nu is dr. Angoisse binnen en ziet de patiënt. 'Dat is een heel gemakkelijk geval,' mompelt hij tegen de vrouw des huizes, 'je zou bij hem een stukje uit de thalamexeïsche cortex weg moeten snijden of bij mij aankomen.' Hij hurkt nu naast Joop Versteeghen en haalt een zilveren hamertje uit een van zijn wijde zakken, het is net een ijshamertje, een pikhouweeltje met twee scherpe punten aan het slagwerk. Hij haalt ermee uit en geeft dr. Versteeghen een geweldige klap op zijn kop waarop deze rechtop gaat zitten en de woorden spreekt: 'Ik ben genezen, ik ben helemaal niet bang meer.' 'Wat gaat dat kosten?' vraagt de vrouw des huizes aan Angoisse. 'Dat is precies vijfhonderd gulden,' antwoordt de dokter. 'Vijfhonderd gulden?' roepen ex-patiënt en de vrouw uit, 'is dat niet een beetje veel voor één zo'n klapje?' 'Het is maar wat u veel noemt,' zegt dr. Angoisse, 'maar ik wil wel even een nadere specificatie geven: een gulden voor de klap geven en vierhonderd negenennegentig voor geweten waar.' De vrouw betaalt en laat de dokter uit. Daarop gaan man en vrouw gezellig koffie zitten drinken in de kamer en zeggen tegen elkaar: 'Nou nou, jongens jongens, dat was me ook wat, daar was jij haast gek geweest', om te vervolgen met de gewone handelingen uit het gezellige leven van het gezin in intieme privésfeer. Einde van de droom.

In werkelijkheid ben ik pillen gaan slikken en heb ik twee maanden lang op bed gelegen. Iedere dag, zo tegen vijf uur kwam er een angstbui. Wij noemden dat 'het uur van de verdwijningen'. We hebben ooit op Noord-Beveland een haas gezien die zich op het weggetje voor ons huis naast Gijs de kat zette en hem meelokte het bietenveld in. Ieder ogenblik liep hij een eindje vooruit en keek dan achterom alsof hij tegen Gijs wilde zeggen: 'Nou, volg je me nog?' Het heeft ons toen wel anderhalf uur gekost om Gijs terug te vinden, ongeveer dezelfde tijd die er op den duur nodig was om een angstbui te overwinnen.

Ik ging regelmatig naar een psychiater, schakelde Paul Briët in, slikte pillen, probeerde kortom alles om zo snel mogelijk van de buien af te raken, maar het wilde niet lukken. Op een keer was het zo erg dat ik dacht: 'Het komt omdat ik maar de hele dag kan zitten piekeren, ik moet nu maar weer eens naar arbeidstherapie op Endegeest gaan, daar word je tenminste als een kleuter beziggehouden en kun je niet steeds weglopen.' Dus ging ik naar therapie in de hoop daar mijn heil wel te zullen vinden. Maar wat vroeger een Paradijs voor me was was nu een sombere eentonige bedoening. De patiënten zaten als een hoopje natte vliegen tegen elkaar en deden eigenlijk helemaal niets. De ware geest was eruit. Het leek mij ook toe dat er geen echte krankzinnige mensen rondliepen maar uitsluitend depressieve. Vroeger spatten de kunstwerken je op therapie om de oren, de grapjes vlogen de pan uit als vliegende vissen, doch nu niets meer van dat alles.

En zo kwam het dat ik teleurgesteld naar Herman Voogd liep, mijn oudste vriend op Endegeest, ik schat hem op het ogenblik zo tweeënvijftig. Hij zat nog op zijn oude vertrouwde hoekje, in paviljoen B, daar zit hij al dertig jaar in berusting en gelatenheid. Hij is de grootste heelalkenner uit mijn omgeving en begon hard te lachen toen ik hem vertelde van mijn kosmische of existentiële angst. '"Fata sunt fata et facta sunt facta," zei mijn leermeester altijd,' bemoedigde hij me, je moet je er maar bij neer kunnen leggen. Het heelal is onuitsprekelijk groot en waarschijnlijk begrensd, verleden jaar ben ik voor het eerst gaan denken dat er wel miljarden heelallen kunnen zijn en allemaal uitdijend zodat het maar wachten is op de grote boem. Als er per vijfhonderd jaar in een gebouw zo groot als het Empire State Building één atoom uit het niets ontstaat dan komt er per seconde in het hele heelal vijfhonderd miljard ton materie bij.'

Er kwam een man aan ons tafeltje zitten en Voogd liep kwaad weg. 'Zal ik eens wat moois voor u spelen?' vroeg de nieuwgekomene, terwijl hij een grote mondharmonica uit zijn zak trok, 'ik zal het mooiste spelen wat ik maar ken.' En hij begon meteen met de melodie van: 'Zelfs vindt de mus een huis o Heer, de zwaluw legt haar jongskens neer, voor 't kunstig werk van uw altaren.'

'Zelfs de mus vindt een huis,' snikte ik, 'zelfs de mus heeft nog enige vorm van zekerheid en ik heb helemaal niets.' Met mijn armen uitgestrekt op de tafel lag ik met mijn hoofd op tafel te bonzen. Een broeder tikte me op de rug. 'Bent u hier ook patiënt meneer?' vroeg hij, 'van een andere afdeling wellicht?' 'Nee, helemaal niet,' weende ik, 'ik ben hier alleen maar bezoeker.' Ik nam geen afscheid meer van Voogd en begreep dat ik voorlopig niet van mijn angsten af zou zijn.

Weer thuisgekomen las ik Psalm 88 en sloeg mezelf op de dijen van pret dat ik nu naast Prediker ook nog een wanhopige Psalmist vond: Een lied, een psalm voor de kinderen van Korach, voor den opperzangmeester, op Mahalath Leannoth; eene onderwijzing van Herman den Ezrahiet... O Heere, God mijns heils! bij dag, bij nacht roep ik voor U: laat mijn gebed voor uw aanschijn komen, neig uw oor tot mijn geschrei. Want mijne ziel is der teegenheden zat, en mijn leven raakt tot aan het graf. Ik ben gerekend met degenen die in den kuil nederdalen, ik ben geworden als een man die krachteloos is: afgezonderd onder de dooden, gelijk de verslagenen die in het graf – of op hun studeerkamer – liggen, die Gij niet meer gedenkt, en zij zijn afgesneden van uwe hand. Gij hebt mij in den ondersten kuil gelegd, in duisternissen, in diepten. Uwe grimmigheid ligt op mij, Gij hebt mij nedergedrukt met alle uwe baren. Sela. Mijne bekenden hebt Gij verre van mij gedaan, Gij hebt mij hun tot eenen grooten gruwel gesteld; ik ben besloten en kan niet uitkomen. Mijn oog treurt vanwege verdrukking; Heere, ik roep tot U den ganschen dag, ik strek mijne handen uit tot U. Zult Gij wonder doen aan de dooden, of zullen de overledenen opstaan, zullen zij U loven? Sela. Zal uwe goedertierenheid in het graf verteld worden, uwe getrouwheid in het verderf? Zullen uwe wonderen bekend worden in de duisternis, en uwe gerechtigheid in het land der vergetelheid? Maar ik, Heere, roep tot U en mijn gebed komt voor U in den morgenstond. Heere, waarom verstoot Gij mijne ziel en verbergt uw aanschijn voor mij? Van der jeugd aan ben ik bedrukt en doodbrakende, ik draag uwe vervaarnissen, ik ben twijfelmoedig. Uwe hittige toornigheden gaan over mij, uwe verschrikkingen doen mij vergaan. Den ganschen dag omringen zij mij als water, te zamen omgeven zij mij. Gij hebt vriend en metgezel verre van mij gedaan, mijne bekenden zijn in duisternis.

De klop op de deur

Op een keer wist ik het zeker: ik was de Verlosser der joden. Dat deed pijn. Ik liep met Eva door de stad, hier en daar ging ze een winkel binnen om boodschappen te doen. Het was winter en de lucht werd al flink donker. 'Geeft u me ook maar een banketstaaf,' hoorde ik Eva zeggen, juist op het moment dat het door me heen schoot: 'Maar hoe moet ik ze dan verlossen, hoe? Moet ik dan nog machtiger, nog geslagener worden dan ik nu al ben..., mijn leven lang heb ik ernaar toe geleefd om vandaag de daad te voltrekken, als ik het nu niet doe, lukt het morgen vast en zeker niet meer.' Eva liet me een van haar tassen sjouwen en we sjokten naar de bus. Op weg daarheen kwamen we langs de synagoge. Van mijn leven ben ik niet in een synagoge geweest, maar ik heb er vaak van gedroomd hoe het zal zijn als de deuren opengaan van het hoge gebouw en de mannen in lange rijen langs het middenpad zullen staan om me door te laten naar het heilige, met stralende ogen zullen ze naar me kijken en bij menigeen staat een traan in de ogen. 'Hoe heeft hij het bij God gekund?' 'Wat heeft hij een vriendelijk en smartelijk gezicht.' Dan zal ik op de tafel gaan staan en mijn handen opheffen. 'Joden,' zal ik zeggen, 'jullie zijn nu verlost, kijk maar naar mijn handen en gezicht.' Ik weet precies hoe het zal gaan. We staan nu voor het gebouw en ik zet de spruitjes, de aardappelen, de koekjes, het gehakt en de banketstaaf voorzichtig neer. Driemaal klop ik op de hoge houten deur van het statige gebedshuis. Het is avond, het is sabbat en ik heb gezien dat het licht binnen aan is, het straalt door de kleine ruiten naar buiten. Ik wacht en hoor tot mijn verbazing hoe ongeveer twaalf mannen zich verwijderen met zacht schuifelende tred. Dan gaat binnen het licht uit. Vlug loop ik om de hele synagoge heen om te zien waar de mannen blijven. Maar nergens komen ze naar buiten. Met een van verwondering gefronst voorhoofd kom ik weer bij de voordeur aan. Tien meter verder staat Eva te wachten. Ze roept me toe: 'Doe niet zo dwaas Maarten, pak de tas en kom hier, de bus kan ieder ogenblik komen.'

De verpletterende werkelijkheid

Ik heb me op mijn kamer geïnstalleerd en denk precies te weten wat ik wil schrijven.

Het gaat over een man die zelfmoord heeft gepleegd en lang door het heelal zweeft voor hij bij de hemel aankomt. Nu gelooft hij helemaal niet in God en zodra deze verschijnt zegt de man: 'Hier wil ik niets mee te maken hebben.'

'Dan ga je maar weer een miljoen jaar het heelal in,' zegt God, 'dwaal jij maar flink rond en pieker maar, dan mag je nog eens terugkomen.'

Wat er dan gebeurt is haast niet te beschrijven. Uitzichtloze eenzaamheid, diepe ellende, hier en daar een sterretje. Met niemand kennismaken. Piekeren tot het bot er pijn van doet. Ten slotte komt hij weer in de hemel en verschijnt voor God, Elia, Mozes en Maleachi.

'Jij mag toch geen zelfmoord plegen?' vraagt God, 'je weet toch dat het leven op aarde een beproeving is en dat je daar niet voortijdig een eind aan mag maken? Als iedereen dat deed werd het hier een administratieve janboel. Mensen die zelfmoord hebben gepleegd kan ik eigenlijk niet in de hemel toelaten.' 'Tenzij de beklaagde een behoorlijk verweer heeft,' mompelt Elia.

Het verhaal heet dan ook 'Roemplala's verweer'. Roemplala heet die man. Hij begint dan te vertellen over al zijn tegenslagen en teleurstellingen. Op het laatst zitten God, Elia, Mozes en Maleachi zelf te huilen.

Het zou een echt Dostojevski-verhaal moeten worden. Niet aangepast op het werk. De binnengekomen post verscheuren. De collega's niet begrijpen. Het werk niet aankunnen. Geld stelen. Naar de hoeren gaan en daardoor nog ongelukkiger worden. Het schuldcomplex tegenover zijn vrouw. De angsten waar hij zijn leven lang last van heeft gehad, ongerichte angsten die de ziel opvreten. Ten slotte het ontslag en de armoede. Dan het vieren van Kerstmis. De vrouw wil haar man eens een keertje naar de kerk hebben. Roemplala gaat en ziet kreupelen en invaliden, geestelijk gestoorden en oude vrouwtjes. Een oude man zit in een rolstoeltje verheerlijkt naar de dominee en de verlichte kerstboom in een hoek van de kerk te kijken. Een Frankfurter worstje hangt uit zijn broek. De dominee lalt van zijn preekstoel. Roemplala wordt woedend en roept: 'Gelul.' Dan rent hij de kerk uit. Angst, hoeren, mislukt op het werk, nooit carrière maken, ongelukkig, zenuwen, alles mislukt, ook het zingen, de schilderijen, de korte verhalen die hij schrijft. Zijn vrienden beweren dat hij een niet onaardige schrijver is. Maar de dokter van de verzekering bij wie hij zich iedere twee weken moet melden heeft nog nooit van hem gehoord. 'Kunt u zich de titels van uw boekjes nog herinneren?' vraagt die steeds weer, nadat Roemplala urenlang in een bedompte ruimte samen met honderd trieste *Margriet* en *Panorama* lezende, mokkende, snotterende, in zichzelf mompelende of alleen maar naar een plekje op de grond of op het plafond starende arbeiders heeft gezeten. Dan noemt hij de titels weer: '*Storm in een glas water*', '*Moord tijdens de cruise*', '*Het Licht van de Duivel...*'. 'Lijkt me een heel ingewikkeld werkstuk,' zegt de dokter. '*Luchten boven mijn huis.*' 'Zijn de boeken ook uitgegeven?' vraagt de dokter. 'Ja,' zegt Roemplala, 'je kunt ze haast in iedere boekhandel krijgen, maar echt verdienen doe ik er niet mee, ik kan het hoofd niet boven water houden, mijn vrouw..., de angsten..., de werkeloosheid..., het gevoel van mislukt te zijn..., mijn zenuwen..., weet u, ik ben ook naar de hoeren geweest.' 'Ai, ai,' mompelt de dokter, 'maar dat is verschrikkelijk, en dat terwijl u ziek bent en hoe kon u dat dan betalen? Bent u zenuwachtig? Slikt u een bepaald soort pillen?' 'Ja, voor de donder nog aan toe!' roept Roemplala en hij gooit de dokter een voor een de doosjes en potjes tegen zijn jas en gezicht. 'Trilafon slik ik en dalladorm en valium en nozinan en serenase en tofranil!' De dokter zit bezaaid onder de pillen. 'Het is beter als u maar even rust neemt. Hopelijk vindt u weer een aardige baan.' 'Ik heb nog nooit een aardige baan gehad,' zegt Roemplala. Met afgrijzen denkt hij aan de besluiteloosheid achter zijn bureautje op kantoor. Is er iets in het leven dat hem niet krankzinnig maakt? Het geleuter van de studentenbladen, van de kranten. Altijd hetzelfde: 'Professor Beiderheide neemt afscheid.' Dan lees je een belachelijk artikel vol clichés waarin over dankbaarheid wordt gesproken, prettige studenten, fijne werkkring, aangename atmosfeer, prettige onderzoekingen, gelukkige dagen, mooie vooruitzichten, ja, er doemt iets aan de horizon. Erbij afgedrukt staat een foto van een schaapachtig lachende man die door een paar verpleegsters of studenten een doos sigaren en een boek in zijn handen krijgt gedrukt. Roemplala werkt op het ziekenhuis en zou een wegwijzer voor patiënten maken. Ieder gezond mens zou dat in een week hebben gedaan. Hij heeft al honderden boeken gelezen en met tientallen mensen gepraat, maar is nog geen stap verder. Hij weet iets van klassen en tarieven, all out, all in, arts out, peignoir, kamerjas of duster meenemen, tandenborstel, naaigarnituurtje en scheergerei. Voor telefoon betaalt u zoveel extra. Om halftien gaan de lichten uit, dat is beter voor u en voor ons. De patiënt heeft de plicht om te betalen of door het fonds te laten betalen. Hij heeft ook recht op informatie. Hij mag een behandeling weigeren en studenten die alleen maar komen kijken van zijn bed sturen. Nu is Roemplala al een half jaar bezig en hij is nog geen snars opgeschoten. Hij kan het niet. Een begin heeft hij al: 'Hartelijk welkom beste patiënt. Nu hebt u al zoveel gesodemieter in het leven en nu ligt u ook nog in een ziekenhuis.' Zijn chef moet verschrikkelijk lachen om die zin. 'Die folder komt er nooit,' mompelt deze. Onderhand denkt Roemplala de hele dag aan de folder, 's nachts droomt hij van de folder. Wat moet er allemaal in komen te staan. Hoe schrijf je 'peignoir' eigenlijk? Op een middag heeft hij van alles geprobeerd, 'pennwaar', 'peignwaar', 'pennoir', 'pijgnoir', 'peignoir'. Hij heeft het woord zo vaak gemompeld dat hij niet eens meer weet wat het is voor een ding. De koffiepauzes en de theepauzes zijn een ramp. Hij hoort zijn collega's praten en weet niet waar ze het over hebben. 'Ik heb tegen Zwatser gezegd dat de nieuwbouw pas over twintig jaar kan worden verwezenlijkt, dat is het standpunt van de regering.' 'En wat zei Barrestorg toen?' 'Die lachte en zei: "Met plan 2A rijden we ze altijd klem, als de staatssecretaris maar niet ziek wordt."' Onderdehand heeft hij geen suiker en melk. Het kamertje is te klein. De anderen geven hem de spullen niet, onder het praten lezen ze *Margriet* en *Panorama*. Het leven is een ramp. Deze crème is een voedende crème en dringt diep door tot in de poriën van uw huid waar zij haar heilzaam werk doet. Als uw vriend u de volgende keer kust zal hij zeggen: 'Je hebt een perzikhuid.' Een ramp is het leven. Abonneer u op de Winkler Prins, uw kinderen kunnen er hun huiswerk uit maken, een bezit voor het leven. Een verrijking van uw kamer en de boekenkast. Voor slechts tweeduizend gulden. Walging. Hare Majesteit wilde alles weten over die ene kus, u weet wel waar het over gaat. Waar gaat het over? denkt Roemplala. Wat zwetste die dominee, wat kletsen mijn collega's? Dat moet ik ook nog in de folder verwerken, maar ik kan het haast niet: Je kunt geestelijke verzorging krijgen. Er kunnen maatschappelijk werkers aan het ziekbed komen. Walgelijk, een verschrikking is het allemaal en dan de pijn die je lijden moet. 'Kop op, meneer Pinters,' zegt een jong meisje als verpleegster dat zelf nog nooit kanker heeft gehad. Dit is het kantoorwerk. Roemplala kan niet bij de suiker en de melk. Het kamertje is te klein. Ze geven het hem niet. Hij durft er niet om te vragen. Hij kan toch niet over de hoofden van zijn collega's heen naar de suiker en de melk toe kruipen? Waarom praten ze terwijl ze lezen? Ze lezen niet voor wat ze zien, maar hebben het over het werk.

Nu is hij de kerk uitgelopen, zijn vrouw rent achter hem aan maar kan hem niet inhalen. 'Frits!' roept ze, 'wat ga je in hemelsnaam doen?' Hij rent de trappen van een torenflat op.

Daar begint het verhaal eigenlijk. Roemplala heeft haast het dak bereikt. Hij zal springen en dat wordt het begin van een oneindig verhaal. Hij doet zijn vrouw, die beneden staat, erg pijn, maar hij kan niet anders...

Op dit moment begint de hond te blaffen. Mijn vrouw ligt in bed. Ze weet dat ik zit te schrijven. Een jongetje gluurt vanaf de galerij mijn kamer in. Aarzelend, bij wijze van groet, steekt hij zijn handje op. 'Heb je gebeld?' vraag ik. 'Ja, ik mocht bij u thuis spelen als mijn moeder er niet was,' zegt hij. De hond Mik blaft nu als een razende. Mijn vrouw komt mijn kamer binnen. 'Waarom laat je Maaikeltje er niet even in?' vraagt ze. Even later hoor ik dingen in de kamer omvallen. Maaikeltje heeft een traangasgranaatje en twee stinkbommetjes in de kamer gegooid, speelgoed van vandaag. Hij is een geboren paniekzaaier. De deur bij mij vliegt open en een paar katten rennen naar binnen. 'Maaikeltje, niet de poezen plagen, Maaikeltje.' 'Stort in elkaar met die Maaikeltje,' denk ik, 'ik moet mijn verhaal toch schrijven?'

Roemplala valt te pletter, vlak voor de voeten van zijn vrouw. Ze denkt dat hij dood is. Hij is ook morsdood. Tot zijn ongeluk heeft hij een ziel die de rommel bekijken kan. Wat een bloed heeft hij gemaakt. Dan begint de val of de opstijging door het heelal. Een kompasje dat hij altijd bij zich heeft is uit zijn broekzak gevallen en zweeft op een halve meter afstand met hem mee, het kerkboek ook. Het doosje lucifers, daar kan hij niet bij, anders zou hij hier een sigaret opsteken. Is er voor de donder dan toch een hiernamaals? Als er maar geen God bestaat. Roemplala hoopt alsnog te sterven. Zo kan het toch geen eeuwigheid doorgaan?...

Hoe moet een mens zo schrijven? Dat gaat niet. 'Kan je daar een gaatje vinden?' hoor ik een vreemde man tegen een ander zeggen. Vreemdelingen zijn mijn huis binnengedrongen. Ik weet waar het over gaat. Ze komen er een tweede telefoonlijn bij aanleggen. 'Pas op die waterleiding en de elektriciteit,' hoor ik zeggen, 'voor je het weet heb je wat geraakt.'

Roemplala valt door het heelal. Hij wil een sigaret opsteken. Hij kan er niet bij. Nu merkt hij dat hij zijn broek verloren is. Als hij maar geen andere zielen tegenkomt. Hij begint te huilen omdat hij in zijn onderbroek door het heelal valt. Dat duurt al uren. Waar moet dat eindigen, waar moet dat heen? Frits denkt aan zijn moeder. Heeft hij die altijd wel goed behandeld? Heeft hij haar niet te vaak beledigd? Vooral op het punt van de godsdienst. Heeft hij haar op het laatst wel vaak genoeg bezocht? Als het leven een bezoeking is, waarom moet het dan na de dood doorgaan? Heeft hij soms voor niets zelfmoord gepleegd? Hij schrikt, ginds is een lichtende poort en engelen zweven er omheen. 'Daar wil ik niets mee te maken hebben,' denkt Frits Roemplala...

'Hallo,' hoor ik iemand op de galerij. Kan ik er wat aan doen dat ik overdag schrijf en dat ik graag mijn raam heb openstaan? 'Allemachtig, ik schrik me rot,' zeg ik, 'waarom zeg je nou ineens "hallo"?' 'Ik hoorde je tikken,' zegt hij, het is Loek de buurman. 'Ik ben aan een moeilijk verhaal bezig,' zeg ik, 'kunnen we morgen niet met elkaar praten?' 'Wat ben je dan allemaal aan het doen?' vraagt Loek, 'wat stelt het nou eigenlijk voor, dat geëmmer van jou. Weet je wat je eens moet lezen? Dik Trom. Daarom heb ik het bescheurd van de lach. Hoe vind je Assoe geworden?'

Assoe is Loek zijn hond, een beer van een zwarte herder. Ik ben erg bang van die hond. Zuchtend sta ik op en ga aan het raam staan en kijk in een vrolijk lachende hondesnoet. Geweldige hoektanden. Van pret glimmende bruine oogjes in een zwarte berekop. Klauwen van poten op mijn kozijn. 'Allemachtig wat een hond zeg,' mompel ik. 'Assoe, blaf eens,' zegt Loek tegen het dier. Nu begint een geblaf zo luid als ik het nog nooit gehoord heb. 'Wat een longetjes hè?' zegt Loek trots, 'hij zit in de africhting, ik hoef maar je dat tegen hem te zeggen of hij verscheurt je!' Loek komt vrolijk over het kozijn hangen. Hij lijkt wel een getapte barklant die bij mij zijn biertjes bestelt. Met zijn hoofd helemaal schuin begint hij mee te lezen. 'Wat is dat nou voor een verhaal,' zegt hij, 'dat is toch geen naam voor een net persoon, Roemplala?' 'Ik wil werken,' zeg ik, 'laten we morgen verder praten.' 'Wat een kapsones,' mompelt Loek. 'Je hebt toch wel even tijd voor gezelligheid?'

'Nee,' zeg ik bits, 'daar is het nu geen tijd voor.' 'Zal ik nog een goede Belgenmop vertellen?' oppert Loek. 'Ik ga nu verder,' zeg ik, 'het spijt me, dit verhaal is heel belangrijk voor me, je haalt me uit de concentratie.' Eva, die in de keuken heeft staan meeluisteren, komt nu de kamer binnen en zegt tegen me: 'Wil jij Loek niet zo afsnauwen. Dat is gewoon niet beleefd meer.' 'Oh, ik ga al,' zegt Loek vrolijk, 'als er ook nog ruzie van moet komen.' Hij loopt kwaad weg en neemt zijn hond mee. Resoluut sluit ik het raam.

Wat ziet Frits daar? Is dat dan de hemelpoort? Wat een waanzin met die engelen erbij. En dat ze echt vleugeltjes hebben! Diep in zijn hart zou hij wel naar binnen willen. Maar hij koestert een grote wrok jegens de almachtige God die alles voor Frits verprutst heeft. God heeft hem geschapen en hem een hel van een leven op aarde gegeven. Niets wil hij met God te maken hebben en ook niet met zijn engelen...

Nu begint er een groot gedreun in mijn kamer van een elektrische boor. Na een paar minuten vallen kalk en stenen op de grond. Een man met een ongeschoren gezicht en met een petje op komt mijn kamer binnenstappen. 'Ja precies in de hoek,' zegt hij, 'is dat even mooi uitgekomen? Geef het leidinkje maar even door.' Nu staan er twee vreemde mannen in mijn kamer. De tweede zegt: 'Sorry dat we even storen.' Onverbiddelijk blijf ik doortikken.

Walging, angst, schuld. Daar is hij al bij Petrus. 'Wil ik niets mee te maken hebben,' zegt Frits, 'jij wilt me zeker naar God brengen.' 'Waar moet de aansluiting komen?' hoor ik nu een stem. Ik wijs een plek op de muur aan. 'Hier als het kan, heren.'

Hoe zit het nu met het verweer van Frits? Moet dat meteen beginnen? Hoe zou Dostojevski het hebben gedaan? Nee, laat hij eerst nog maar een miljoen jaar door het heelal dolen om tot inzicht te komen. Ik pak de machine op en ga in de huiskamer verder zitten tikken.

We hebben acht poezen. Er liggen er altijd een paar te slapen, maar twee of drie rennen er toch wel de hele dag achter elkaar aan en de hond Mikkie bemoeit zich ermee. Mikkie is een leuk straathondje van handzaam formaat, niet te groot en erg lief, heel waaks ook. Hij blaft ieder ogenblik.

'Maarten, je weet toch dat we straks gasten krijgen?' zegt Eva, 'wil jij de aardappels niet even schillen?' Onderhand gooien de poezen de reeds betikte vellen op de grond. De hond gaat erop zitten en tikt er zijn vlooien af. Als er maar niets kapotgaat of zoekraakt, schiet het door me heen. Binnen tweeëntwintig minuten heb ik de aardappels geschild en ga ik met de machine en de vellen van het verhaal weer naar mijn kamer. De telefoon staat er en de mannen zijn weg.

Roemplala staat tegenover God. Dat is de ellendeling die zijn hele leven in de war heeft gegooid. Vrolijke engelen plassen in vijvertjes en zingen leuke liedjes. Het is hier toch een dolle boel. Waarachtig een mooie beloning als je een rotleven hebt gehad. Prachtige luchters, gouden en azuren plafonds, zachte fluwelen gordijnen, kristallen tafeltjes, hemelse bedden met satijnen lakens. Voor de donder, voor hij het zelf beseft heeft hij 'klootzak en hufter' tegen God geroepen, nu mag hij er vast en zeker nooit meer in. Hij verhardt zijn ziel en zegt: 'Met jou wil ik toevallig helemaal niets te maken hebben.' God zit te schuddebuiken van de pret. 'Een zelfmoordenaar en dan nog praatjes ook!'

Nu hoor ik uit de kamer het geluid van de pianostemmer. Hij begint met zijn werk. Dat leidt eventjes af. Niets vind ik zo belachelijk op muzikaal gebied als de geluiden die een pianostemmer maakt. Maar we moeten blij zijn dat hij is gekomen...

'Als jij niets met mij te maken wilt hebben, dan ga je maar weer buiten spelen,' zegt God, 'en wel behoorlijk lang, in duisternis, zonder kennissen, in het luchtledige met een martelend zelfbewustzijn, dan zoek je het maar uit, misschien kom je nog wel terug. Maar duizenden jaren zal ik iemand die me zo heeft beledigd er niet inlaten.'

Ineens kan ik twaalf bladzijden achter elkaar tikken. Ik schilder Roemplala's eenzaamheid in het heelal.

Langzamerhand begint hij naar de hemel te verlangen. Wat kan een uur in het donker lang zijn, om maar te zwijgen over een miljoen jaar die je valt en valt en valt, terwijl af en toe een stomme ster voorbijschiet. Hij is nog een half jaar thuis, maar hij kan zich niet kenbaar maken en er is niemand die hem herkent. Dan zet hij zijn reis weer voort. Hij denkt aan het kantoor. Hoe is het toch mogelijk dat hij van zijn leven de krant, *Panorama* en de *Margriet* niet begrepen heeft? Hij hoopt dat er een mogelijkheid zal zijn om zich te verweren als hij terugkomt. 'En wat zei Barrestorg toen?' 'Die lachte en zei: "Met plan 2A rijden we ze altijd klem, als de staatssecretaris maar niet ziek wordt en in ons ziekenhuis verpleegd moet worden."' Ja, nu begrijpt Roemplala het, dan zou de bewindsman hebben gezien wat een rotzooi het in het ziekenhuis was. 'Deze crème is een voedende crème en dringt diep door in alle poriën van uw huid.' Dat zijn toch geen dingen waardoor een ander gek wordt en zelfmoord pleegt?

In de winkel staan. 'Meneer, hebt u een nummertje? Anders komt u achter mij of staat u hier met Sinterklaas nog te wachten.' 'Wat is er met die meneer?' 'Oh, hij vergat een nummertje te trekken en dat zei ik, nu is hij nog voor u aan de beurt.' 'Meneer u bent aan de beurt, wat staat u toch te dromen? En wat had u gehad willen hebben? Oh ja, die speciale belegen boerenkaas, is het niet? Daar was over opgebeld.' 'Daar is over opgebeld, verdomme, waarom nou was? Er is opgebeld. En waarom doet u dat met die nummertjes als er maar vier mensen in de winkel zijn?' 'Meneer, u begrijpt er niets van, over een kwartier kunnen er wel veertig staan, en dan maken ze ruzie over wie er nu aan de beurt is.' Het leven is onleefbaar...

'Jij bent mijn lief mijn schattebout, waar ik altijd immer zo van houd,' klinkt de stem van de pianoman bij een mallotig gespeeld lied op ons klavier. 'Jij kan dat verhaal nooit schrijven,' denk ik, 'omdat je niets van zelfmoord weet.' Vijf minuten zit ik radeloos aan mijn schrijftoestel.

Dan komt mijn vrouw weer binnen. 'Straks komen de gasten,' zegt ze, 'maar nu is de wasman er, wil jij je daar even mee bezighouden?' Ik hou van de wasman, hij heeft altijd van die mooie verhalen. Ik ga naar hem toe in de huiskamer en laat het verhaal het verhaal.

Op een gegeven moment zegt hij tegen me, terwijl Eva de was aan het vergaren is: 'De gulden gaat steeds verder defileren, dat wordt niks, we gaan econoompjes nog te gronde en dan nog wat anders... mijn zoontje is in de publiciteitsjaren.' 'De puberteitsjaren,' verbeter ik hem betweterig.

'Wat is dat dan, pubiteit?' vraagt hij. 'Dat is als de zenuwbaan tussen het verstand en het geslacht wordt gelegd,' zeg ik. 'Nou goed,' gaat de wasman door, 'mijn zoontje is in de pubiteitsjaren en nu kan ik 's nachts maar niet indompelen, omdat ik daar maar over na lig te denken. De condolerend geneesheer is langs geweest en allerlei tralala, u begrijpt het wel, deze zaak heeft mij nog behoorlijk partner gespeeld.'

De bel gaat, de gasten komen al. Dit is de verpletterende werkelijkheid.

Ik kan helemaal niet schrijven over iemand die zelfmoord pleegt, omdat ik zelf nog leef.

Onttakeling

Het is zondag, tien uur in de morgen van paviljoen F in het gekkenhuis. David Nyborg staat bij de deur. Een glazen deur, hij is
op slot. Het zou zo makkelijk zijn om te beweren dat David depressief is. Om alles waar hij aan lijdt onder één noemer te brengen. Bij hem spelen angst een rol en grootheidswaan en het idee
achtervolgd te worden, maar vóór alles is hij teleurgesteld. Het
leven is niet geworden wat hij er als kind van verwachtte. Misschien is hij nog steeds een kind. Hij kan zich niet aanpassen. Zijn
dromen verschillen weinig van wat hij overdag denkt. In zijn
dromen ziet hij hoe de laatste walvissen worden uitgeroeid, hoe
het landschap steeds meer door snelwegen en auto's wordt verpest, hij ziet martelingen, hij ziet tankers breken en vuile stranden
('Schelpen bij de Shell, olie op het strand'), hij ziet het vuile water
van de Vliet, hij droomt van het uitzichtloze werk op zijn kantoor, daar doet hij administratief werk, hij controleert werkstaten
die een ander al voor hem heeft nagekeken en die nadat David ernaar heeft gekeken weer door een derde worden bestudeerd. Hij
houdt van dieren, hij haat mensen. Waarom, zo vraagt hij zich
af, mogen mensen het dierenrijk verstoren en de rust kapotma-
ken? Waarom mogen mensen de wereld ontbossen? Waarom is er
nooit iets aardigs in de krant te lezen? 'Het FNV verzet zich heftig
tegen de Vermogens Aanwas Delingsregeling.' Een foto erbij van
vergaderende heren, zwetsers met grote brillen en grote monden.
Monden als het gat van een varken. Thuis verwacht hij post. Hij
verwacht een bericht. Wanneer zal het komen? 'Geachte Nyborg,
er komt rust, u kunt uitrusten op het strand, een huisje is beschik-
baar met een kolenkachel, kipjes scharrelen er op het erf, er zullen boeken zijn die u mooi vindt, u zult eindelijk viool kunnen

spelen, er zal een roeiboot zijn, u zult gedichten kunnen schrijven en gelukkig zijn, de gever van dit alles wil onbekend blijven... het eiland ligt voor de Schotse kust, als u wilt zeilen kan dat ook. U zult altijd schone kleren dragen en u niet meer schuldig voelen. U zult een groots werk verrichten. In de kaarten zie ik een blonde vrouw die een zware last draagt, ik weet niet wat dat betekent. Er zal vrede in uw hart zijn en u zult andere mensen gelukkig maken. Niet langer meer zult u avond aan avond in een hoekje zitten huilen en op kantoor door de ruiten naar het verkeer in de regen staren. U zult eindelijk belangrijk worden. U zult een gedicht schrijven, zo fraai, zo schoon, zo ontroerend dat het in alle talen vertaald wordt. Gij zult niet voor niets hebben geleefd. Miljoenen mensen zult ge gelukkig maken. Er zal weer schoon water in de Rijn en de Donau zijn. Walvissen zullen in alle soorten de zeeën bevolken. Ge zult met uw hond kunnen spreken en ge zult uw tranen kunnen afwissen. U zult uw vrouw begrijpen en eindelijk harmonieus leven. Nooit meer hoeft u de kantoorpost, *Panorama*, de *Margriet*, de *Nieuwe Revu, de Volkskrant* of de NRC door te bladeren. Walging zal van u afvallen. De roeiboot zal van hout zijn en de kipjes leggen lekkere eieren. U zult geen hoofdpijn meer hebben. U hebt geluk en in uw slaap zult u sterven. Een hiernamaals kunnen we u niet beloven. Wie gelukkig is op aarde verliest verder alles... over een jaar kunt u weggaan. Het zal allemaal geregeld worden. Hou het nog een jaar uit. U zult kinderen krijgen en ze zullen niet krankzinnig zijn, let op uw lever, pas op in het verkeer, lees niet te veel, doe uw werk, hou vol, nog maar een korte tijd en het is voorbij, zoveel hebt u geleden dat het Paradijs voor u zal aanbreken... het wordt allemaal betaald. Precies over een jaar wordt u in een koetsje afgehaald. De paarden zullen wit zijn...' Zo'n brief verwacht hij en hij is verbaasd hem nog steeds niet ontvangen te hebben. Hij herinnert zich een ansichtkaart die hij eens ontvangen heeft. Daarop zag je een ruime houten kamer met uitzicht op hoge bomen. In die kamer zitten een hond en twee poesjes op de grond. Op tafel staat veel eten. 'Christus is opgestaan,' staat onder de kaart. Voor de tafel staat een man, een gelukkige man met keurig haar, een prachtig pak, zijn broek in zwart glimmende laarzen. Hij glimlacht en buigt zich voorover naar een lieve statige vrouw met een zwarte stip op haar wang. Ze draagt een hoepelrok en een lijfje dat haar boezem mooi doet uitkomen. Hij kust zijn vrouw. Het lijkt of het hondje op de grond, de twee poezen in de lichtbundel, zelfs het dode konijntje op tafel 'Amen' zeggen. Lang heeft hij naar die kaart gestaard. Toen heeft hij hem verscheurd. Christus bestaat niet. Harmonie bestaat niet. David wil zo'n kaart niet ontvangen. Een andere keer, met Kerstmis, kreeg hij een ansicht waarop heuvels in de sneeuw lagen, op een paadje door de sneeuw liepen gearmde paartjes in het donker met brandende lantaarns bij zich. In de verte was een kerkje en uit dat kerkje straalde door de ramen en open deur het licht. Lang heeft hij naar die kaart gekeken. In gedachten hoorde hij de zachte, liefelijke orgelmuziek. Toen heeft hij ook die kaart verscheurd. Zulke dingen bestonden niet voor hem. Hij wilde niet met valse voorstellingen worden opgezadeld. De laatste tijd kon hij zijn vrouw niet meer liefhebben zoals vroeger. Hij ging naar de hoeren. Moeilijk te beschrijven wat hij voelde in zo'n rosse straat. Hij keek er rond, voelde de vijftig gulden in zijn borstzak branden. De hele straat was van hem, het was zijn harem. Een poging om te ontvluchten aan de sleur van alledag. Hij hoefde maar het sappigste en het lekkerste uit te kiezen. Maar de vrouwen hielden hem maar zo'n korte tijd bij zich en echt gelukkig werd hij er niet van. Thuis zat hij in een hoekje te mokken. Hij kon niet meer eten, kotste alles uit, hij kon niet meer lachen, hij had geen zin om op te staan, zich aan te kleden, hij kon niet meer vrijen. Er was voor hem geen zin in het leven te ontdekken. Een gesprek tussen hem en zijn vrouw:

'Waarom zit je nou te huilen?'

'Dat heb ik toch al zo vaak verteld...'

'Maar is er dan helemaal niets aan te doen?'

'Nee.'

'Maar de poezen vind je toch wel leuk?'

'Nee, vind ik niet leuk, ik kan er niet om lachen, ze maken me zenuwachtig met hun geren, gemiauw en gekrabbel aan de meubels. En dan die hond die steeds de poezen staat te neuken.'

'We hebben nu eenmaal geen vrouwtjeshond, hij is een mannetje, hij wil toch wat?'

'Ik ga nog een sigaar opsteken.'

'Rook je niet veel te veel?'

'Ik weet het niet, het is het enige waar ik trek in heb.'

'Hoe komt het nou dat je zo geworden bent? Het duurt nu al maanden.'

'Alles staat me tegen, het huis, jij, de beesten, de kranten, het verkeer, het werk, het feit dat ik niet kan reizen.'

'Hou je dan niet meer van mij?'

'Ik geloof het niet, ik kan geen liefde meer opbrengen.'

'Er is een man op mijn werk die me het hof maakt, vind je dat dan niet erg? Ik vind hem best aardig. Het is voor mij ook niet leuk steeds om te gaan met een snotterende, huilende man die in een hoekje zit en die steeds ziek en depressief en lusteloos is. Ja, ik vind hem best aardig.'

'Is er nog een krant?'

'Luister je dan helemaal niet naar mij?'

'Je moet maar doen waar je zin in hebt, ik zie het niet meer zitten, och, was ik maar niet geboren...'

'Hier heb je je krant. Kees heet hij, Kees van Amerongen, een heel aardige man. Moeten we dan maar uit elkaar gaan?'

'Misschien wel...'

'Maar we zijn al zo lang samen geweest!'

'Het was toch steeds een hel.'

'Maar in het begin was je toch gelukkig?'

'Ja, toen verwachtte ik nog wat van het leven, ik zag er een zekere zin in. Maar nu, ik haat die huizen aan de overkant, ik haat mijn collega's, ik haat het werk, ik walg van mezelf, ik zou zo graag willen reizen en gelukkig zijn. Niets blijft mij meer over. Ik heb geen zin om te gaan slapen want ik kan niet slapen en 's morgens heb ik geen zin om op te staan omdat de dag me niets zegt. Zinloos en lusteloos verglijdt mijn leven, straks lig ik in het graf en is er helemaal niets gebeurd. Dat is het ergste, het tikken van de klok, het overdenken van mijn fouten en zonden. Ik heb mijn leven tot een puinhoop gemaakt. Ik had mijn studie af moeten maken, dan was ik nu misschien dokter geweest of chirurg. Het is nu allemaal puin geworden. Ik ben te zwak om een gevecht aan te gaan. Ik laat me altijd gaan...'

'Wat doe je nou met die krant?'

'Dat zie je toch, ik verscheur hem, er staan alleen maar onzinnige dingen in. Er staat geen bericht in voor mij. Oorlog, oorlog, zware metaal, de minister van justitie is afgetreden, vuile zeeën, zeehonden doodgeslagen, geen visserij op de Noordzee, boortoren in zee omgevallen, oorlog, trein ontspoord, veertig gewonden, drie doden.'

'Wat is nou het ergste dat je dwars zit?'

'Mezelf, ik heb niets van mezelf gemaakt. Ik ben een kruk. Ik zou niets anders willen dan genieten van het leven. Ik kan me niet iemand voorstellen die geniet. Je moet zo lang zoeken op de radio voor je mooie muziek vindt. Ik heb in bed geprobeerd mezelf af te trekken, het wilde niet lukken. Wel een half uur heb ik liggen rukken. Ik kots, ik kan niet eten, ik kan niet vrijen, ik zie niets meer in jou, ik kan niet lachen, ik kan niet huilen, ik kan niet slapen...'

'Ja, het leven is nu eenmaal geen lolletje, het is geen Paradijs.'

'Als kind had ik dromen en daar kom ik niet vanaf. Ik kan de grauwe werkelijkheid niet aanvaarden. Groots en meeslepend wil ik leven. Ik zou zo graag iets willen kunnen, op de een of andere manier bekend zijn, opvallen, nu ben ik een naamloze, dat kan ik ook niet verwerken. Ik had gehoopt nog eens een goed gedicht te zullen schrijven.'

'Maar je wordt misschien tachtig jaar, je bent nog zo jong, zou je het nu al opgeven? Wil je wat drinken?'

'Ja, geef maar wat whisky. Zou ik misschien een pijp opsteken?'

'Je hebt net een sigaartje op, je rookt als een ketter.'

'Het geeft niet wanneer ik doodga. Ik ben bang van de buren, ik vind ze zo dom, zo naïef, zo onschuldig. Ik voel helemaal geen schuld over mijn bezoek aan hoeren. Ik zou mijn moeder weer op willen zoeken en in haar kruipen... geborgen zijn.'

'Wil je dan niet in mij kruipen?'

'Nee, voor jou heb ik niet genoeg achting, ik kan niet in jou opgaan, ik kan me niet in jou verplaatsen.'

'Jij bent een misselijk mannetje... en nu begin je weer te huilen. Ik heb genoeg van jou...'

'Ga niet weg, ga alsjeblieft niet weg, dan is er helemaal niets meer. Misschien ben ik pas tevreden als jij ook ongelukkig bent.'

'Ik ga weg, ik heb een afspraak met Kees.'

'Wie is Kees?'

'Dat heb ik je toch net verteld? Die maakt werk van me en hij is niet depressief. Je denkt toch niet dat ik krankzinnig ben? Zo kan ik met jou niet leven. Zo gaat het nu al maanden. Je gaat niet naar je werk en je ligt op bed. Iedereen zou daar droevig van worden. Ga toch voetballen, zwemmen, tennissen, roeien, wandelen...'

'Walgelijk, verschrikkelijk, al die inspanning. Neem nu alleen het tennissen, ik voel me daar helemaal niet thuis op die club. Het zijn allemaal van die mensen die zich interessant maken. Ze praten met zo'n deftig accent. Het komt niet in ze op om een arm om je schouder te slaan als je je beroerd voelt. Eerst tennissen tot het zweet van je afdruipt. Dan op het terras gaan zitten en kletspraatjes ophangen... maar ik kan helemaal niet met je praten, dat merk je toch, dit is toch helemaal geen gesprek? Ik zou je het liefste het huis uitschoppen, ik wil eindelijk met rust gelaten worden.'

'Ik ga weg, ik ga naar Kees, die kust me en hij houdt van me, hij houdt van het leven, niets is zo afschuwelijk als depressieve mensen. Vind je het niet erg dat ik naar Kees ga? Want eigenlijk kan ik ook niet meer van jou houden. Jij bent een viezerik in mijn gedachten. Ik zie je steeds bij die hoeren. Ik kan me niet voorstellen hoe het daar gaat. Ik ben jaloers, ben jij dan niet jaloers?'

'Nee... helemaal niet.'

'Je moet een boek gaan lezen, je moet toch wat doen.'

'Welk boek zou ik moeten lezen? Het is allemaal te moeilijk

voor me... ik haal er geen plezier uit, ik kan me niet concentreren...' (Hij begint te huilen.)

'Wat is er nou?'

'Ik zou een god willen zijn, iemand met macht. Ik kan die
machteloosheid niet aan. De wereld wil ik veranderen. Het zou
zo moeten zijn dat mensen nuttig werk doen. Er zijn veel te veel
mensen. Ik word hier gek in die flatwijk. Ik maak nooit iets mee.
Je zou zo graag eens een grappig verhaal willen horen, iets dat je
op kon schrijven.'

'Denk je dan dat grote dichters of schrijvers zoveel meemaak-
ten? Die zaten ook maar op hun kamer of in hun hotel. Reizen
maakt een mens helemaal niet wijzer.'

'Ja, maar dat zijn gevoelige mensen, echte genieën. Dat is
het juist, ik kan me er niet bij neerleggen dat ik maar een Jan
Lul ben. Ik zit op mijn kamer en hoor kinderen op de gaanderij schreeuwen en zinloos draven. Dat maakt me droevig. Er is
geen toekomst voor die kinderen, daarom wil ik ook geen kinderen hebben. De dokter heeft weleens gezegd: "U kunt beter
geen kinderen maken, de kans dat ze krankzinnig zijn is te groot,
bovendien bent u te zenuwachtig om het geblèr van de eerste vier
jaar te doorstaan." Spionage, bommen, vervuilde zee, dode vissen,
martelingen, zinloos werk, grauwe flats, als ik een auto had zou ik
me te pletter rijden...'

'Je zegt steeds hetzelfde, je moet je eruit werken, je moet het
zelf doen, ik kan je niet helpen, ik ga nu weg.'

'Hoe laat kom je thuis?'

'Dat weet ik nog niet, ik verheug me op een heerlijke, in ieder
geval een draaglijke avond met Kees. Hij is vrijgezel en woont op
kamers. Hij zal me in zijn armen sluiten. Een mens heeft tenslotte
behoefte aan liefde. Jij bent een steen...'

'Een steen die huilt? Wat is dat voor onzin? Ik heb toch ook
gevoelens? Als ik een steen was zou ik me niet zo opwinden. Een
steen ligt miljoenen jaren op dezelfde plek. Er groeit mos op. De
winter en de droogte vernietigen het mos. Dan ineens een regen-
bui, als een spons zwelt het mos en wordt prachtig, zacht krul-

lerig groen. Iets wat leeft op de steen maar zelf is hij dood. Een steen heeft geen gedachten... wat afschuwelijk zou het zijn voor een steen als hij een geweten en een bewustzijn had. Misschien is God wel een steen, hij is gebonden, hij kan niets uitrichten. Hij bestaat van eeuwigheid tot eeuwigheid. Maar toch ook heerlijk zou het zijn om een steen te wezen. Liggen op een doodstille plek, onder een heuvel in het mos. De seizoenen glijden over je heen. Verkeer is niet te horen, mensen zijn er niet. Een treurwilg laat haar takken over je hangen. Er zitten lieve vogeltjes in de boom en die zingen maar, die zingen maar, ik zou niet anders dan een steen willen zijn...'

'Je spreekt jezelf steeds tegen, je wauwelt, ik ga weg, het beste hoor.'

'Hoe laat kom je terug?'

'Het kan gezellig worden... als je het niet meer weet dan moet je maar naar bed, als je jaloers was zouden we nu samen naar bed kunnen gaan.'

'Als ik jaloers was zou ik het nog niet kunnen, ik krijg hem bij jou niet rechtop. Zelfs bij een hoer kan ik hem niet rechtop krijgen.'

'Dag jongen,' (ze gaat naar hem toe en geeft hem een zoen op zijn wang) 'zul je geen gekke dingen doen? Je zult toch niet alle pillen tegelijk slikken? Je zult toch niet uit het raam springen? Dat is het ellendige van jou. Het schuldgevoel. "Kan ik hem wel alleen laten?" Dat is gemeen. Je legt te veel beslag op me. Ik hoef toch niet samen met jou te gronde te gaan? Ik vertrouw dat je me niet teleurstelt, daag...' (Ze trekt de voordeur achter zich dicht, hij hoort haar over de gaanderij trippelen, hij hoort de deur van de lift.)

'Nee, nee, nee, nee, nee, ga toch niet weg, nu ben ik hier helemaal alleen, nu ben ik hier in mijn eentje met tien katten en een hond. Verdomme, grote God, Jesis Koeristas, verdomme de domme. Wat moet ik nu doen?'

Hij besloot de hond uit te laten. Hij riep: 'Ga je mee uit?' De hond begon tegen David op te springen. David pakte de lijn en probeerde de hond vast te maken. De hond sprong steeds omhoog tegen de deur. 'Sta toch stil,' mompelde David. Eindelijk had hij het beest te pakken.

Hij liet de hond uit. Hij liep het bekende vierkantje. Ergens bleef hij stilstaan. Op zeshoog in een flatgebouw zag hij een man voor het raam staan. 'Zijn vrouw en kinderen kijken naar de televisie, het is hem te veel, nu kijkt hij naar de asgrauwe gebouwen in de donkere nacht. God, heb erbarming, daar sta ik zelf,' dacht David. Het begon zachtjes te regenen. Zijn hond begon te spelen met een zekere Joris, een aardig, maar eigenwijs hondje met een deftige eigenaar. De eigenaar van Joris stond aan de andere kant van het veld. Af en toe riep hij: 'Joris, Joris, kom nu toch hier, kom hier!' Maar de hond kwam niet en bleef met de hond van David spelen. David stond op het pad dat om het grasveld van vijftig bij vijftig meter lag. Recht tegenover hem, vijftig meter verder, stond de eigenaar van Joris op het pad. Het was hier donker. Als duistere schimmen renden de honden over het veld. Vijf minuten stonden de eigenaar van Joris en David tegenover elkaar en de honden te roepen. 'Joris...' 'Tedje...' 'Joris kom hier...!' 'Tedje kom hier!' Dat kon zo eindeloos doorgaan. David besloot over het natte grasveld heen naar de man toe te lopen. Misschien kon hij met hem een praatje maken, een vuurtje vragen... De honden renden als razenden achter elkaar aan, zwijgend renden ze voort. Als een diagonaal liep een pad over het grasveld. Dat was nu blubberig geworden van de regen. David had Tedje haast te pakken. Hij was haast bij het pad, midden op het veld. De eigenaar van Joris keek naar zijn verrichtingen. 'Tedje, kom hier! zeg ik je...' Schooljongens en meisjes fietsen overdag over het pad. Eerst was er gras maar zo lang hebben ze hetzelfde paadje gereden dat er een korte route van de Kennedylaan naar de school is ontstaan. Een pad door het gras. Vijftig centimeter breed. Precies over de heuveltjes in het grasveld heen. Dit moet nog een stuk wei zijn zoals het hier vijftien jaar geleden was. Er is nooit iets aan het gras gedaan, het wordt nooit gemaaid. Er zijn huizen en flats gebouwd, het stuk grasland is gebleven. Een griezelig landschap van hoge flats en eenvormige eengezinswoningen waar alleen maar ongelukkige mensen kunnen wonen volgens David. Hij houdt niet meer van mensen. Nu is hij op weg naar de eigenaar van Joris. Het is donker op het grasveld. David is haast bij het pad. Er liggen modderplassen op het pad die men niet ziet in het donker. Daar komt Tedje weer langsrennen. David doet een paar vlugge stappen. Hij glijdt uit en komt languit in de modder terecht. De eigenaar van Joris blijft stilstaan. David zit onder de modder, zijn schoenen staan vol met modderwater. Nu heeft hij Tedje nog niet te pakken. David staat op en veegt zijn handen aan zijn broek af. Nu blijft hij net zolang achter Tedje aanrennen tot hij hem aan kan lijnen. Heeft de eigenaar van Joris gelachen? Heeft hij domweg toe staan kijken? Heeft hij het vervelend gevonden? David loopt met Tedje naar de man in het donker toe. Joris volgt hen op de voet. 'Goedenavond.' 'Goedenavond meneer.' Zou David iets durven zeggen over honden die zo vrolijk met elkaar kunnen spelen? Zou hij om een vuurtje durven vragen? Even staat hij naast de man. Hij houdt Tedje stevig vast. Joris komt schoorvoetend nader. Het lijkt of David wil wachten tot de man ook zijn hond heeft. 'Joris, kom hier!' zegt de man gebiedend. David kan niets zeggen. Het zit hem in de toestand. De toestand straalt walging uit. Of het is zo dat David de toestand beheerst. Zijn walging ligt over alles. Hij strekt zich uit over de man, over Joris, over Tedje, over de kale flat. Zijn walging waait in de regionen des doods, vult het heelal tot aan de uiterste einden. Hij staat naast de man met Tedje. Zwijgen vult de wereld. De man pakt Joris beet en doet hem aan de lijn. Dan kijkt hij David aan, de man, met zijn fletse, uitgebluste ogen. 'Het wil nog steeds maar niet zomeren,' mompelt de man. Davids mond is gesloten. Hij kan niets zeggen. De man kijkt afwachtend. Hij heeft moeite gedaan om een praatje te beginnen. David staat voor zijn huis. Hij hoeft alleen maar naar binnen te gaan en is geborgen. 'Is hier ergens een telefooncel?' vraagt hij aan de man. 'Nou, dat is wel een eind weg,' zegt hij. 'Ik moet namelijk in de Apollolaan op nummer 182A zijn en ik kan het niet vinden,' merkt David op. 'Nummer 182A is ouderwets,' zegt de man, 'zulke nummers bestaan hier niet. Maar gaat u even naar het bejaardenhuis. U weet de naam toch wel? Als u de naam weet en Apollolaan dan kunt u het nummer uitzoeken.' 'Ik weet de naam van de mensen eigenlijk ook niet,' zegt David. 'Weet u de naam niet?' vraagt de man verbaasd, 'maar u weet toch wel waar u heen gaat?' 'Het is me ineens ontschoten, hoewel ik me heel helder voel,' zegt David, 'ik zie het allemaal, ik voel het, een grote helderheid is in me, maar leuk is het niet, het licht overal, misschien kan ik beter een taxi bellen, ik ben een eigen zelfstandigheid, ik denk wel eens na over bepaalde zaken... ik bedoel dat ik weet heb van bepaalde ellende... nu ja, dat is het niet, ik kan maar het beste naar huis gaan, ik zou naar het nummer zonder A kunnen gaan kijken of ze er toch wonen. Het moeten kennissen zijn, goeie vrienden, familie geloof ik... maar deze avond heeft op een bepaalde manier iets wonderlijks. Ik ben net in de bagger gevallen. Heeft u daar soms om gelachen...? u hoeft niet te antwoorden, want ik weet het wel... denkt u dat ik niet het beste een taxi kan nemen? Misschien kan ik nu beter naar huis gaan... ja waarachtig het zou het beste zijn om mijn vrouw op te zoeken en gezellig mijn pantoffels aan te trekken... maar een telefooncel is hier niet?' 'Bent u misschien een beetje ziek?' vraagt de man van Joris. David is hem al honderd keer in de buurt tegengekomen, hij heeft wel eens een gesprek van een half uur met de man gevoerd. Over het wonder van het heelal en het bedrieglijke van een bepaald soort mensen. Over de handigste auto en wat je eigenlijk mag aftrekken bij de belastingen. 'Ja, u bent een beetje ziek,' zegt de man bezorgd, 'er is iets met u aan de hand. Ik weet dat u hier woont. Ik ken u immers. Volgens mij staat u recht voor uw flat. Gaat u toch gewoon naar binnen meneer, als u zich onwel voelt wil ik wel even meelopen, u kent mij toch, ik ben meneer Komen, ik ben de ouderling, ik kom regelmatig bij u op bezoek, ik ben het, de ouderling, misschien moet u een koude douche nemen... ziet u mij wel...? uw vrouw is onlangs nog bij ons op bezoek geweest. Gaat u toch gewoon naar binnen en neemt u uw hondje mee.' 'Dacht u soms dat ik mijn hondje op straat liet staan?' merkt

David op, 'misschien is er soms iets aan de hand met mensen, mis-schien dragen sommige mensen een soort last, wonderlijk uit te leggen, een zware last die je niet van je af kan werpen, maar daar-om laat ik mijn hondje nog niet in de kou staan.' 'Ik wil u niet beledigen,' zegt de ouderling, – de hondjes staan stil naast elkaar, neus aan neus, ze zijn haast even groot – 'natuurlijk neemt u uw hondje mee, mijn vrouw zegt ook wel eens dat ik te veel in een zin lég... ik bedoel... gaat u toch naar binnen met uw hondje. Uw vrouw, de poezen wachten op u, er is een leuk programma op de televisie.' 'Over het algemeen walg ik van televisie,' mompelt David, 'men kan toch niet verplicht worden om te kijken? Een zekere vrijheid moet er blijven...' 'Loopt u anders even mee naar mijn huis, u weet toch waar het is?' zegt de ouderling, 'u bent zo lang niet bij ons geweest. Mijn vrouw vindt u zo aardig, we zouden de banden weer nader aan moeten knopen. U moet ook eens wat vaker in de kerk komen.' 'Hoewel ik het vreselijk vind kom ik vaak in de kerk,' mompelt David, 'het is, eerlijk gezegd, een gewoonte en een domme sleur geworden. Het thema van de dominee is K4. Hij loopt door de kerk met een microfoon in zijn hand en vraagt alle mensen wat dat kan betekenen. Ze antwoor-den: "Reclame." "Nee," zegt de dominee. "Een automerk." "Nee," zegt de dominee. "Een soort tandpasta." "Nee," zegt de dominee. "Een nieuw merk vlekkenverwijderingsmiddel." "Nee." Dan beklimt hij zijn kansel, hij struikelt haast over de lange draad aan zijn microfoon, het is mallotig, gewoon koddig, walgingwekkend om te zien. Hij gaat op zijn preekstoel staan en zegt: "Het thema van deze preek is K4. Het kindeke, de heerser van het heelal, ligt zo eenvoudig in zijn stal. Nu moeten wij komen kijken, wij moeten kiezen. Dat is het mensen... K4, komt kijken, komt kiezen. Vier maal k. Komt kijken, komt kiezen, dat is het waar het vandaag om draait. Het Kindeke van teelal, zo een-voudig in zijn stal. Maar... nu eerst de muziek!" Een jongen komt op met sambaballen. Hij maakt een swingend geluid. Een meisje in een spijkerbroek met opgenaaide stukken volgt hem, ze is op sandalen. Begeleid door de jongen zingt ze:

"Wij begrijpen geen bal
Kindeke van teelal
eenvoudig in uw stal
er was een grote knal
er was een grote flits
gelukkig, alles kits
wij hebben niets verloren
't Kindeke is geboren
wij willen niets verliezen
alleen voor u te kiezen
nu niet tobben, niet miezen
komt kijken, komt kiezen."

Ze zingt het onder een kerstboom. De kerk ademt. Geluidloos zitten de mensen te luisteren. Ik kan dat niet verduren. Ik walg van onzin. En dat heb je overal in een nieuwe kerk in de buitenwijk, maar ook in de Marekerk, midden in de stad.' 'Ik ken die dominee van K4 helemaal niet,' mompelt de ouderling. 'Ik ben verhuisd,' verduidelijkt David, 'ik woon hier namelijk helemaal niet meer, wij wonen tegenwoordig ergens anders, we zijn er veel gelukkiger op geworden. Godzijdank heeft nu alles een wending genomen, ja de zaak heeft een wending genomen, nu zal alles ook weer goed komen, maar ik moet naar huis, het is ver weg mijn huis, heel ver weg, laat ik een taxi bellen... dus een telefooncel is er niet?' vraagt hij. 'U weet toch zelf waar die is,' mompelt de ouderling, 'ik begrijp het niet, ik heb u gisteren nog hier gezien, en uw vrouw deed boodschappen, de cel is te ver... vraagt u even in het bejaardenhuis, daar mag u wel bellen, of wilt u nog naar uw familie, of waren het kennissen.' 'Ja,' mompelt David, 'vrienden of kennissen dat is de grote vraag, maar nu eerst bellen in het bejaardenhuis.' 'Waar moet u heen?' vraagt de ouderling bezorgd. 'Weg, weg van hier, dat is mijn doel,' zegt David, 'ik moet Godzijdank nog een geweldige reis maken. Het is nog voorbij Delft, daar hoor ik ook die dominee... goedenavond meneer Komen.' David steekt de straat over en wandelt het bejaardenhuis binnen.

Het hondje blaft tegen een oud vrouwtje in een rolstoel dat bij de uitgang zit. Er is niemand bij de receptie. 'Kan ik hier bellen?' vraagt hij aan het vrouwtje. 'Wilt u bij mij bellen?' zegt de oude vrouw, 'dat is leuk, zo heb ik nog eens bezoek. Maar dan moet ik eerst in de lift naar boven. De ouderdom komt met gebreken, Arie, en vader is overleden. Daar heb ik zoveel van gehouden. Als u de lift belt dan kunt u bij mij bellen. U bent toch Arie, mijn zoon? Dan moet u thee maken en dan spreken we over vroeger.' Ze haalt het bovenste deel van haar gebit uit haar mond en begint het in een plooi van haar rok schoon te maken. De rok is zwart. David ziet witte plekjes verschijnen, wit voedselafval, resten uit de mond. Hij moet overgeven. Hij wil wegrennen. Hij wil zich thuis bedrinken. 'Ik heb geen tijd om bij u te bellen,' zegt hij tegen de vrouw in haar rolstoel. Ze heeft nu haar gebit weer in. 'Ik heb namelijk een razende haast,' voegt hij eraan toe, 'en helaas ben ik niet uw zoon Arie, ik ben David Nyborg van hiertegenover.' Een jong verpleegstertje komt aanrennen op schoenen met hoge hakken en met een korte rok. 'Mag ik hier even bellen?' vraagt David. 'Dat moeten we aan het bestuur vragen,' zegt het meisje. 'Ja, aan de bestuurder vragen,' mompelt David. 'Wat doet u nu hier bij de deur,' zegt het meisje tegen de oude vrouw, ze buigt zich voorover en David krijgt twee hoge mooie benen te zien. 'Ik zie er geen been meer in,' denkt hij, 'God allemachtig wat een toestand en de ouderling gaat ook maar niet weg, kon ik maar met iemand vrijen, maar al kwamen ze nu met de prachtigste vrouw, ik zou hem niet rechtop kunnen krijgen, ik zoek vergetelheid, maar hoe moet het nu verder met mij, allemachtig hoe moet het nu verder? Ik kan niet lachen, ik moet kotsen, ik kan niet eten, ik moet dun poepen, ik kan niet vrijen, ik heb geen plezier, alles zie ik somber in, maar helder is alles wel. Yvonne is weggelopen, het staat me duidelijk voor de geest wat ik moet doen, ik moet thuis zien te komen, er moet een eind aan deze... ja dat staat me donders helder voor de geest, helder ben ik, misschien moet ik er een eind aan maken, zou ik zelfmoord durven te plegen? Er moet een eind aan deze toestand komen...' Het verpleegstertje rijdt de oude vrouw een lift in en nu staat David alleen in de hal van het bejaardenhuis. Hij grijpt de telefoon en krijgt iemand aan de lijn: 'Met de opzichter van begraafplaats Oudenrhijn.' 'Pardon,' mompelt David, 'dan heb ik een verkeerd nummer gedraaid.' Weer draait hij een nummer, hij is in staat om alles door de war te gooien, 122444, dat is toch makkelijk genoeg. 'Taxicentrale.' 'Kan ik een taxi krijgen bij het bejaardenhuis?' vraagt David. 'Zeker meneer,' antwoordt een krachtige stem, 'en waar gaat de rit naar toe?' 'Dat weet ik nog niet,' mompelt David, en hij is in staat om in huilen uit te barsten. 'De taxi komt eraan meneer,' zegt de stem, 'staat u in de hal?' 'Ik sta in de hal,' zegt David. Hij legt de hoorn op de haak. De ouderling Komen staat buiten nog steeds te kijken. Hij is met Joris buiten. David met Tedje binnen. De hal is bekleed met gele tegeltjes. Er hangt een reproductie van een Renoir op, een prent van mensen, jonge vrolijke mensen die zitten te eten en te drinken aan een tafeltje in het gras in de zomer onder een hoge boom. David gaat ernaar staan kijken. Hij walgt. Wanneer zal hij eens zo onder een boom zitten, met vrienden, geen wind en een lekker zonnetje? Er komen twee oude mensen binnen. Ze groeten David als ze hem zien staan. David groet terug. Hij hoort de oude man zeggen: 'Ze is niet alleen alleen, ze is ook nog kwaadaardig. Daarom willen wij niet met haar te maken hebben. Ze is ook katholiek, ik begrijp niet hoe ze in dit huis is gekomen, het gerucht gaat dat ze aan de ziekte lijdt. Zelf heb ik de laatste tijd last van mijn buik, het rommelt maar en het doet pijn, ik heb last met het afvegen... het hart wil ook niet zo meer, ik ben gauw kortademig, de ouderdom komt met gebreken. Het is anders lekker weer, men zou een reis willen maken. Ik ben er nu al te oud voor, maar een reis naar Parijs dat zou me wel aanstaan voor mijn dood. Op een terrasje zitten en naar de mensen kijken. Merci is dankjewel, sielvoeplet is alstublieft, donne mwha du ven roezje is geef mij rode wijn.' Ze hebben op de liftknop gedrukt en verdwijnen nu in de lift. David ziet Komen de ouderling buiten staan. Komen wenkt David. De taxi komt eraan. David is bang van de ouderling, hij rent naar buiten, mompelt nog even 'goedenavond en tot ziens' tegen Komen en gaat dan met Tedje op de achterbank van de taxi zitten. 'Waar gaan we heen?' vraagt de chauffeur. 'Weg van hier,' zegt David, 'rijdt u de stad maar in.' Tot zijn schrik ziet hij hoe de meter al op één gulden tachtig staat. En hij heeft niet eens geld bij zich. Hij laat zich naar een gerenommeerd hotel brengen, De Doelen op het Rapenburg. 'Wacht u hier even,' mompelde hij tegen de chauffeur. 'Ik ben over een kwartier terug. 'Met statige pas en geknepen billen wandelde hij het restaurant binnen. Hier zaten professoren en kamerleden. 'Ik heb gisteren nog tegen de minister gezegd...' hoorde hij iemand beweren. Hij schrok van de praal en pracht van de omgeving. Spierwitte lakens over de tafel. Alles prachtig gedekt. Grappige conversatie van de personen aan tafel. Gelach. Mooie kroonluchters. Een open haard die brandde. Hij ging aan een willekeurig tafeltje zitten. In de regen buiten stond de taxi op hem te wachten. Een ober zo deftig dat hij zelf op een minister of een belangrijk zakenman leek, kwam op hem af. Wat was iedereen hier keurig gekleed. Allemaal prachtige pakken, sommige mensen met vest waarover een gouden horlogeketting lag gedrapeerd. 'Koek en ei,' hoorde hij iemand zeggen, 'dat blijft bij het blad van de wol ingedragen tot Kerstmis uiterlijk met sambal en flink sterk! haha!' David was onzeker. Hij probeerde een asbak precies in het midden van het witte vlak op het tafelblad te krijgen. Nu pas zag hij dat de ober in zijn zwarte pak met strikje al enige tijd over hem heen gebogen stond. 'Ik ben een zelfstandig mens,' mompelde David tegen de man, 'mijn auto staat buiten te wachten, helaas heb ik weinig geld bij me, ik kan hier niet souperen of dineren. Ik ben een mens die van wanten weet, ik kom en ga waar het mij belieft, begrijpt u? Denkt u niet dat ik er zo eentje ben die hier in een spijkerbroek, op geiteharen sokken en op sandalen, met natte klei aan zijn kleren, maar even binnendringt om te... om een zekere schok... een gedaanteverwisseling... ik zou namelijk heel goed kamerlid kunnen zijn... nu ja, ik ben een beetje droevig... mijn auto woont eh, staat buiten, de chauffeur zit erin. Ik ben gevlucht voor de ouderling Komen...' Hij keek wazig voor zich uit. 'Daar zit anders een prachtige dame,' zei hij luid, 'die zou ik wel een kus willen geven. Wilt u mij niet even aan haar voorstellen? David Nyborg is de naam, ik ben van komaf. Dit is maar een vermomming. Ik heb bepaald geen geld om uitgebreid te dineren... in zekere zin gaat het mij alleen maar even om de omgeving.' 'Maar wij nemen u toch niets kwalijk?' opperde de ober, 'blijft u hier maar rustig zitten, misschien bestelt u straks wel een pasteitje of zoiets.' 'Geeft u mij een sigaar, de allerbeste sigaar die er is,' zei David. Hij liet zijn blik door de zaal dwalen, wat een hoge ramen, wat een blanke tafeltjes, wat een uitgelezen gezelschap, wat een vrolijke praatjes. Er zou hier ieder ogenblik een negentiende-eeuws bal kunnen beginnen. Hij zat vlak bij de open haard. Hij wendde zijn hoofd plotseling opzij en keek in het gezicht van een geleerde die een Assyrisch perkament aan het lezen was. David wees verontschuldigend op zijn kleding. 'Ik kom juist uit Ethiopië,' zei hij, 'ik heb daar opgravingen gedaan.' 'Interessant,' zei de deftige man, 'blijft u voorlopig in de kast van zool om de hoorns maar meteen vast te grijpen, hangt u als een strohalm aan een vlieg, beroert walging van stroop en het diepste geluk uw hart? Het is het beste om niet te zakken. Blijf op de post bij de vloeroller en despereert niet. Sparen en roken tegelijk geeft geen pas.' 'Ik ben anders geheel bij zinnen,' mompelde David, 'diep in mijn hart, meneer, ben ik ervan overtuigd dat u iets heel anders hebt beweerd dan ik heb verstaan, ik ben namelijk een beetje onzeker van mijn zaak, ik geloof dat er meer is dan wij begrijpen kunnen... de walvissen zijn uitgeroeid...wij zijn als het ware heer en meester over de natuur... wij mensen mogen maar alles waar wij zin in hebben... och op het ogenblik zit ik een beetje in de put, dat wil ik wel bekennen, ik heb ook zo'n zwaar gevoel in de benen, ik kan niet lachen, ik kan niet vrijen, ik moet steeds kotsen, ik kan niet huilen, ik heb geen emoties, ik heb geen plezier, de wereld wordt mij steeds vreemder...' 'Een sigaar voor meneer,' zei de ober. Hij kwam aandraven met een geweldige, prachtig afgewerkte houten kist. Zeker zestig bij zestig centimeter. 'Zo kunt u leus kaken,' voegde de ober eraan toe. 'Neem me niet kwalijk?' vroeg David. 'Zo kunt u keus maken,' verduidelijkte de ober. Hij maak-

te de kist open en nu zag David niets dan dure sigaren, in zilver-
papier gerold, in glanzend papier, in vloeipapier, in blikjes, in tubetjes met zwierige letters, zilveren en gouden tubetjes. 'Ik heb
geen geld,' dacht hij. Hij nam een willekeurige sigaar, eentje uit
een goudkleurige tube. Hij maakte de tube open, er kwam een
stuk cederhout uit, toen een sigaar in cellofaan. 'Geeft u meneer
hier ook een sigaar,' zei hij, 'die is Assyrioloog en ik heb opgravingen gedaan in Ethiopië, we voerden juist een interessant gesprek,
is het niet?' 'Ja, tamelijk interessant, soms heel boeiend,' zei de
geleerde, die juist de kop van een forel sneed, 'maar ik kan toch
niet roken terwijl ik eet?' 'Bewaart u hem dan voor later,' opperde
David, 'voor bij de televisie bijvoorbeeld.' Hij wierp een onzekere
blik naar buiten en zag dat de taxi nog steeds op hem wachtte. De
chauffeur zat een sigaret te rollen. David wilde de sigaar in zijn
mond steken. 'Heeft u geen muptolentje?' vroeg de ober verbaasd. 'Ik gebruik nooit pepermunt,' zei David. 'Een lubmolentje, een lubmolentje,' verduidelijkte de ober. 'Ja ja, zo'n souvenir,'
merkte David op. 'U bent anders een echte grafmaker,' zei nu de
ober. 'Neem me niet kwalijk?' vroeg David. 'Een echte grappen-
maker,' zei de ober, 'maar volgende keer moet u in uw gewone
pak komen, zo wil de dame geen kennis met u maken.' 'Wat is een
lubmolentje dan?' vroeg David. 'Lubben is van het hoofd ontdoen
of castreren,' zei de ober, 'en molentje staat gewoon voor knip-
pertje. Kijkt u eens goed naar uw sigaar, die kunt u zo toch niet
roken?' 'Wat moet ik dan doen?' vroeg David onzeker. 'U moet
uw sigaar lubben,' zei de ober. Nu zaten alle gezichten uit de hele
zaal aandachtig David aan te staren, sommige dames en heren
zaten te schuddebuiken van de pret. De chauffeur kwam binnen
en liep op David af. 'Ik kan hier niet een half uur wachten meneer,' zei hij, 'ik sta het verkeer in de weg, ik dacht dat u alleen een
afspraakje ging ophalen of even bellen.' David zag een glas wijn
staan en sloeg het in één teug naar binnen. 'Ik moet van die taxi
af,' dacht hij. Nu kwam de gerant op hem af. 'Er loopt een straathondje in de gang meneer,' zei hij, 'moet dat binnen, is het misschien van u?'

'Lubt u mijn sigaar maar,' zei David tegen de ober, 'de wijn zal ik vanzelfsprekend betalen.' Tegen de chauffeur zei hij: 'Ik kom binnen drie minuten.' Tegen de gerant zei hij: 'Laat u mijn hondje maar binnen, dat is Tetsenbacher, van een oude familie. Hij heeft het aan zijn nieren, geeft u hem een stukje worst misschien en een beetje water? De worst liefst zoutloos.' De chauffeur draalde. David stuurde hem weg. Hij nam een pil om droevigheid tegen te gaan en een pil om walging tegen te gaan en een pil om onzekerheid tegen te gaan. De pillen verdroegen zich niet met de wijn in de lege maag en David werd duizelig. Tedje kwam kwispelend binnen en likte Davids handen. David stak zijn sigaar op, het was een zware, hij moest hoesten. Hij riep de ober. 'Ik moet bellen,' zei hij. 'Gaarne,' antwoordde de man, 'wilt u mij even volgen?' David liep door de zaal en zag dat de mensen pret hadden. Hadden ze soms pret om hem? Tedje liep achter hem aan. Achter in een gang was een telefooncel. 'Gaat de telefoon op de rekening?' vroeg David. 'Maar natuurlijk,' zei de ober, 'gaat uw gang meneer.' David ging het hokje binnen, het was er donker, hij kon geen licht vinden, er was nergens een knop. 'Misschien in de gang,' dacht hij. Daar was ook geen knop. Hij streek een lucifer af en zag een kapot telefoonboek op een plank. Op de grond lagen een paar peuken en een prop papier. Hij raapte de prop op en las: 'Concept hoofdstuk drie. Ofschoon de gesignaleerde tendensen niet met getallen hard gemaakt kunnen worden, zodat op grond daarvan duidelijk wordt hoeveel mensen het betreft – Frank spreekt echter van "legions"–, geven ze grond aan de stelling dat de trainingsmethodiek aan het bestaande arsenaal van methodieken toegevoegd zou kunnen worden. Bovendien blijkt volgens de overzichtsstudie van Gibb dat...' Hier was het papier afgescheurd en kon hij niet verder lezen. Zijn lucifer was uitgegaan, zijn hond begon te blaffen tegen iemand in de gang. Weer streek hij een lucifer af. Op de muur stond: 'Lola, 231312.' Hij draaide het nummer. 'Met Lola,' kreeg hij een hese vrouwenstem aan de telefoon. 'Ik weet bij God niet meer wat ik moet doen,' sprak David in de hoorn, 'ik heb het allemaal verpest en ik ben zo droevig en zo onzeker, ik begrijp niets meer, het is namelijk zo dat ik een zelfstandig persoon ben, ik ga altijd op mezelf af, ik heb moeilijkheden met het geloof, nu was ik bang voor meneer Komen de ouderling, ik heb een glas wijn gestolen, ik sta hier met een gestolen dure sigaar in De Doelen in een donkere telefooncel, ik blijf altijd trouw aan mijn principes, dat wel, maar tegen angst en onzekerheid en depressiviteit doe je zo weinig, buiten staat een taxi te wachten, hier is de hele zaal tegen mij, misschien zitten ze in het complot, ik heb geen geld en wat moet ik nu doen? Kunt u niet hierheen komen en mij helpen?' 'Honderd gulden naakt,' zei de stem, 'en voor honderdvijftig gulden kunt u speciale Franse nummertjes krijgen, maar niet langer dan een half uur. Waar woont u?' 'Brahmslaan 34,' mompelde David. 'In Leiden?' vroeg de stem, 'wilt u het speciale tarief?' 'Ja,' mompelde hij, 'dat lijkt me het beste, dus voor honderdvijftig gulden kan ik geholpen worden?' 'Zeker,' giechelde de vrouw, 'over een half uur ben ik bij u. En sores moet u zich maar niet maken. U zult eens zien hoe u opknapt.' David hing op, nam zijn hondje in zijn arm en rende voorzichtig het restaurant uit. Hij sprong in de taxi en zei: 'Rijden.' 'Waarheen,' vroeg de chauffeur. 'Naar de Brahmslaan.' 'Daar komen we vandaan,' zei de chauffeur, 'gaat u weer naar het bejaardenhuis?' 'Nee,' antwoordde David, 'naar het pand ertegenover, ik woon boven de Citroën-garage.' 'Zeker meneer,' zei de chauffeur. Tot zijn schrik zag David dat de meter al op vierendertig gulden en zestig cent stond. En die meter tikte rustig door. Na vijf minuten stonden ze voor het huis. 'Staat meneer Komen er nog?' vroeg David. 'Ik zie niemand,' zei de chauffeur. 'Ook geen ouderling?' vroeg David. De chauffeur maakte een wanhopig gebaar. 'U zit onder de modder meneer,' zei de chauffeur, 'is u iets overkomen? Zo bent u in mijn auto gaan zitten, zo bent u De Doelen binnengegaan, voelt u zich wel goed?' 'Ik voel me uitstekend,' zei David, 'alleen heb ik nu geen geld, misschien wilt u even met mij mee naar boven lopen, dan kunnen we samen zoeken. Twee weten meer dan één en ik weet nooit waar Yvonne het geld opbergt.' 'Het is negenenveertig gulden vijftig,' zei de chauffeur. 'Daar maken we tweeënvijftighalf van,' zei David. Samen liepen ze de trap op naar het huis. Tedje volgde. 'Ik ging alleen maar de hond uitlaten,' dacht David, 'wat is er nu toch eigenlijk gebeurd?' Ze gingen het huis binnen. David ging meteen naar bed. 'Zoekt u zelf maar naar geld,' zei hij tegen de chauffeur, 'ik ben een beetje ongesteld, een lichte duizeligheid.' 'Dat wordt niets,' zei de chauffeur, 'mag ik even opbellen?' 'De telefoon staat in de huiskamer,' zei David en strekte zich behaaglijk onder de dekens uit. Geen ongeluk, hij was niet gevangen. Nu alleen die afschuwelijke droevigheid nog. Yvonne kwam eerder thuis dan hij verwachtte. Ze had begrepen dat er moeilijkheden kwamen. Tot haar verbazing vond ze de chauffeur in de huiskamer aan de telefoon, hij belde met zijn baas. David lag in bed en vertelde haar een heel lang en ingewikkeld verhaal over hoe hij zijn hondje had uitgelaten. 'Stommeling, grote stommeling,' snikte Yvonne, 'kan ik jou dan geen ogenblik alleen laten? Hoe moet een mens met jou ooit gelukkig worden? Jij bent depressief en krankzinnig tegelijk!' Ze betaalde de chauffeur. Een kwartier later belde Lola aan. Een verleidelijk tiepe met een hoogblonde pruik. Yvonne ontving haar in de kamer. David hoorde in zijn bed hoe zich een ruzie ontspon tussen de twee vrouwen. Bloot rende hij de kamer in. Lola wierp haar bontjas van haar schouders en stond voor hem in ondergoed. 'Honderdvijftig gulden speciaal,' glimlachte ze. 'Heb jij die vrouw gebeld?' vroeg Yvonne. 'Ik weet van niets,' zei David, de pillen begonnen bij hem te werken. Hij zag hoe Tedje één van de poezen begon te neuken. Hij zag zijn boeken in de kast, de radio, de televisie. Hij zag de prenten aan de muur. En dat alles vervulde hem met diep afgrijzen. 'Ik heb er genoeg van!' schreeuwde hij en wierp een stoel door de ruiten, 'ik wil dood, dood, angst heb ik, angst! en ik voel me zo droevig.' Lola werd door Yvonne de deur uitgezet, maar ze moest toch vijftig gulden schadevergoeding hebben, reiskosten en gederfde tijd. Toen belde Yvonne het gekkenhuis en drie dagen later werd David opgenomen...

Hij is hier nu al drie maanden. Het bevalt David niets in het gekkenhuis. Steeds krijgt hij weer andere pillen te slikken, maar de bui wil niet overgaan. Hij blijft droevig en verward. Het is nu zondag, tien uur in de morgen, en David staat bij de deur. Zijn leven lang heeft hij erover nagedacht hoe het zou zijn om gek te worden en nu is hij het. Het paviljoen begint met een gang, dan is er een hal waar een pingpongtafel staat. Daarachter is de slaapzaal met dertig bedden. Naast de hal is de keuken. Aan de slaapzaal grenst de serre. David wacht. Hij houdt niet meer van Yvonne. Hij kan voor niemand meer liefde opbrengen. Maar Yvonne is groothartig. De hele week heeft ze gewerkt, twee keer heeft ze 's avonds David op mogen zoeken. Nu zal ze een dagje gaan toeren met haar nieuwe vriend Kees. Als David uit het gekkenhuis komt zal ze het met David uitmaken, ze zullen scheiden want met hem is niet te leven. Ze heeft het nu al jaren geprobeerd en steeds weer heeft ze de kous op de kop gekregen. Hij is erfelijk ziek en heeft een neiging tot krankzinnigheid. Nooit kun je je rustig bij hem voelen. Hij loopt maar te ijsberen door de huiskamer, hij is vaak ziek en zijn gezicht ziet er vaak uit als een op springen staande bom, vol denkrimpels en tranen in zijn ogen. Van zijn werk komt hij vaak ziek thuis. Hele dagen kan hij in een hoekje zitten huilen. Hij begrijpt de werkelijkheid niet. Vroeger ging het nog wel. Maar met de jaren is het erger geworden. Yvonne voelt zich een beetje schuldig dat hij nu in een gesticht is terechtgekomen. Misschien had ze beter voor hem moeten zorgen. David loopt door de gang van het gesticht. Bij de pingpongtafel gaat hij naast Johan zitten. 'Hoe gaat het vandaag?' vraagt David. 'Ooch, het is een ramp, vergeleken bij mijn straf is iedere andere ramp een peuleschil,' zegt Johan, die gestudeerd heeft en een kaal hoofd heeft, hij is gedrongen van postuur en heeft een slecht gebit, 'ik heb zo gezondigd dat God me afschuwelijk zal straffen. De hel is er niets bij. Ik voel het nu al op mijn hoofd branden. Honderden liters zoutzuur zullen ze over mijn hersens uitgieten en ik zal blijven denken. Het is onvoorstelbaar wat mij te wachten staat. En het gruwelijkste is dat ik leef, hoe langer ik leef hoe erger mijn straf zal worden.' Een verpleegster komt voor Johan staan en zegt: 'Me-

neer Kazembrood, u moet uw boterhammetje met kaas nog eten.'
Ze geeft hem brood op een bordje, een glas melk en pillen uit
een blikken kommetje. Gele pillen, groene pillen, blauwe en grijs-
met-rode, de laatste zijn capsules. Johan geeft de kaas aan David.
Zwijgend vermaalt hij de zwetende oude plakken. Johan haalt
met een geheimzinnig gezicht een strooidoosje Zwitserse kaas uit
het kastje bij zijn bed. Hij begint er de boterham mee te bestrooi-
en. 'Wat ruikt dat raar,' zegt David. 'Rattengif,' merkt Johan op,
'ik wil dood, maar het wil niet lukken. Hoeveel ik er ook van op
mijn brood neem, ik krijg er alleen maar hoofdpijn van. Oh God,
je weet niet wat mij te wachten staat. Mijn leven lang heb ik gezondigd, de duivel is in mij gevaren, er is niets meer aan te doen.
Voor mijn geboorte was ik al verdoemd. Ik zou van geluk mogen
spreken als ik gewoon in de hel terechtkom. Een eeuwigheid gemarteld worden is minder erg dan wat mij te wachten staat. Ik ga
jou niet uitleggen wat ik verkeerd heb gedaan, je zou het niet geloven dat een mens zo diep zakken kan...' David staat op en loopt
de slaapzaal binnen. Aan de slaapzaal grenzen kleine kamertjes en
daar zijn ook patiënten. Hij loopt bij eentje binnen. Hier zit Piet.
Wat daarmee aan de hand is begrijpt David niet. Hij is eigenlijk
altijd woedend. 'Wat kom jij doen?' vraagt Piet aan David. 'Ik
weet het niet,' zegt hij, 'ik heb niets te doen, ik wacht, ze komen
me straks halen, mijn vrouw heeft een nieuwe vriend. Nu gaan
we met z'n drieën in een auto rijden. Ik geloof dat ze willen picknicken.' 'Mij hebben ze mijn prothese afgepakt,' mompelt Piet,
'op één been kan ik alleen maar hinkelen. Ze hebben het gedaan
omdat ik vanmorgen Kees geslagen heb. Hij had een bloedneus.
Wat een wereld, wat een wereld. Geloof jij in God? Als ik hem zie
trap ik hem de ballen achter zijn ogen. Wat een vuile tiefuslijers
om me mijn been af te pakken en dat noemen ze een menselijke
behandeling...' Er hingen een paar ansichtkaarten van blote meisjes in het kamertje. 'Lekkere stukken,' zei David terwijl hij voor
de plaatjes ging staan. 'Stort in mekaar,' mokte Piet, 'ik heb liever
een echte vrouw in mijn armen.' Met een snel gebaar griste hij
een vlieg uit de lucht en hield hem vast bij zijn vleugeltjes. Lang-

zaam begon hij de vlieg, een voor een, vijf poten uit te rukken. 'Vooruit kreng,' zei hij ten slotte, toen het karwei geklaard was, 'ik één poot, jij ook één poot, je mag nog van geluk spreken dat je kan vliegen.' Hij liet de vlieg los en deze hernam zijn rondjes om het peertje aan het plafond. 'David,' zei een verpleegster, 'er is bezoek voor je, je mag uit.' Hij zag Yvonne staan en de vreemde achter haar. 'Met hem heeft ze het aangelegd,' dacht hij, 'wat doet het er ook toe, ik kan van niemand meer houden.' 'David, dit is Kees, mijn nieuwe vriend,' zei Yvonne. 'Dag meneer,' mompelde de patiënt. 'Je kan toch wel Kees zeggen?' vroeg Yvonne, 'hij is toch geen boeman?' 'Ik ken hem niet en ik wil hem niet kennen,' zei David, 'ik noem hem meneer, de nieuwe meneer.' Ze liepen de deur uit en waren buiten. Voor het eerst in maanden was David vrij. Ze namen plaats in een Deux Chevaux-auto. Er werd niet veel gezegd. Ze reden het terrein af en toen door de stad. Na een uur waren ze op een mooie plek op het land. David ging aan het water onder een boom zitten en at een door Yvonne meegebracht stuk koude kip, een eitje en een tomaat. Hij kreeg er Lemon Juice bij te drinken. Al kauwend keek hij uit over het landschap. Het was aardig hier. Schapen. Weide. In de verte een bos. 'Wij gaan samen wandelen, wil je mee wandelen?' vroeg Yvonne. 'Ik blijf hier,' zei David, 'ik zit hier toch goed?' Hij zag Yvonne en Kees hand in hand door het landschap gaan. Vijfhonderd meter verder verdwenen ze in een bosschage. Daar zong een vogel zijn lied, een prachtig lied. 'Ik ben alleen en droevig,' dacht David, 'en zo zal het altijd blijven.' Vijf minuten bleef hij doodstil zitten. Hij wilde huilen maar tranen kwamen er niet. 'Moet ik haar gelijk geven dat ze mij in de steek laat?' ging het door hem heen, 'heb ik haar te veel aangedaan? Maar ik kan er immers niets aan doen dat ik ben zoals ik ben? De wereld bevalt mij niet. In mijn jeugd heb ik het me zo anders voorgesteld, niet zo grauw het leven, niet zo gemeen, niet zo hard, absurd en onbegrijpelijk, ik hoopte iets te zullen bereiken. Nu ben ik mislukt en het gaat steeds verder bergafwaarts. Ik onttakel mezelf...'

Hij stond op en ging met zijn armen over elkaar naar de boerderijen in de verte kijken. Een visser kwam op een brommer voorbij. Verder was hier niemand. David probeerde zich voor te stellen wat er nu tussen Yvonne en de nieuwe meneer gebeurde in ginds bosschage. Hij liep naar de auto, haalde de motorkap eraf en legde die in het gras, toen lichtte hij alle vier de deuren uit de scharnieren, toen haalde hij de achterklep eraf. Alles legde hij keurig in het gras langs het water waar eenden snaterden en waar af en toe een kievit roepend overvloog. Toen haalde hij de banken uit de auto. Hij vond een kist met bahcosleutels, en een Engelse sleutel. Hij was een half uur bezig. Soms lag hij onder de auto, soms stond hij over de motorkap gebogen en al die tijd sleutelde hij maar. Toen had hij de hele motor los. Die legde hij tussen de deuren. Daarna maakte hij de wielen los. De auto zag er nu zo raar uit. Hij schroefde de spatborden los en toen was zijn werk gedaan. Hij was zeker anderhalf uur bezig geweest. Volkomen onttakeld was de auto. David begreep van zichzelf niet waarom hij het had gedaan. Nooit zou hij de auto weer in elkaar kunnen zetten. Zoals hij gewoon was zichzelf geestelijk uit elkaar te nemen tot er alleen pijn en ellende overbleef zo had hij ook de auto behandeld. Van wraak was geen sprake. Het was het beste wat hij had kunnen doen. Niets beters zou hij hebben kunnen verzinnen. Als kind al was het zijn grootste plezier om speelgoed te demonteren en wekkers uit elkaar te halen dat de raders en de veren je om de oren sprongen. Hij had alleen maar niets te doen gehad en dacht: 'Zou ik bijvoorbeeld nog kracht en fantasie genoeg hebben om die auto helemaal uit elkaar te halen? Zou ik daar nog een zeker plezier uit kunnen putten?' Hij bekeek de vele onderdelen die nu om het karkas lagen. Hij had nergens op getrapt. Een echte krankzinnige was op de motorkap gaan staan dansen tot hij vol kreukels zat. Een echte gek zou de moeren en de motor in het water hebben laten plonzen. Hij had alles keurig uitgestald. Alle moeren lagen in het picknickmandje naast de fles rode wijn die ze nog zouden drinken. De moeren lagen naast toefjes peterselie op een helderwit servet in het mandje. Hij ging weer aan het water zitten. Een boer kwam langs. 'Wat is er met die auto?' vroeg de boer in opperste verbazing, 'dat zijn allemaal nieuwe onderdelen.' 'Ik weet het niet,' zei David, 'ik vond het hier een mooi plekje en heb hier fijn gezeten. Ik ben lopende.' 'Ik ga de politie bellen,' zei de boer, 'volgens mij klopt hier iets niet.' De boer rende naar zijn boerderij. Na een paar minuten kwamen Yvonne en de nieuwe meneer er weer aan. De nieuwe meneer keek stomverbaasd naar de resten van zijn auto. 'Wie... wie... wie he... heeft het gedaan?' stamelde hij. 'Heb ik gedaan,' mompelde David verlegen, 'ik weet niet waarom ik het gedaan heb, ik verveelde me.' 'Zie je wel dat je krankzinnig bent?' snikte Yvonne. De nieuwe meneer stond handenwringend naast het karkas. Hij begon de onderdelen te tellen. 'Honderddrieënveertig moeren!' riep hij, 'hoe krijg je het voor elkaar in anderhalf uur?' David keek naar de strootjes in het haar van de nieuwe meneer en Yvonne. 'Hoe moeten we nu terug?' zei Yvonne. 'Moeten we soms gaan liften en alles hier laten liggen? Kan jij die motor weer plaatsen, Kees?' 'Nee,' zei hij berustend. 'Laten we de wijn drinken en goed nadenken,' zei David, 'gaat u aan het water zitten meneer en Yvonne ook, dan maak ik de glaasjes schoon.' 'Mag je wel drinken?' vroeg Yvonne en toen begon ze weer te snikken. 'Het spijt me Kees,' zei ze steeds, 'ik wist dat hij het in zich had, het is mijn schuld, we hadden niet weg moeten gaan.' 'Ik sta ervan te kijken hoeveel onderdelen er wel niet aan een auto zitten,' zei de nieuwe meneer, 'is je man wettelijk verzekerd, heeft hij een WA-verzekering?' 'Ja, dat heeft hij,' zei Yvonne. David schonk de glaasjes vol. 'Mag je wel drinken met al die medicijnen in je lichaam?' vroeg Yvonne. 'Ik weet het niet,' zei David, 'een glaasje kan nooit kwaad.' Hij bood de nieuwe meneer een sigaartje aan en stak er zelf ook een op. Zwijgend keken ze beurtelings naar de ravage die de auto geworden was en dan weer naar het landschap. 'Ik hoor zwanen,' zei David. Ze keken alle drie om en daar kwamen klapwiekend twee majesteitelijke zwanen aan, ze vlogen laag. Het mannetje iets hoger dan zijn vrouwtje en anderhalve meter voor haar uit. Aan de overkant van het water waren palen en daartussenin zaten vier telegraafdraden gespannen. Het mannetje vloog eroverheen maar het vrouwtje vloog in de draden. Het rinkelde in het landschap. Als een stralende god, als een blanke Icarus kwam de vrouwtjeszwaan naar beneden tuimelen. Ze lag in het water maar wist op de kant te kruipen. David, Yvonne en de nieuwe meneer sprongen in een roeiboot en roeiden naar de plek des onheils. De zwaan zat onder de modder en het bloed. Zij had haar nek gebroken. 'Maar het mannetje dan?' vroeg Yvonne, 'vliegt die zomaar door, dat is toch geweldig wreed.' 'Hij is niet wreed,' zei de nieuwe meneer, 'hij denkt nog steeds dat ze volgt, hij vliegt steeds hoger en hoger en is weldra over de horizon verdwenen.' De zwaan legde haar geknakte hals opzij. Het leek erop dat ze ging sterven. 'Hoort die zwaan dan niet dat zijn vrouwtje in de draden vliegt?' vroeg Yvonne aan de nieuwe meneer. 'Hij hoort zoveel,' zei deze, 'hij kan niet steeds eraan denken dat het zijn vrouwtje is, die iets overkomt, de draden zijn te dun, ze heeft ze niet gezien. Het gebeurt vaker dat vogels in leidingen tussen hoogspanningsmasten vliegen...' 'Verschrikkelijk,' mompelde Yvonne, 'en nu gaat het vrouwtje sterven en haar man heeft het niet in de gaten.' 'Dat zit er dik in,' zei de nieuwe meneer. David had lang naar de stervende zwaan gekeken. 'Ze moet zingen,' dacht hij, 'stervende zwanen zingen toch?' Hij ging zonder iets tegen zijn twee reisgenoten te zeggen in de roeiboot zitten en roeide terug. Hij begon terug te lopen. Hij wilde in zijn eentje terug naar het gekkenhuis. Op een gegeven moment begonnen Yvonne en haar nieuwe vriend te roepen om de roeiboot. David hoorde het niet meer, hij was al vijfhonderd meter weg. Hij dacht aan de vlieg en de prothese, aan de uit elkaar gehaalde auto, aan de stervende zwaan. Hij trok zijn schoenen uit. Het waren nieuwe. Ze knelden nog behoorlijk. Ook zijn sokken trok hij uit. 'Langer dan dertig kilometer kan het niet zijn,' dacht hij, 'als ik voor het avondeten maar terug ben. Ik ga mijn eigen gang. Ik ben een zelfstandig persoon. Eens zal de tijd komen dat ik iets presteer. Voorlopig ben ik nog droevig. Maar eens zal ik het gedicht kunnen schrijven. Als ik maar van die malle pillen af ben en zelf het leven aankan. Als ik maar begrijpen kan wat er gebeurt. Als alles maar niet zo mal is. Nooit zal het Paradijs aanbreken en toch moet ik leven. Voor de donder, ik loop op blote voeten. Goed oppassen voor glasscherven en hondestront. Het een is niet erger dan het ander. Er is al zoveel gebeurd, maar mijn lichaam heb ik nog steeds. Dat is de laatste strohalm waar ik me aan vastklamp...'

Over een boerenweggetje liep David. Hij was in zijn eentje onderweg naar het gekkenhuis. Hij ging geheel op in het landschap. Na een kwartier begon hij de weg af te snijden, door de weiden te lopen, over hekken en prikkeldraad te klimmen. Sloten, daar was hij niet bang van. Hij waadde er te voet doorheen. Zijn broek had hij uitgetrokken. Die hield hij in de sloot hoog boven zijn hoofd... Yvonne en haar vriend hadden een bruggetje gevonden en stonden na een grote omweg weer bij de restanten van de auto. De zwaan was dood. 'David!' gilde Yvonne. Met haar vriend begon ze de weg naar de stad af te rennen. Binnen tien minuten waren Yvonne en haar vriend buiten adem. Een kwartier liepen ze gewoon en toen begonnen ze te draven. Toen ze de torens en de flats van de buitenwijken van de stad al duidelijk zagen, hadden ze nog steeds geen glimp van David kunnen ontwaren... Hij was van vermoeidheid in slaap gevallen. Midden in een grenzeloze wei lag hij en zeker acht koeien likten hem, nieuwsgierig als ze zijn, met haar tongen raspten ze over zijn hemd en de staarten zwiepten...

De Verlosser op Reis

Wie is bevoegd om uit te maken of iemand gek is? Me dunkt toch op de eerste plaats de patiënt zelf. Ik was gek en niet zo'n klein beetje. In Lissabon was het al begonnen. Ik nam daar een willekeurige bus en zei tegen de chauffeur: 'Allez i ritorno, restiro del plaatsje, foto's maken del illustrissime, splendissime metropoolje, ja Roes ie chotsjoe poetesjeestwowatsj, comprendo del arte vestris patriae, iek bolsjoj artiste.' Dit gekoeterwaal betekende volgens mezelf: 'Ik wil met deze bus heen en weer, ik wil op mijn plaatsje blijven zitten, ik ga fotografieën maken van de zeer illustere, zeer prachtige metropool, ik ben een Rus en ik wil veel reizen, ik heb verstand en begrip van de kunst van uw vaderland, ik ben een groot kunstenaar.' De chauffeur begreep me niet. Ik pakte een biljet uit mijn zak, een waardevol biljet, en stopte hem dat in zijn zak: 'Isse goet,' voegde ik eraan toe, 'ego pulcherrimus et fortunatus, exegi monumentum aere perennius.' Ik had hem een bedrag gegeven dat meer dan honderd gulden waard was. In mijn gedachten had zich inderdaad het idee vastgezet dat ik een gebenedijd kunstenaar was, ik was ook een pion in een schaakspel tussen God en de Duivel. Het was linke soep. Het waren sterke benen die de weelde konden dragen. Ik zat in de bus in het hart van Lissabon. 'Electus et fortunatus,' lispelde ik. De chauffeur kwam naar me toe en maakte een knieval. In het Portugees gaf hij vele dankbetuigingen die ik zoals een eend met druppels water doet, gladjes over me heen liet glijden. 'Poesjkien, Toergeenjef, Garsjien, Eliot, Kafka, Multatuli, Jezus, Mong, Oudshoorn, Elsschot, Tolstoj, Tsjechov, de Maupassant, Flaubert, Auden et multi droegieje bolsji choedosnike, no ja igrajoe maxime rool, iek fortunatus et electus. Ja filius Patris et Sancti Spiritus. Djeengi igraet njet rool, etiem djelo snatsjietelno objechtsjaetsja. Iek globetrotter et triomphator, voluntariter do argentum, do ut des. Mangez viande et poisson et boisson out of my money. Tsentralnuuj point del universi eto ja, ja tozje solipsiste. Verstanden? Ja! alles was ich mache ist gut. Nein, ich bin nicht Russisch, komm aus Litauen, echt Deutsch. La bestiola sfuggira al mostro? Teoria relativitatis verstanden. Kant a tué Dieu. Moi je tue Kant. Schopenhauer liebt die Weiber nicht. Nietzsche auch nicht. Huxley kletskoek. Oh saisons, oh chateaux, quelle âme est sans défauts? Laissez vos témoignages de reconnaissance!' De chauffeur begreep me niet. Omzittenden ook niet. 'Moneto non importante!' riep ik uit alle macht, 'moneto non importante!' Nu begon iedereen in de bus druk te praten. Er kwamen twee mannetjes naast me zitten. Vieze, armoedige mannetjes, ze zaten haast bij me op schoot. Ook hun gaf ik waardevolle biljetten, veel geld. Ik dacht: 'als ik terugkom op het schip is het afgelopen, dan weten ze dat het fout met me loopt,' want altijd is er bij mij een stemmetje op de achtergrond dat me waarschuwt. Hij zegt bijvoorbeeld 'zestig' of 'tachtig' of zelfs 'achtennegentig'. Dat geeft het percentage weer van de krankzinnigheid waarin ik méén te verkeren. Dit keer zei de stem, en niemand hoeft het te geloven, het is me, eerlijk waar, ook maar één keer gebeurd (een vrouw heeft uit overspel een kindje, maar zegt er vergoelijkend bij: 'Maar het is maar een heel kleintje hoor'), dit keer zei de stem: 'negenennegentig komma acht.' Linke soep, dat begreep ik allang. Hoe moest ik met die nul komma twee procent gezond verstand die nog overbleef mezelf weer terugbouwen tot een gewaardeerd lid van de maatschappij? Dat zou me nooit lukken! Ik was bang en gelukkig tegelijk. Ik was het die Portugal zou verlossen. Toen we de kust naderden was ik alleen aan dek. Honderden sloepen met vissers kwamen aanvaren, ze hadden lampen uithangen om de vis te vangen, het was nog in het donker van de morgen. Ze zagen me staan en zwaaiden, allemaal zwaaiden ze, ik stond op de punt van het schip. Ik was in een roes. Slapen deed ik niet. Ik bediende aan tafel, dronk de hele nacht whisky en melk en sloeg wartaal uit. Ik dwaalde over het schip en was blij als het deinde. Ik was de Verlosser en dat galmde door het hele heelal van mijn bewustzijn. 'Beati piscatores Portugenienses!' riep ik. En als uit een keel schreeuwden zij terug: 'Hoera! Halleluja! Redemptor arrivatus est! Veni Creator Spiritus!' Het galmde over de rustig klotsende zee. Ik keek om naar het brughuis. Ik wist dat daar een gewone roerganger en een gewone stuurman stonden. 'Mag ik me reeds bekend maken?' dacht ik, 'nu ja, wat doet het ertoe?' 'Finis suppliciorum accedit!' riep ik over het water naar de vissers. De vissers konden ons geweldige schip niet bijhouden en weldra waren ze mij uit het oog verloren. Ik viel even in een zachte rol manillatros in slaap. Een kwartiertje maar. Toen ik weer wakker werd was de zon nog niet op. Maar ondanks de donkerheid voel je aan het fluweel van de wolken dat de zon nadert. Het is net of je in een lege melkbus kijkt. Hier en daar hangt nog een melkwit-achtig druppeltje van het zo door kalveren begeerde vocht en het is net of de bus zegt: 'Ik kan ieder ogenblik weer vol zitten, ik kan wel honderd liter melk bevatten', zo was het ook net of die donkere lucht me toeschreeuwde: 'Over een paar minuten vallen de eerste stralen op mij, het licht komt. Het Licht Komt! Ex oriente Lux!' Een sombere gedachte van een Poolse schrijver viel me in: 'Ex oriente lux, ex occidente luxe.' Ook dat had met mijn wereld te maken. Amerika minder luxe, Rusland wat meer vrijheid, veel meer vrijheid en veel meer luxe, langspeelplaten, goede boeken, pornografie, transistorradio's, schrijfmachines met westers schrift, T-shirts met opdruk, spijkergoedpakken, chewing gum. Voor de donder, waar een verlosser al niet aan denken moet! Alles moet hij regelen! Niets mag er aan zijn aandacht ontglippen. 'Venit Regnum Tuum. Pax Mundi Nunc Omnibus Hominibus A Me Facienda Est,' bad en mompelde ik. Vrede, vrede, vrede, vrede, vrede, vrede, vrede. Zo vaak sprak ik het woord uit tot ik niet meer wist wat het betekende, overdruk, gasbel, luchtverschuiving, embolie, nagelbed, pijniging, grondplaats, weerstation, lumbak, rugpunctie, bajonet, glasdichtheid, carbon, pijpereiniger, blaasdruk, overvliegende dollarvelden, staar, geboorteplaats, statistiek, sterftecijfer, eeuwigheid, rust, pijnloos, voortdurende gebeurtenis, goede sigaar op kort geknipt gazon in de schaduw onder prettige boom, zoel windje, vrouw die melk in een straaltje uit haar tiet in mijn mond spuit, volle borsten, melk en honing, dromen tussen satijnen lakens, de leeuw naast het schaap, bureaublad, schrijfmachine, carbonpapier, pennen van duiven en met inkt, pennen van ganzen en met goddelijke vloeistof, mooie boeken, vioolconcerten, zweefvliegtuig, geen baan, veel begrijpen, niet om alles druk maken, niet door Antwerpse loodsen zwerven en tussen duizenden balen papier en geperst karton het Russische vormsel van een gebaksdoos vinden waarop geschreven staat: 'Ja Sasja, wosjem ljet' (Ik ben Sasja en ben acht jaar). Het vormsel van een gebaksdoos in een grote loods waarop internationale regen valt. Een loods ook met balen vodden uit China. Miljarden documents humains die ik niet verwerken kan. Ik raap het lege omhulsel van sigaretten op. Kretek. Kruidnagel. Welke Javaan heeft dat gerookt? Of een dissident, een gevluchte communist van Java, 'Mammie, ik ben bang, daar is een Molukker'. Hij heeft tien jaar in de gevangenis gezeten, twee jaar naast de martelkamer. Hoe komt dat pakje, dat lege pakje, in die loods in Antwerpen? En wat heeft Albert Kunst ermee te maken die met zijn kleine schip in de maalstroom van de Schelde ligt, naast een reddingboot, met vrouw en drie kinderen en een fiets, hij drinkt wijn, wijn, wijn, wijn, witte wijn. Jezus! wat drinkt hij. Hij kijkt door zijn kijker, beziet in zatte toestand waterkaarten, vergeet een boei, weet niet waar hij schutten moet. Naast de Russische gebaksdozen. Maandag moet hij weer op de Valkenboskade in Den Haag zijn. Strak buikvel, vlooien, kevers, torren, rupsen, vrede, dood, boekband, bladspiegel, omslag, handvat, bergen met gaten, Emmenthaler kaas, viltstift, dossiers, vrede, vrede, notulen, het protocol, etiquette, omgangsleer, geen windjes laten, geen boertjes laten, poepgat wassen, bitter lemon, schone glazen, vrede, vrede, vrede, vrede, vrede, vrede, vrede. Pax Mundi Construenda...

Ik legde de handen op mijn ogen, een paar minuten en toen voelde ik dat het licht werd. Ik haalde mijn handen weg en we voeren onder een geweldig hoge brug door. Een brug van meer dan een kilometer lang en zeker zestig meter boven het wateroppervlak. 'Roem aan de techniek,' dacht ik, 'de wortel uit min één heet i, als ze dat niet wisten had die brug niet gebouwd kunnen worden. Rararolle.' Een uur later hing de zon al boven de horizon en legden we aan. Ik keek naar een zeilschip met een bruin zeil. Het wilde naar de Taagmond varen. Het had een lichte bries mee, voer recht voor de wind, maar had de stroom tegen en zo bleef het een uur of veel langer op precies dezelfde plaats. De roerganger stuurde met zijn geweldige helmstok. Hij stuurde en stuurde en stuurde. Naar links, naar rechts, naar bakboord, naar stuurboord. Het schip kwam geen centimeter van zijn plaats. Onderdehand verstelden mannen aan dek de zeilen, er werd nog een fok gehesen. Iemand duwde een baal geperst karton in het ruim. Iemand anders haalde een vat olijfolie uit het ruim en zette dat aan dek. De roerganger rookte zijn sigaretje. Het schip kwam niet vooruit en toch zeilde het. Ik dacht: 'Reef de zeilen, dan ga je tenminste achteruit, dan ga je achteruit op de stroom.' Maar de wind, een zeer gelijkmatige wind, blies in de zeilen en de stroom, een zeer gelijkmatige stroom, kabbelde tegen het schip in en zo bleef het op zijn plaats. Het schip zeilde en bleef op zijn plaats en ik begreep het niet. Ik begreep niet waar de schipper de rust vandaan haalde. Waarom was hij vertrokken als hij van tevoren wist dat hij de stroom tegen had. Ik keek naar dat zeilschip in Lissabon op de Taag. Het zeilde honderd meter van mij vandaan en kwam niet vooruit. Ik dacht: 'Nu wordt er hier gemarteld, in Lissabon wordt gemarteld door de PIDE, dat begrijp ik niet, ik begrijp het niet, hoe kan een mens het, ik ben bang, het schip zeilt en komt niet vooruit, de schipper heeft de tijd, maar heb ik de tijd? het moet snel gebeuren, het is al laat, finis suppliciorum facienda (Er moet een eind gemaakt worden aan het martelen). Martelingen, het schip zeilt en komt niet vooruit, vrede, vrede, vrede, vrede, radiolamp, vuurtorenlicht, zeedeining, onverzoenlijkheid, rassehaat, uitbuiting, discipline, dienst, nagelbed, nietmachine, stekker, vrede, snoer, prullenbak, pijpdruk, stoomdruk, compressie, vooruitgang der techniek, de glossen, vrede, het protocol, de ambassade, vloeroller, winch, railing, manillatros, reven der zeilen, pijn, eenzaamheid, angst, onzekerheid, donkere cel, fel licht, een haak hoog in de muur geslagen, vrede, vrede, vrede, een sinaasappelkist, rooien, regen, Noord-Beveland, Sumatra, goede sigaren, lezen, schrijven, geraniums, poldervaarten, distelbloemen, paardepoep, vogeltjes eten de graankorrels eruit, walvissen, harpoeniers, eten, volle buik, levertraan, bitter, kindertijd, de fiets naast de werkbank, Freud, vrede, vrede, vrede. Ik liep over het schip en merkte hoe langzamerhand hier en daar iemand wakker werd en begon op te staan. Ik ging naar het achterdek en zag het zeilschip. Het ging niet vooruit, het ging niet achteruit. Dat zeilschip was op dat ogenblik het symbool van mijn leven. Ik leefde nu al dertig jaar en had de wereld nog steeds niet volgens mijn opdracht beter gemaakt of mooier. Tussen de afvaltonnen op het achterdek ontwaarde ik een leeuweriketong. Een tongetje van een van de heerlijkste vogels op aarde. De koksmaat kwam er juist aanlopen en ik vroeg hem: 'Hoe zit dat met dat tongetje?' Je zag de spitse voorkant en de bloedige kartelrand waar de tong uit de keel was gekomen. 'Heeft een leeuwerik hier zijn tong verloren of heeft iemand hem eruit gehaald?' vroeg ik. 'Ik weet van niets,' zei de koksmaat. 'Jullie wilden hem klaarmaken voor de kapitein,' baste ik, 'koken en stoven, één tongetje was nog niet genoeg, het moest een klein hapje worden van minstens tien tongetjes, verworden sujetten, dat zijn jullie.' 'Ik weet van niets,' zei de koksmaat weer en hij trad nader. Samen bekeken we het tongetje dat daar zo zinloos en eenzaam op de planken van het dek lag. 'Een leeuweriketong,' zei de koksmaat, 'daar is geen twijfel aan. Hier in Lissabon heb je altijd wat raars.' Tegen die tijd waren mijn maats opgestaan. Ze zaten in de mess te eten en te drinken. Ik bestelde whisky en melk. Van zenuwen kon ik geen hap vast voedsel door mijn keel krijgen. We aten en aten. Er waren Noren aan boord en Javanen en Chinezen en Spanjaarden en negers. Alleen wij, de stewards, kwamen uit Nederland. Toen nam de bediening van de passagiers een aanvang. Tientallen tafels in de salon. Alles volgestroomd met mensen. Zachtjes psalmen zingend liep ik langs de tafels en vulde hier en daar een lege beker uit een zilveren kan met ijswater als men erom vroeg. Het was een zelf-bedieningssysteem in het restaurant. Wij hoefden alleen kleinigheden neer te zetten als peper en zout, tomaten-ketchup en mosterd. Het afruimen was ook kinderspel. Na het eten maakten we de tafels schoon. En toen hadden we een paar uur vrij. Ik liep de kade op in mijn mooiste pak en kocht ansichtkaarten die ik naar al mijn vrienden verstuurde. Toen wandelde ik over een brug die over een smalle zijhaven leidde de stad in en betrad de bus. Daar begon ik zo extatisch te worden en werd ik pas gek. Beter ware het geweest als ik op het schip in mijn kooi was blijven liggen en rustigmakende middelen had geslikt. Nu zat ik pas een paar minuten in de bus en ik had al honderden guldens uitgegeven. Alles weggegeven. Wie zoekt zal vinden, wie klopt zal worden opengedaan. Ik had een oud fototoestel bij me. Dat was een paar keer op straat gevallen. Zo bang was ik, dat ik op weg naar de bus, ik zocht niet eens naar een speciale bus, ik wilde in iedere willekeurige bus stappen als hij me op den duur maar weer bij de haven terugbracht, zo bang was ik, roepend: 'Druk gloeiende sigaren uit op computers, neuk de stenen, stop flessen in de schede van een zwaard, geef de presse-papier hallucinerende middelen, martel de gebouwen, prik de schepen met spelden, hang balen met vodden op aan hoge haken, maar laat de mensen met rust', dat ik niet in de gaten had dat ik gevolgd werd door twee politieagenten. 'Die willen de zaak tegenhouden,' ging het door me heen. Ik was in het stadsgewoel, ik botste tegen mensen op, zag hoge witte gebouwen, paleizen, bankgebouwen, verzekeringskantoren, bij-gebouwen, onderafdelingen van de universiteit, ministeries, rechtbanken en winkels, winkels, winkels, duizenden goederen en vaak mooie spulletjes, beeldjes van Maria, Fatima, fotorolle-tjes, gymnastiekschoenen, vazen, karpetten, lingerie, tassen van slangeleer, schoenen, veters, radio-apparatuur, banket, dieren-ac-cessoires, aquaria, tabak, goede sigaren, vissen, levende kreeften, inktvis, wijnflessen vol met gele en rode vloeistoffen, boeken, kranten, tijdschriften, schrijfmachines, woordenboeken. Ik was op zoek naar een woord. Een Engels woord of een Nederlands woord dat tegelijk hevig verlangen en lijden uitdrukt. Ik kocht een Langenscheidt woordenboek Portugees-Engels. 'Dat woord moet ik weten,' dacht ik, 'ik moet het in het Portugees weten anders kom ik er niet.' Ik bladerde het hele boekje door en kwam er niet achter. Toen ging ik gesprekken op straat afluisteren of ik het woord toevallig zou horen. Onopvallend stond ik in een portiek en zowaar, na een uur tussen een jongen en meisje in mooie kleren die druk tegen elkaar stonden te gebaren, terwijl honderden mensen voorbijgingen, scooters raasden en Mercedessen zoefden, terwijl al die artikelen in de winkels lagen en het zeilschip waarschijnlijk nog steeds op dezelfde plek op de Taag voer, met de wind mee en de stroom tegen, of nu juist met de wind tegen en de stroom mee, zodat het nog steeds leek of het met honderd meter lange heipalen in de bodem van de Taag met drie ankers verankerd lag, terwijl de zon over de stad laaide als een vrolijke pasgebakken pannekoek, terwijl ik me de verlosser waande en in tongen sprak, terwijl tegelijk de geur van sardines, gebakken visjes, warm asfalt en autodampen mijn neus prikkelde, hoorde ik plotseling het woord: 'Passion.' 'Godzijdank,' schoot het door me heen, 'dat is het wachtwoord, uit woordenboeken had ik het niet kunnen vinden, hoe had ik anders iemand op straat aan moeten schieten om mij het woord te geven dat tegelijk hevig verlangen en smart uitdrukt. Passie, passion, een martelaar sterft uit verlangen naar zijn zaligmaker, vurig verlangen, en tegelijk lijdt hij zoals een man zonder vrouw.' Ik stortte me in de menigte, de agenten volgden me weer, ik begon te rennen en liet het fototoestel vallen. De achterkant was nu verkreukeld, er kon licht in de donkere kamer komen. Daarom gooide ik de film eruit en achteloos op straat. De agenten raapten de film op en verdwenen in een ministerie. Op die film stonden alleen foto's van molens in de polder. 'Gymschoenen, brilmonturen, pianokrukjes, standbeeldjes, Eiffeltorentjes van goud, peniskokers, hoge hakken, nylons met naad, ansichtkaarten, ventilators, scheepjes op de Taag, vaten met olijfolie, balen geperst karton,' ging het door me heen, 'vrede, vrede, vrede.' Toen ineens zag ik de bus en smeet de verbaasde chauffeur het geldbiljet voor zijn gezicht. 'Allez e ritorno,' mompelde ik, 'restiro del plaatsje, foto's maken del illustrissime, splendissime metropoolje...' precies zoals ik in het begin van het verhaal heb uitgelegd. Geld gaf ik aan de bedelaars. Binnen mum van tijd was ik vijfhonderd gulden kwijt. Werp uw brood uit op de wateren en na vele jaren zult gij het terugvinden. Wat gij aan mijn kleinste dienaren doet hebt ge aan mij gedaan. Geef en aan u zal gegeven worden. Het is beter te geven dan te ontvangen. Wat gij niet wilt dat u geschiedt, doe dat ook aan anderen niet. Wie geld geeft waardoor anderen leven, heeft zelf geen zorgen hoe het uit te geven. 'Passion,' dacht ik, 'dat is het wachtwoord, maar ik mag het niet te vroeg laten vallen.' De bus begon te rijden en ik begon uit alle macht foto's te maken met het kapotte toestel. Omdat het achterdeksel, waar scherpe hoeken en punten aan zaten, mijn overhemd kapotmaakte, rukte ik dat met een bruusk gebaar van het toestel af. Nu maakte ik iedere foto op mijn borsthaar. 'Klik', en het beeld van de stad waar we toevallig reden verscheen even ondersteboven op mijn borst. Klik, klik en klik en klik. Ik klikte duizenden malen. En de mensen in de buurt begonnen erover te praten. 'Artiest,' hoorde ik ze zeggen, 'hij maakt onze stad beroemd, echte kunstenaars maken meer foto's dan ze in werkelijkheid ten slotte gebruiken, veel te veel foto's maken ze, een echte goede foto is altijd een toevalstreffer.' Grote gebouwen gleden aan me voorbij, duizenden mensen op straat. Invaliden staken over. Mensen zonder benen in een groentekist op kleine wieltjes. Ze duwden zich voort met stokken. Het verkeer trok zich niets van de zielepoten aan. Er werd er een aangereden en de politie wierp hem aan de kant. Ergens anders zag ik hoe een bedelaar in een vuilniskar verdween. 'Passion?' mompelde ik vragend. Ik maakte foto's zoals er nog nooit foto's zijn gemaakt. 'Passion?' mompelde ik af en toe, maar er veranderde niets. Het gele woordenboekje gaf ik aan mijn buurman. Het eindpunt van de bus was in een grote tuin bij een hoog gebouw. 'Faculta di direito internazionale,' las ik. 'Daar weet ik alles van,' dacht ik en liep het gebouw in. Ik zag de bibliotheek en herkende honderden boeken. Er was ook een eetgelegenheid. Hier zaten veel mensen lekkere hapjes te eten. Ik raakte aan een klein tafeltje in gesprek met een schichtige student. We aten samen inktvis en dronken er wijn bij. Ik begon in het Frans, dat hij goed verstond, over de revolutie. Ik vroeg hem of hij naar Praag of naar Moskou kon reizen. Dat was hem onmogelijk. Ik vroeg hem of hij de boeken van Nabokov en Gombrowicz had gelezen. Dat was hem onmogelijk. 'Censuur,' zei hij, 'alles wat gek is of een beetje raar wordt verboden. Onze hele denkwereld staat in het teken van de oorlog in Afrika, de dienstplicht en de op til zijnde revolutie.' 'Passion?' vroeg ik hem. Dat maakte geen indruk. Toen maakte ik een foto van hem. Ik maakte een foto van voren en een van opzij. Fluisterend begon ik hem te vertellen dat ik ontdekt had dat Nabokov de Duivel was of juist God en dat Karel van het Reve – ik schreef de namen en de adressen voor hem op en drukte hem op het hart de zaak goed geheim te houden – God was of juist de Duivel. Ik maakte melding van het feit dat ik een pion was in een allesomvattend schaakspel. 'Filius Dei advenit,' voegde ik eraan toe, maar ik zei er niet bij dat ik de zoon was. Ik wist niet wanneer ik iets mocht verklappen. Toen nam ik dezelfde bus weer terug naar de haven. Daar zag ik een leuk parkje waar lieve, aardig geklede moeders hun prachtige kinderen uitlieten. Ik zag meisjes van vier die een lust waren voor het oog, met kanten onderbroekjes, zonder die walgingwekkende proppen van papieren luiers tussen de mollige beentjes. Overal leek het geluk en de schoonheid te heersen. Een man nodigde me aan een tafeltje op een terras en gaf me lekkere vishapjes. Ook schonk hij gele, zoete, zeer smakelijke wijn. Die man sprak Duits, Engels en Frans. Lissabon leek een lustoord. Maar ik keek naar de grimmige, spierwitte hoge officiële gebouwen en wist wat achter de muren gebeurde, in de kerkers, op de zolders. 'Neuk de gebouwen,' zei ik tegen de man, 'torturate Mercedes Benz, stop flessen in de schede van een zwaard, pomp de banden vol met gas, laat schepen ontploffen, maar laat mensen met rust...' 'Stil,' zei hij, 'ssssst, stil, laat anderen het niet horen!' En ik schreeuwde over het plein, naar de kinderen in hun lieve kanten onderbroekjes en hun schattige moeders, naar de anderen op de terrasjes, naar de soldaten en de studenten: 'Neuk de gebouwen, torturate Mercedes Benz, maar laat de mensen met rust!' Er kwamen agenten aan en in mijn schrik vluchtte ik naar het schip. Onderweg maakte ik nog honderd foto's met het kapotte toestel. Om één uur gingen de passagiers weer eten. Ik bediende aan tafel. Hier en daar vroeg ik zachtjes: 'Passion?' maar de meisjes dachten dat ik vrijen wilde en er ontstond een grote verwarring in de eetzaal van het schip. Ik bediende, schonk met een sierlijke hoge straal, met een grote boog het ijswater uit de zilveren kannen in de kristallen glazen, ik haalde borden weg en deed mijn best. Ik keek door een van de patrijspoorten en zag nog steeds het schip zeilen. Ik geloof dat het nu inderdaad de stroom mee had en dat de wind gedraaid was zodat hij hem tegen had. Er werd nog een fok gehesen. De roerganger stuurde naar links, hij stuurde naar rechts, hij stuurde naar bakboord, hij stuurde naar stuurboord, maar het haalde allemaal niets uit. 'Maar de vissers dan die me in hebben gehaald als was ik de Heiland zelf, die vissers in het donker van de ochtend, nog buitengaats, zij hadden het toch geroepen? "Hoera! Halleluja! Redemptor arrivatus est! Veni Creator Spiritus." Hoe kon ik dat alles hebben misverstaan? En mijn visioenen dan als ik dronken was of te veel melk had gedronken? En het feit dat ik kleine lichtbruine, haast gele, tamelijk harde babydrolletjes poepte, dat had er toch iets mee te maken? De stuurman heeft het in het donker misschien gezien dat al die vissers naar me zwaaiden en me toelachten. De roerganger heeft het gezien. Ze zullen het aan de kapitein hebben verteld. Er staat iets te gebeuren, maar ik weet niet wat.' Weer schonk ik ijswater in en haalde de borden weg. Ik deed mijn best om zo min mogelijk op te vallen. Alleen neuriede ik zachtjes voor mezelf, zonder dat de passagiers er last van hadden: 'Nu laat gij Heer uw knecht, naar 't woord hem toegezegd, thans henengaan in vrede, nu hij uw zaligheid, zo lang door hem verbeid, gezien heeft op zijn bede.' Ik keek weer uit een van de patrijspoorten en zag niets op de Taag dan dat ene zeilschip. Het vat met olijfolie werd nu weer in het ruim gelaten. Een baal met geperst karton werd aan dek gezet. De giek werd aangehaald. De roerganger rookte nog steeds zijn sigaret. Er werd een fok naar beneden gehaald en een andere fok gehesen. Ik keek naar de stroom van het water maar ontwaarde niets. Mannetjes renden over het dek van het kleine zeilschip. Het was een vrachtvaarder met een bruin zeil. 'Stroom tegen, wind mee,' mompelde ik, 'of stroom mee en wind tegen.' Het schip zeilde en de roerganger hanteerde zijn helmstok maar de boot kwam niet van zijn plaats. Een passagier vroeg om de pea-nutbutter en ik bracht hem die. Een ander vroeg om typical Dutch applesyrup en ook dat bracht ik. Weer ging ik aan de patrijspoort staan en weer zag ik het schip. Zachtjes zei ik in de richting van de stuurman van 't zeilschip: 'Passion.' Want ik begreep dat hij tegelijkertijd een hartstochtelijk verlangen kende om nu eindelijk eens vooruit te komen en afschuwelijk leed omdat hij in uren tijd geen centimeter was opgeschoten. Het wachtwoord was me ditmaal nog niet ontglipt of het schip begon te varen, zij het langzaam. Uiterst langzaam voer het van de ene patrijspoort naar de andere en twee uur later was hij uit het zicht verdwenen. Nu begreep ik dat ik Hem was. Ik had het gezegd. 'Passion' was het woord geweest. Misschien waren er door mijn optreden in de stad ook andere dingen veranderd. Misschien zouden ze echt de Mer-cedessen gaan martelen. Ik had de tafels schoongemaakt, de passa-giers hadden gegeten en verdwenen weer in de stad. Nu ging ik op het achterdek kijken en daar lag nog steeds de leeuweriketong. Drupjes bloed kleefden aan het deel waar de tong uit de keel was gescheurd of waar de leeuwerik hem had afgestoten omdat hij niet meer zingen wilde. Welke vogel zou er willen zingen in een afschuwelijk land als Portugal? Voorzichtig nam ik het tongetje op, het lag bloedend op mijn handpalm. Ik liep er voorzichtig mee naar mijn hut en legde het naast de Dinky Toys op het laken bij mijn hoofdkussen. Toen ging ik melk halen, veel melk en een halve fles whisky en zo heb ik de hele middag op bed gelegen.

Drinkend en drinkend. En steeds weer het tongetje beroerend. 'Ja Roes, ja Redemptor,' dacht ik, 'finis suppliciorum facienda.' Die avond vlak voor twaalven vertrok ons schip weer om koers te zetten naar Istanbul. 'In Turkije wordt eveneens gemarteld,' dacht ik, 'daar gebeurt hetzelfde als hier. God o God, aan wat voor een reis ben ik begonnen.' Ik wankelde naar de zaal voor de bemanning. Daar zaten de Chinezen in een groepje bij elkaar, de Javanen zaten bij elkaar, de Nederlandse stewards zaten bij elkaar te kaarten, de Noren zaten met elkaar ruzie te maken. Het kwam niet voor dat een Noor met een Nederlander sprak of een Javaan met een Chinees. Ieder had zijn eigen belangen. Volkeren zaten hier bij elkaar, gescheiden door muren van haat en argwaan. 'Op ons schip is het al niet veel beter,' dacht ik, 'wanneer oh wanneer zal het Paradijs aanbreken?' Ik wandelde naar het achterdek. Daar stonden de eenzame Spanjaarden. Die gingen een hele wereldreis tegemoet. Ze zouden wel anderhalf jaar wegblijven. Hun vrouwen waren uit Saragossa, Madrid, Barcelona, Bilbao en Valencia hierheen gereisd om afscheid te nemen. Wat een afscheid. De Spanjaarden wuifden met hun zakdoeken naar de vrouwen in het lamplicht op de kade. En de vrouwen wuifden terug. Ik dacht aan mijn eigen vrouw die me ook had uitgewuifd in Rotterdam. Hoe had ik zo wreed kunnen zijn om voor zo lang te vertrekken? Ik zag tranen over de gezichten stromen bij de Spanjaarden op het achterdek. Machinegasten waren het en ze werden afgesnauwd, ze hadden niets in te brengen. De vrouwen op de kade huilden ook en als vanzelf begon ook ik te wenen. Zoveel ellende kon ik niet verdragen. Wat scheidde de Noren dan van de Spanjaarden van de Chinezen van de Javanen van ons dat ze niet bij elkaar konden zitten? Waarom kon de reis niet een groot feest zijn? Waarom waren we geen gelukkig schip? Ik weende met de Spanjaarden en met de vrouwen van de Spanjaarden. Alles was droevig, het schip, de plaatsen die we aandeden, overal was onrecht en smeerlapperij. En waarom moesten die Spanjaarden in de machinekamer – haast nooit zagen ze de zee – zo lang over Gods wateren zwalken, hun vrouwen en kinderen missende? Ik had per slot nog een goddelijke taak te verrichten, zij niet. Die avond werd ik gebombardeerd tot voorzitter van de sportvereniging aan boord. En ik werd hoofdredacteur van *The Ocean Post*, het blad dat we aan boord hadden. Die nacht sliep ik onrustig en daarom ging ik aan dek staan en zag hoe we met een rustige zee door de Straat van Gibraltar voeren. Prachtig als je bij nacht tegelijk de lichtjes van Afrika en van Europa ziet. Neonreclame, autolampen, straatverlichting. De volgende dag was het feest aan boord. Halloween. De avond voor Allerheiligen. Met lachende gezichten boden de passagiers elkaar vergiftigde gebakjes van marsepein aan en appels waarin scheermesjes zaten verstopt. Een obsceen feest. Een vrouw liep met een stellage op haar kapsel waaraan slipjes en beha's hingen. Men tastte elkaar in de tieten, in de billen, in de intiemere delen. Ik poepte babydrolletjes op een zilveren schaal en ging daarmee rond in de grote zaal waar ze ook fietsten en op kleine scooters reden. Ik liep met de zilveren schaal, aan de inhoud waarvan men moest kunnen zien dat ik een heilige was, naar een lieve vrouw in een eenvoudige zwarte jurk. Ik wees haar op mijn gele drolletjes en sprak ernstig: 'You are the only one here who is not guilty.' Dat werd hoog opgenomen. De kapitein en de hofmeester kwamen erbij. De kapitein vroeg mij: 'Wat was dat met die vissers voor de Portugese kust en dat geroep over het water, dat van Veni Creator?' Ik bekende wie ik was. Ik had het over mijn goddelijke oorsprong en mijn taak op de wereld. De kapitein riep: 'Kom tot jezelf Biesheuvel!' Ik omhelsde hem en zei: 'Ook u treft geen schuld, u bent maar ingehuurd, maar u hebt een aardige, rustgevende warme rug en ook uw billen zijn goed.' Er kwam een neger voorbij en ik zoende hem midden in de salon op zijn mond. 'You are Ezau,' lispelde ik, 'I am Jacob, maar alles sal reg kom.' De dokter werd geroepen en die verklaarde me voor gek. Ik werd naar een ziekenhut gebracht. 'Finis suppliciorum facienda!' riep ik. 'Hij is gek geworden,' zei de kapitein, 'hoe hebben ze ons met zo'n zot op kunnen zadelen, wat moeten de passagiers niet denken?' Tegen de dokter zei ik dat hij me trilafon, valium en nosinan moest geven. Die middelen had hij niet aan boord. Hij gaf me opiaten. Ik leende een schrijfmachine en begon in de ziekenhut te schrijven. Over het surrealisme van melk in een stalen, glimmende kan. Die melk is voor kalveren en moet niet in een kaarsrechte stalen kan. Honderden vellen schreef ik erover. De dokter verbaasde zich over het feit dat ik alleen maar melk kon drinken. Niet het kleinste vlokje cornflakes, niet de kleinste bete broods bleef in mijn maag. Ik zat in bad en draaide de hele dag op een geleende grammofoon platen van Spohr. Ik schreef en schreef. Ik liet de dokter mijn eerste publicatie zien. 'Het Lieveheersbeest' in het *Hollands Maandblad.* Voor de zekerheid en om het meer te doen lijken had ik alle zelfstandige naamwoorden van een hoofdletter voorzien, met een balpen. 'Hij is een kunstenaar,' mompelde de dokter, 'die zijn vaker gek.' Ik schreef over de melk in de kannen, dat het een schande was, dat melk door kalveren moet worden gedronken en niet voor mensen is bestemd. Honderden vellen. Onderdehand brabbelde ik Latijn, Frans, Duits en Russisch door elkaar. Ik wilde de zusters en de dokter duidelijk maken dat ik een belangrijk artiest en een van God gezondene was. Na een paar dagen kwamen we aan in Istanbul. Een dokter De Keizer van de Holland Amerika Lijn kwam me ophalen. Ik trok mijn mooie pak aan en ging met hem in een taxi zitten. Het laatste stuk naar het vliegveld moesten we lopen, de weg was opgebroken. Tot onze enkels sjokten we door de geel-oranje klei. De Keizer begreep niets van mijn geval. Nu eens vond hij me zeer intelligent, maar zodra het over de Verlosser ging kon hij het niet meer begrijpen. Hij was een humorloze man die lelijke souvenirs voor zijn vrouw had gekocht in de exotische stad. In het vliegtuig zaten we eersteklas. Vlak bij de cockpit. Ik mocht in de cockpit kijken. Ik draaide aan knopjes en palletjes, verzette meters en drukte hefboompjes in. 'Wil jij zo graag een stukje vliegen?' vroeg de kapitein. 'Allemachtig,' dacht ik, 'je laat een krankzinnige of de Heiland toch niet vliegen?' Maar hij haalde de inrichting van de automatische piloot weg en liet mij in de stuurstoel zitten. Het was slecht weer, we vlogen boven de zee op weg naar de Alpen. Veel regen en mistflarden. Ik wilde weten hoe de radar werkte terwijl ik aan het stuur zat. De dokter zat met grote ogen te kijken naar wat ik deed maar zal gedacht hebben: 'Die kapitein weet wel wat hij doet.' 'In de lucht hebben wij geen radar,' zei de kapitein, 'dat kost miljoenen guldens om een driedimensionaal radarbeeld te krijgen. In gewone lijntoestellen heb je alleen maar grondradar die de lengte en de breedte bekijkt, daar zie je dan de landingsbaan en de huizen en de wegen op, meer niet.' Op dat moment passeerde ons rakelings een geweldig groot jet-vliegtuig, we hadden het niet aan zien komen door de regen en de mist en het passeerde ons op misschien vijftig meter. 'Voor de donder,' zei de kapitein, 'dat had net zo goed een ongeluk kunnen worden, misschien maar goed dat jij aan het stuur zat. Met de automatische piloot hadden we misschien een reuzebotsing gehad.' Ik lachte en liet de kapitein mijn talisman zien: de uitgerukte leeuweriketong. 'Finis suppliciorum facienda.' Lachend ging ik weer op mijn plaats zitten en dronk een beetje champagne. 'Hoe een gek en uitverkorene een toestel met tweehonderd passagiers van een ware dood kan redden,' glimlachte ik in mezelf. 'Je ziet het maar weer dat ik weet heb van bepaalde zaken, als het nodig is zit ik aan het stuur.' Het weer was nu opgeklaard en in de verte zagen we de Alpen en de Apennijnen. De zon blikkerde in een rivier diep beneden ons. 'Kijk de zon schijnt in de Po,' grapte de dokter tegen mij, 'vind je dat geen leuke woordspeling?' Ik kon er niet om lachen en vond de opmerking burgerlijk, triviaal en dom. 'Jij snapt niet wat er in een gezondene omgaat,' dacht ik, maar maakte geen ruzie. Ik dacht nog steeds aan het bewegingloze zeilschip op de Taag. Op Schiphol stonden zeker acht man mij op te wachten. Ze waren bang dat een gevaarlijke gek misschien wel een bom zou leggen. Ik ging op de lopende band staan en riep: 'Lopen jullie!' Ik duldde geen gewone mensen meer naast me, ik walgde ervan. Ik werd niet eens gecontroleerd door de douane. Buiten stond een ambulance klaar met loeiende sirene. Ze wilden mij vastbinden op het bed. Daartegen tekende ik bezwaar aan. 'Die sirenes gaan uit en ik ga gewoon voorin zitten,' zei ik, 'anders sla ik de zaak kort en klein.' De mannen van de ambulance kenden de weg naar het gekkenhuis niet. 'Hier links, hier rechts, daar links, daar rechts,' gaf ik mijn aanwijzingen. Zo kwamen we in de psychiatrische kliniek Endegeest bij Leiden terecht. In de hal daar zat Johan die altijd rattengif uit een doosje Zwitserse kaas op zijn brood strooide omdat hij dood wilde, maar van de rommel alleen maar hoofdpijn kreeg. En Japie zat er, die als hij kwaad werd de stoelen en de flessen door de ruiten smeet. Ze zaten schaapachtig naar De Keizer en de mannen van de ambulance te kijken. Mij begroetten ze hartelijk. 'Waar kom jij vandaan?' vroegen ze. 'Uit Istanbul, eersteklas met het vliegtuig,' antwoordde ik naar waarheid. 'Hij hier, dokter De Keizer, heeft me opgehaald.' Dokter Snijder, mijn psychiater, kwam binnenstappen en reikte mij de hand. 'Hoe gaat het met je?' vroeg hij, 'is alles wel?' Hij keek naar zijn collega De Keizer en sprak de woorden: 'Om Biesheuvel hoef je je niet druk te maken, hij is een licht psychotisch geval.' De Keizer vertrok met zijn souvenirs en de ambulancemannen en de volgende dag zat ik weer thuis. Ik vertelde mijn vrouw van de leeuweriketong liet hem aan haar zien ik vertelde van het schip dat altijd de stroom mee had en de wind tegen of de stroom tegen en de wind mee, zodat het geen centimeter van zijn plaats kwam totdat ik het wachtwoord 'Passion' zei. 'Jij bent overspannen,' zei ze 'en zo is het altijd geweest, ga nu maar lekker slapen...' En daar bleef het bij.

Pieter

Ik kwam onlangs uit kantoor en stond op de bus te wachten. Het regende, maar het was toch tamelijk warm weer. Na vijf minuten kwam de bus. Hij moest mij brengen van het Academisch Ziekenhuis naar de Brahmslaan in Leiden. De deur ging open, de bus was behoorlijk vol, er stonden nog mensen voor mij te wachten. Uit het binnenste van de bus schalde een stem die kennelijk voor mij bedoeld was: 'Ha Maarten, jij was altijd zo'n bolleboos, ha Maarten, ha die Maarten, ik weet het nog wel dat jij gek bent geweest. We hebben toch samen in het gesticht gezeten?' 'Wacht even tot ik ben ingestapt en mijn kaartje door de chauffeur heb laten stempelen!' riep ik terug, 'zo kunnen we toch geen gesprek voeren.' Ik stond bij de chauffeur en ik hoorde de stem roepen: 'Dan stond jij bij het raam in de serre of bij de deur van gebouw F en dan riep je "angst, angst, ik wil dood!" en dan smeet jij een stoel door het raam om te kunnen vluchten, we hebben heel wat afgelachen met jou.' Nu pas herkende ik de stem van Pieter Starrenburg. Ik ging naast hem zitten. Hij had een bontjas aan, een meters lange sjaal, drie keer om zijn hals gewikkeld, een beremuts met oorkleppen, skischoenen en een hele zware broek, aan zijn handen droeg hij zandzakjes, als er niet parmantig een duim uit had gestoken had je niet kunnen zien dat het eigenlijk handschoenen waren. 'Oude bolleboos!' riep hij weer, terwijl hij van me af door het raam naar het verkeer keek, 'jij bent student hè?' 'Nee,' zei ik, 'ik ben nu meester in de rechten.' 'Vroeger was ik ook een bolleboos,' zei hij, 'dat was nog voor jouw tijd. Ik weet het nog goed, voor de Tweede Wereldoorlog had ik een acht, voor de Eerste Wereldoorlog een acht plus, voor de Boerenoorlog een zeven, voor kennis van Maria een zeven, alleen voor de Bokseropstand had ik een vijf, maar dat is ook zo ver van je bed is het niet?' Ineens draaide hij zich helemaal om. Achter ons zat een leuk meisje, dat had ik bij het binnenkomen al gezien. 'Kijk eens Maarten wat een lekker stuk,' zei Pieter, weer veel te hard. Ik bleef fatsoenlijk voor me uit kijken. 'Wat een figuur, wat een lekker koppie,' zei Pieter, 'je ziet soms de lekkerste stoten in de bus.' Hij bleef helemaal omgedraaid zitten. 'Maarten kijk nou toch,' zei hij, 'we zijn toch onder elkaar, ik weet precies hoe jij bent, doe nu niet zo schijnheilig.' Toen heb ik de moed opgegeven en ben uitgestapt. Een kilometer moest ik door een zachte regen naar huis lopen. Nooit hoop ik hem weer tegen te komen, in ieder geval niet in een volle bus.

Een pijnlijk voorval

De heer Peter Rozenburgh – met 'gh', hij was van goede familie – zat in het gekkenhuis. Een duidelijk geval van grootheidswaan. Er viel weinig met hem te beginnen. Nu eens was hij Hitler, dan weer Napoleon, dan weer God. Maar diep in zijn hart wist hij wel dat hij gek was. Het was een beetje beschamend, vond hij, maar er zaten toch ook leuke kanten aan. Zo kon hij over de tafel lopen, klapwiekend, in de grote zaal, roepend: 'Ik ben een vogel, ik ben een vogel!' Dan werd hij bij de filosoof geroepen, die tussen andere gekken altijd op zijn vaste plaatsje in een hoek van het grote vertrek op de grond zat, niet ver van het fonteintje. 'Kom hier Rozenburgh!' riep de filosoof en deed hem naast zich neerzitten. 'Er zijn twee dingen die een mens nooit zal kunnen en dat zijn: een gek begrijpen en zelf vliegen, dus stel jij je nou niet aan, vogels vliegen, mensen worden gek en niet begrepen.' Daar zat Rozenburgh dan een half uur over na te denken. Hij begreep het niet en kon geen woord meer uit de mond van de filosoof trekken omdat hij er een gewoonte van had gemaakt om te zwijgen als het hem beliefde en eigenlijk beliefde hem dat de hele dag. Soms – het was lente – ging Rozenburgh naar buiten met de sportleraar. Wat genoot hij dan van het groen aan de struiken en de bomen. Het gekwinkeleer van de vogels bracht hem in de hoogste staten. Het ruisen van de blaadjes ook. Hij was gelukkig. Er liep geen gelukkiger mens rond dan hij. Maar hij vond het vervelend om gek genoemd te worden. Hoe kon hij immers gek zijn? Had hij een universitaire studie niet glansrijk afgerond? Was hij soms niet aan een prachtige carrière begonnen? Hij maakte zich niet al te druk. 'Er moet een mens zo veel mogelijk overkomen,' was altijd zijn lijfspreuk geweest en hoeveel was er nu weer niet van uitgekomen!

Maar het gewone leven gaat door. Terwijl er duizenden mensen in gekkenhuizen zitten, terwijl nog een veel groter aantal van mensen eigenlijk krankzinnig is maar nooit opgeborgen zal worden, sterven er 's nachts mensen in hun bed, ze omklemmen in doodsnood de handen van geestelijke biechtvaders, mensen dragen zulk afschuwelijk leed soms dat het niet eens openbaar kan worden gemaakt, zulk leed kan alleen maar tegelijk met de patiënt, zoals Poe het zegt, in het graf geworpen worden, mensen nemen lasten op zich, zo onuitsprekelijk groot en zo afschuwelijk dat het beter is er niet over te schrijven. Daarbij vergeleken is het geval Rozenburgh nog maar een schijntje van ellende. Mensen sterven op de grote weg bij afschuwelijke ongelukken, een enkeling in Amsterdam krijgt een mes in zijn rug, ouden van dagen kwijnen weg in torenhoge flatgebouwen, ze zitten uren in bad voor een verpleegster hen eruit komt halen en onderdehand maar roepen en gillen. Maar er zijn ook huwelijkssluitingen allerwege. Dat is de keerzijde van dat alles, er zijn ook prachtige dingen. Terwijl de mensen slempen, drinken en goede sigaren roken worden er heerlijke bruiloften in zonovergoten bloeiende boomgaarden gevierd.

Een neef van Rozenburgh zal in het huwelijk treden. Dan moet Peter natuurlijk ook van de partij zijn, de hele familie stáát er gewoon op. Goed, hij mag dan een beetje gek zijn, maar ze zullen net doen of ze niets merken. De heer Rozenburgh is al lang van tevoren op de hoogte gesteld. 'Ik ga binnenkort naar het huwelijk van mijn neef,' vertelt hij overal rond en hij knoopt er voor zichzelf de hoopvolle gedachte aan vast dat hij dan ook wel snel beter zal zijn. Een volledige idioot nodig je immers niet uit op een bruiloft? Hij zou trouwens wel eens gevaarlijk kunnen zijn.

Op een dag komen zijn vrouw en zijn schoonzus hem halen. In zijn gestichtskleding staat hij hen op te wachten. Ze hebben een parelwit overhemd meegebracht, een prachtige das, een mooi pak met een krijtstreepje, lange zwarte sokken en zwarte schoenen die glimmen alsof ze alles wat mooi is in de wereld willen weerspiegelen. Zijn vrouw en schoonzuster dansen om hem heen als mannetjes in de bijenwereld om de koningin. En wat maken ze hem mooi! De hele zaal staat ervan te kijken hoe Rozenburgh er wel als een heer uit kan zien. Nu kun je ook duidelijk aan zijn gelaatstrekken merken dat hij een academicus, iemand van behoorlijke komaf is. De waarheid van het bekende gezegde 'kleren maken de man' wordt hier heel duidelijk aangetoond. De vrouw en de schoonzuster zijn zichtbaar ingenomen met het resultaat van hun arbeid. Ze hebben een sloeber in een keurige man omgetoverd. De dokter komt zelfs kijken en die mompelt: 'Allemachtig zeg, is die even het heertje.' Dan worden de deuren en de poorten voor het drietal ontsloten. De vrouw van Rozenburgh krijgt pilletjes mee, ook aanwijzingen op welke manier ze het beste op hem kan passen. Peter Rozenburgh gaat naar een huwelijk! Helemaal van Leiden naar Rotterdam. Met de bus, de trein en de tram. Hij is vrij in zekere zin en loopt met een trots gezicht door Oegstgeest. Ze zijn nog net op tijd voor de trein. Om het voor Peter niet te onrustig te maken koopt zijn vrouw de kaartjes eerste klas. Rozenburgh, die in maanden niet in de trein heeft gezeten, kijkt onderweg zijn ogen uit. Wat een prachtig groen aan de bomen. Sommige bomen waren nog kaal, maar die met blaadjes eraan toonden de meest frisse kleuren. Waarom zou het toch zo moeilijk wezen om de lente op een schilderij uit te beelden? Het zit hem waarschijnlijk juist in al die lichte kleurverschillen. Alleen in groen heb je al minstens twintig verschillende tinten. Na veertig minuten zijn ze in Rotterdam. Rozenburgh heeft strak en stram op zijn bankje gezeten, als een generaal op inspectie. Hij heeft zijn dames in ogenschouw genomen en ze wel bevonden. Het is de dag van zijn leven. Nu gaan ze uitstappen. Rozenburgh denkt: 'Ik zal me goed gedragen, aan niets hoeft men te kunnen zien dat ik eigenlijk in het gesticht zit, dat ik eigenlijk gek ben.' Waardig loopt hij naar de uitgang. Daar staat, o vervelend toeval, een oude vriend met wie hij samen heeft gestudeerd. Die man, Keizer is zijn naam, heeft het behoorlijk ver geschopt en is verre van gek. Hij is assistent van de directeur van de Wereldbank die in Amerika zetelt en is toevallig voor een week in Rotterdam, waar zijn ouders wonen.

Rozenburgh kijkt Keizer aan en ziet dat hij wordt herkend. Hij bloost. Keizer echter ziet Peter in zijn keurige pak, de keurige schoenen, een echt heertje geflankeerd door twee deftige dames. Met z'n drieën hebben ze blijkbaar eerste klasse gereisd. 'Zo-zo,' roept Keizer uit, terwijl hij de arme Rozenburgh een dreun op de schouders geeft, 'dus ook jij bent een geslaagd man geworden! Ik heb haast, ik moet er onmiddellijk vandoor', en reeds is Keizer in het gewoel op het perron verdwenen, op die manier aantonende hoe mannen van de wereld haast kunnen hebben. Rozenburgh staat als versteend. Zijn vrouw en schoonzus moeten hem aansporen nu toch eindelijk uit te stappen. 'Dat was Keizer,' denkt Peter, 'Wereldbank, die heeft het ver geschopt. Wat ben ik een arme ellendeling. Altijd angsten, altijd krankzinnig. Nooit rust. Ik zal de laatste zijn die rustig de vruchten kan plukken van al die jaren studie. Dat gekkenhuis, daar kom ik nooit meer uit. Ik ben helemaal niet geslaagd. Misschien weet Keizer ook wel alles, misschien weet hij van mijn geval, misschien zit ook hij in het complot. Altijd ben ik de dupe. God, wat zou ik graag in Keizers schoenen staan. Vliegen, zakendoen, champagne drinken...' Onderdehand is Rozenburgh het hele huwelijk vergeten. Als een pinguïn, een verkleed dier, laat hij zich voorttronen. Als een dier in het drukke gewoel dat hij niet begrijpt en waar hij bang van is. Alles maakt hem bang. Als een lam dier wandelt hij voort, ondersteund door twee verpleegsters. Nee, nu is hij helemaal niet meer de heer Rozenburgh die met zijn twee dames op weg is naar een huwelijk. Een willekeurige voorbijganger die zijn blik nu op het tafereel werpt, kan niet anders denken dan: 'Dat is vast en zeker een tragisch geval...'

Oh!, kapitein te zijn...

De laatste tien jaar draai ik steeds in dezelfde cirkelgang rond. Er zijn ongeveer tachtig boeken in de wereldliteratuur die ik bijzonder liefheb – vanzelfsprekend zouden het er meer dan tachtig zijn als ik de hele literatuur kende, ik ken bijvoorbeeld de Zuidafrikaanse en de Australische literatuur helemaal niet en van de Chinese bellettrie weet ik ook maar weinig. Twee jaar geleden ben ik begonnen met *Moby Dick*, zoals ik al zo vaak begonnen ben, en nu ben ik na mijn tachtig boeken te hebben gelezen geëindigd met *Madame Bovary*. Dan begin ik weer helemaal opnieuw: weer pak ik *Moby Dick* en ik heb het nu haast tot op de helft gelezen – een hele wereld, een hele geschiedenis, een hele roman, duizenden feiten verweven rond één onderwerp: de Witte Walvis. Geen mens kan meer geboeid zijn door het boek dan ik, ik vereenzelvig me tijdens het lezen met Achab, de kapitein van het roemruchte schip de Pequod. Wat de onmetelijkheid van het aantal bestaande boeken betreft voel ik me als de kapitein uit een van Conrads boeken: die voer zijn hele leven op hetzelfde schip van Singapore naar Bali en Timor en weer terug, de overige zeeën kende hij eigenlijk niet. Iedere eenzame palmboom die onderweg opdoemde kende hij, in zijn slaap wist hij dat een bepaalde zandplaat nabij was, hij las onder het zonnescherm een boek en bij bladzijde vierhonderdtweeënveertig keek hij op, precies op het moment en de plaats waar hij het verwachtte zag hij het baken dat aangaf dat hier een wrak in ondiep water lag, in zijn kooi voelde hij de verschillende zeestromen. Zo weet ik dat ik nu nog tien dagen lang zal genieten van de tweede helft van *Moby Dick*, ik ben een langzame lezer, maar een fijnproever; daarna zal ik *Lentebeken* van Toergenjev ter hand nemen, dan *Heart of Darkness* van Conrad, daarna *Heer*

Vrouw Boer van Nabokov, vervolgens *Candide*, daarna van Bernard Malamud *The Fixer*, dan van Traven *Het dodenschip*, van Jack London *De walvistand, Verhalen van de Zuidzee*, vervolgens *Ali en Nino* van Kurban Said, dan *De Meester en Margarita* van Boelgakov, dan *Walging* van Sartre, *De avonden* van Gerard van het Reve, het *Verzameld werk* van Elsschot komt dan, vervolgens *Witte nachten* van Dostojevski, daarna *Dode zielen* van Gogol, *De Kreutzersonate* van Tolstoj, en *Een held van onze tijd* van Lermontov... Ik heb ongeveer tweeduizend boeken in mijn huis. Nog geen vijf procent van die boeken wordt door mij gelezen want ik heb alleen die tachtig boeken lief, Hoffmann, Günter Grass, Lao She (*De riksjarenner*), *Anna Karenina*, *Sprookjes* van Andersen... Zo verloopt mijn leven tot ik dood ben, dat is helemaal niet iets afschuwelijks: ik pak een boek dat ik al tien jaar ken, ik ken het verhaal in het kort, maar weet ik de eerste zin nog? Weet ik nog met hoeveel liefde en toewijding Flaubert het leven van een plattelandsarts schetst? Ken ik *De fatalist* soms uit mijn hoofd? Weet ik nog hoe *Walging* eindigt...? Altijd weer is zo'n overbekend boek volkomen nieuw voor mij. Het is alsof ik door een museum loop en van tevoren al weet hoe de omtrekken van de figuren en objecten op de schilderijen zijn geschilderd, maar de manier waarop de kleuren zijn aangebracht, de wijze van uitdrukken, díe ben ik vergeten. Ik hoef nooit meer woedend een boek in de hoek te smijten omdat ik het niet mooi vind, zoals mij onlangs nog overkwam met *Die Blendung* van Canetti. Met plezier loop ik langs mijn boekenkasten. Ik bekijk de titels. Meestal denk ik: 'Flauwekul, modder', maar hier en daar is er een boek dat me toestraalt, dat me als het ware toeroept: 'Pluk me toch, lees me toch, ken je nog die roerende passage waar de man de vrouw voor het eerst kust op bladzij vierentachtig?' Hier en daar schitteren juwelen in de modder. Die modder bestaat uit mijn hele boekenbezit. De juwelen zijn de boeken die ik liefheb en die pluk ik uit de kasten. Ik ben een ellendige snob! Wanneer zal ik eens de moed hebben om mijn overbodige boeken op de vuilnishoop te gooien? Dan richt ik één plankje in voor mijn lievelingsboeken. Dat is eerlijk en overzichtelijk. Ik zal wat ruimte overlaten op het plankje. Eenmaal in de twee jaar komt er onverwachts een boek in mijn leven bij waarvan ik zeg: 'Dat past in mijn rijtje.' Ja!, was ik maar zo slim en kundig dat ik mijn vrouw ervan overtuigde dat alle rommel het huis uit moet. Dan zullen mensen die in mijn huis komen vragen: 'Waar zijn je boeken?' Ik zal ze naar mijn kamer brengen en hun dat ene plankje laten zien. Dat plankje met tachtig boeken is eigenlijk mijn hele leven. Ik verlang niet naar meer. Onlangs hoorde ik een man in een boekhandel vragen: 'Wat is het laatst verschenen boek?' De verkoper noemde de titel. De man las de eerste bladzijde vluchtig door en kocht het omdat het 'het laatst verschenen boek' was. Ik las de eerste zin en meende daar een onwelvoegelijk woord te zien. Als Voltaire, Nabokov, Erasmus en Flaubert geen schuttingtaal willen gebruiken, waarom doet een nieuwlichter het dan wel? Als ik ergens zie staan 'haar...' dan weet ik het al. 'Haar liefdesgrot' gaat mij al te ver. Men is getrouwd, men pleegt overspel, goed, 'het' gebeurt, vijf minuten later weent de vrouw en zegt: 'Ik ben een zondares, je kunt geen achting meer voor me hebben.' Dan weet ik met een schrijver te maken te hebben, met iemand van karakter... Veel schrijvers lijken net mestruimers. Walgelijk. Ik bevuil mijn handen niet en ook niet mijn geest. Ik heb een grote collectie plaatjes van dames in ondergoed. Die bekijk ik liever. Het geschreven woord '...' klinkt mij honderdmaal afschuwelijker in de oren dan 'Godverdomme'. 'Toon mij uw boeken en ik zal u zeggen wat voor iemand u bent.' Ach, was ik alvast maar zover dat ik allééén dat ene plankje met lievelingsboeken in huis had. Mijn vrouw mag haar eigen plankje inrichten, maar de rest gaat de deur uit. *Hoe verzorg ik katten?*, *De Russische ziel*, *Zielsverhuizingen in het oude China*, *Hoe repareer ik knellende schoenen?*, *Het Nieuwe Testament*, *Uit mijn jeugd*, alles van de hand van professor Dr. Albert Schweitzer (organist, zendeling, medicus, filosoof, schrijver, neef van Sartre). *De ... van Mieke Stoot*, al die rommel moet zoals gezegd de deur uit. Als een Chinees wil ik leven! Prenten? Ziedaar mijn prent! Boeken? Ziedaar mijn plankje! Wortelgewassen? Ziedaar mijn peen!

Nu ben ik *Moby Dick* aan het lezen, het is twee uur in de nacht, van acht uur tot half twee heb ik zitten lezen. Ik ben geheel in de ban van het boek. Bij het licht van één lamp op mijn kamer zit ik in de duisternis en stilte van de nacht te lezen. Een vliegtuig heb ik niet nodig, geen film, geen muziek. Het boek is genoeg. Als ik eindelijk naar bed ga begint het te plenzen. Ik heb mijn vrouw gevraagd of ik deze nacht eens alleen in mijn kleine bed op mijn eigen kamer mag slapen. Ze heeft gelachen en ja gezegd. Nu lig ik in mijn bed. Allemachtig wat komt er een water uit de hemel vallen, het valt haast loodrecht omlaag, het gorgelt weg in de goten, daar komen windvlagen, de gordings kraken onder het gewicht van de geglazuurde Franse dakpannen. Mijn hele kamer is donker, maar de gordijnen zijn open en door het kleine raam zie ik de takken met bladeren heen en weer wiegen op de wind. Allemachtig, wat een hoge bomen. Wat een wind, wat een water en wat lig ik hier gezellig droog in mijn houten kamer in mijn eigen houten huis! Het is eigenlijk net een kapiteinshut. Voor de donder! Dit zou de hut van kapitein Achab zelf kunnen zijn. Mijn leven lang heb ik ervan gedroomd kapitein te worden of het te zijn. Nu lig ik op mijn eigen kamer, in mijn eigen houten huis in mijn bed, of moet ik het nu mijn kooi noemen? Ik hoor de regen vallen, de wind gaat tekeer, het hele huis kraakt in zijn voegen. Ik ben alleen in mijn kooi. Mijn vrouw ligt ergens anders. Ik ben van plan om de hele nacht wakker te blijven. Wat klappert het raam! Het is behoorlijk koud op mijn kamer, in mijn hut, maar ik lig warm. De kapitein ligt in zijn kooi, maar de stuurman heeft wacht. Ik hoor de roerganger boven schuifelen achter het stuurrad. Af en toe knallen de zeilen. Wat een zee! Het is fijn om je hut helemaal achter in het schip te hebben. Ik heb hier acht kleine raampjes die uitzicht geven op de wolken die langs de maan vliegen en op het kielzog. Op mijn bureau zie ik iets glinsteren, dat is het kleine kompas dat ik al twintig jaar heb. Mijn vader heeft me dat kompas ooit gegeven. Het is maar vijf centimeter in doorsnee, maar de werking is toch precies eender als die van een scheepskompas. Als ik zit te schrijven wiebelt het bureau een beetje en daardoor is de naald altijd in beweging. Daarachter staat het elektrische klokje, waarvan de secondewijzer geluidloos zijn baan door de tijd trekt. Hoe lang heb ik dat klokje al niet? Toen ik panisch was van krankzinnigheid stond het daar op zijn plaats op het bureau. Ik zat rechtop in bed en wilde uit het raam springen, ik was in staat om Eva dood te slaan. Een dokter kwam binnen: 'Als ik maar een paar uur slapen kon!' schreeuwde ik, sprong het bed uit en zette het op zijn kant. Ik pakte een hele klerenkast vol met bloesjes, pakken en schoenen en wierp die door het raam naar buiten. De arts gaf me een Vesperax-pil. Die pillen mogen nu niet meer gebruikt worden, want sommige mensen zijn er niet meer wakker van geworden. Twee dagen later werd ik wakker. In paniek ijsbeerde ik door de huiskamer. De hond berichtte op onverklaarbare wijze aan de katten hoe het met mij ging, een vlek op het behang betekende dat ik gauw zou sterven, een scheur in het plafond betekende een gevaarlijke ziekte voor Eva, alles voorspelde me iets afschuwelijks. Ik ging op mijn bed zitten en keek naar het wekkertje. Wat kroop de tijd en wat voelde ik me afschuwelijk. Dat wekkertje staat voor mij gelijk aan het heelal, of het noodlot. Het trekt zich nergens iets van aan: 'Men rukte de man zijn ogen uit de kassen, hij schreeuwde van afschuw en pijn. Het was 6.42 uur in de morgen van 18 augustus 1980.' Nu ben ik Achab, ik ben de kapitein die op de Witte Walvis jaagt. Er glinstert nog iets op mijn bureau: een glazen karaf vol water en een leeg glas. Ik zal dat water, dat er eeuwig is geweest en dat er ook eeuwig zal zijn, morgen drinken, daarna plas ik het uit, via het riool komt het water weer in de Rijn, het stroomt naar zee, voor de kust van China zal het verdampen en tot wolk worden, het zal regenen in Kenia, een minister zal het water drinken. Sydney, Tokio, Athene, Amsterdam, Parijs, Nantucket, Alabama, Dresden, onwerkelijk... Ik ben op zee. Wat gaat de zee tekeer! Houdt men het schip wel recht op de golven? Houzee! Boven mijn kooi hangt aan de wand een Sumatraans waardigheidsstokje, heel kunstig gemaakt van rubber. Het ziet er zo vreemd uit, versierd als het is met drakekoppen en met met speren dreigende krijgers, dat je er kinderen bang mee maakt. Dit alles hoort thuis in de hut van een kapitein. Op mijn bureau staat ook het hertshoornen huilende wolfje dat ik van een Russische dame heb gekregen. (Hebt u ene samovar? Maar weet u, men kan sterven! Men moet die samovar in de tuin aanmaken en pas als die kooltjes goed branden mag het toestel de kamer in worden gereden. Ook goed is het om hem aan te zünden voor het fornuis in de keuken. Trek de oven open en schuif die schuine buis die aansluiting geeft op de schoorsteen uit de oven. Laat de dampen van het begin van brand in de samovar via de oven verdwijnen. Rij dan de samovar rustig de kamer binnen. Mijn vader had een groot huis, eens waren vierhonderd gasten daarin. Een muziekgezelschap war ook daa. En wat denkt u? Zijn allen vonden plaats en hebben goed gegeten. Zo ging dat in Sint-Petersburg. Gebben alle juwelen en gouden voorwerpen in ene Puppe genaaid. Da waren wij op de vlucht van huis naar Finland in de trein. Maar das Kind hadde lust om die Puppe zu streicheln, begrijpt u wat ik bedoel? Wat doet een kind met een Puppe? Ze streelt het Puppchen, mijne moezj draait die fenster offen om paar sinaasappelschilletjes naar buiten te warfen en helaas! Dat kiend werpt die Puppe geheel en al uit de trein. Njewjerojadno. Da waren wij alles kwijt wat wij een leven lang verzameld hatten, later heb ik mijn man leren kennen op Sumatra, er staken juist twee olifanten doorover het water van een rivier, tussen wuivende oerwouden, toen bekende hij liefde, die echte liefde voor mij. Aber es waar nog geld. Die man met die lastgeving van de wissel kon gene bank in Londen vinden daar de geallieerden deze Lenin niet vertrouwden. Geelaas! Men kan zich gene voorstelling daarvan maken wat wij gebben doorgemaakt! Toch denk ik geel goed van de revolutie. Wij gebben de arbeider klein gehouden en onderdrukt. Hij is nu van een gel in een gemel gekomen. Iek kan niet wieder zurück, naar mijn geliebte Geimat. Denken Sie zich ien: de witte nachten doorbrengend met vrienden aan de oever van de Njewa! Het water klotst en zachte gitaarklanken klinken. In de verte schittert die Admiraltejskaja Igla in maneschijn. Splendide, douce souvenir! Mijne man, hij voerde ene Korrespondentioon met de Gollandse koning over staatsfinanciering. Toen ik op de

Krim verpleegster was kwamen de Engelse officieren van de schepen. Zij droegen stralend witte uniformen. Vraiment, des anges!)
De zee, de zee, wat gaat de zee tekeer, golven rammen aan alle
kanten mijn schip. En ik ben op zoek naar die verdomde Witte
Walvis die mijn rechterbeen al heeft opgevreten! Ik heb boeken in
mijn hut, een paar honderd boeken. Waarom zou een kapitein niet
lezen? Boven mijn hoofd hangt een prent, *Watching the battle from
the steeple* van Howard Pyle. Je ziet mensen op het dak van een
kerktoren zitten. Aangenaam zitten ze daar op dekens, beneden is
een stadje, het ligt aan een baai en in de baai ligt een oorlogsschip
dat het dorp aan de overkant van de baai aan het beschieten is. Dat
moet gebeurd zijn in 1750. De verliefde paartjes op het dak van de
toren wijzen elkaar dingen aan en spreken opgewonden: 'Daar valt
het stadhuis in elkaar.' 'Is dat niet Brown van Hazel die daar dood
neervalt?' 'Ach, wat afschuwelijk, maar wij zitten hier goed...' Zo
lig ik te denken... Het water gorgelt in de goten. Het is het zeewa-
ter dat langs mijn hut stroomt. De bomen buigen diep door onder
de melkwitte regenvlagen en de aanstormende wind. Nee! Ik be-
vind me op zee. Maar waarom deint mijn hut dan niet? God, heb
dank, de hut schommelt al. De schoten staan snaarstrak gespannen.
Ik hoor de roerganger, een zekere Ishmael, een vreemd kereltje!
Hij schrijft steeds van alles in een boekje. Wat moet hij met dat
boekje? Doet hij het in opdracht van de regering? Staat Ishmael
vannacht niet aan het roer? Dan zal ik eens naar boven gaan en die
vervloekte Tashtego laten dansen in de regen en de overkomende
golven in plaats van hem. Ik moet eens een hartig woordje spreken
met Ishmael. Ik heb hem al in mijn hut gesommeerd. Ik zal hem
dronken voeren met brandewijn. Ik zal eens een mooie ronde fles
met dat vurige goedje tappen. 'Zo Ishmael, drink nu maar, je bent
doornat en helemaal verkleumd. Zal ik je mijn zeekaarten eens
laten zien? Heb je wel eens gehoord van Moby Dick? Dat is de vis
waar ik op afsteven, die ik al jaren zoek. Ik weet niet waar hij nu is
in de onmetelijke zeeën. Die idioot van een vis zwalkt van de
noordpool naar de zuidpool en onderweg zwemt de dwaas nu
weer eens naar het oosten, dan weer naar het westen. Hoe moet je

ooit vat krijgen op zo'n beest? Ik zal je uitleggen hoe ik hem te slim
af denk te zijn. Drink nog wat Ishmael. Ik heb een groep vreemde
mannen aan boord. Tot nog toe hebben ze niets uitgevoerd. Maar
als de Witte Walvis in zicht komt zal ik de waarloze sloep uitzetten
en die met mijn eigen mannen, die jullie nog niet gezien hebben,
bemannen. Dan ben ik stuurman in mijn eigen sloep. Ik heb de
beste harpoenier kunnen vinden en die brengt er meer van terecht
dan die zwarte maat van jou. Hoe heet hij ook alweer... Quohog?
Moby Dick is een legendarisch beest. Hij zwemt rond met wel tien
harpoenen in zijn lichaam en zeker tachtig lansen. Als je hem ziet
zwemmen is het net een stekelvarken. Maar ik krijg hem te pakken, hier drink nog eens uit... Vertel mij eens, jij hebt een boekje
en daar schrijf je steeds van alles in op. Wat wil je? Waartoe dient
dat? Wat heb je tot nog toe in dat boekje geschreven? Wat? Waarom heb je dat boekje gekocht? Wat heeft dat gekost? Waar heb je
het gekocht? Wat, wat? In Boston? Hoeveel? Spreek, spreek tegen
mij! Drink nog wat, over een kwartier moet je weer aan het roer.
Dat is lekker warm goedje, is het niet? Goed voor een warme buik
in dit hondeweer... Haha, ik pak jou dat boekje af, ik draai het kleine venster open en gooi het boekje in de tuin, in het ziedende en
bruisende kielzog. Drink nog eens uit. Drink maar, drink. Ik vertel je onderdehand alles over de Witte Walvis. Ik klets een half uur
door... Nu ben je dronken genoeg, mijn waarde Ishmael. Ga nu
maar weer aan het roer. Je hebt wacht!' Ik hoor hem naar boven
stommelen. Met dit weer zal hij dronken zoals ooit Palinurus, met
armen en benen de bewegingen van een meeuw nabootsend, in de
zee vallen, een grote boog door de lucht zal hij maken en dan
plons! Maar ik laat niet zomaar een van mijn mannen verzuipen.
Ziehier die prachtige ton. Ik verzwaar hem op de bodem met lood.
Ik maak de ton stevig dicht en spijker er een kompaslicht op. Er
kan wel lucht bij de kaars komen, maar geen water, wat een uitvin-
ding! De kaars wordt aangestoken... Hu!, een schaduw langs mijn
raampjes, plons, daar is me die Ishmael gevallen. Hup, dat raam
open en ik werp het lichtbaken vlak achter de drenkeling in zee.
Verdrinken zal hij niet, hij is sterk en wij zetten een sloep uit om

hem te redden. Waar het kaarslicht is op de onmetelijke uit alle eeuwigheden aanstormende zee, daar is ook het hoofd van de vechtende Ishmael. Hei daar, help! man overboord... (Dat zal hem leren om vreemde verhalen over walvisvaarders te schrijven.) En als hij gered is zal ik tegen hem zeggen: 'Laat dit je tot een les zijn: Dit is een walvisvaardersschip en geen plaats voor dromers. Als ik je nog een keer zie schrijven laat ik je kielhalen!...'

Zo lig ik te dromen in bed. De gordings kraken. Het water stroomt en gorgelt in de goten. De wind gaat als een gek tekeer, het huis beeft op zijn grondvesten, de dakpannen worden geranseld door de boomtakken, het raam staat te klepperen, de gordijnen zijn open. Ik blijf nog minstens twee uur wakker en sla me op mijn knieën van plezier. Haha, ik ben Achab, de wonderlijke en wereldberoemde kapitein en ik heb Melville aan boord, een man die zich kan meten met Flaubert en Gogol! Maar langzaam houdt het op met regenen en de wind neemt af. Over een paar dagen zal ik *Moby Dick* uit hebben en over een maand zal ik het boek alweer haast vergeten zijn. Ik zal op kantoor zitten, gebogen over een dossier waarvan ik de tekst niet begrijp. Dan zal ik Flauberts *Madame Bovary* pakken en, wederom in gedachten, zal ik de overspelige vrouw zijn. In een rijtuig genaamd De Zwaluw zal ik van mijn huis naar de stad rijden, de grote stad, op weg naar mijn liefde. Onderweg springt een manke man met ontstoken ogen op de treeplank en hij zal mij onzinnige en afschuwelijke verhalen vertellen tot ik hem vol afschuw van me afduw en in het stof van de weg doe tuimelen. Op dat ogenblik zal ik volmaakt vergeten zijn dat ik ooit, zij het maar voor een paar uur, kapitein ben geweest...

Drie personen

Het is weer de tweede woensdag van de maand, het vaste tijdstip waarop ik naar mijn psychiater ga. Wij praten nu al jaren over mijn moeder, of liever over de band tussen mijn moeder en mij, het schijnt dat daar alles wat er bij mij verkeerd zit, op terug te voeren is. Mijn psychiater is erg halsstarrig: ik beweer steeds maar dat mijn frustraties mijn motor zijn en dat ik van mijn vrouw Eva ongeveer niets mag. Ik zeg dat ik het fijn vind om onder de duim te worden gehouden: 'Je hebt je niet goed geschoren, ik doe het wel even voor je', 'met linnen schoentjes aan kan je niet naar kantoor', 'je moet nu weer naar de kapper', 'ben je al in bad geweest?', 'doe je je tanden wel met de rode gelei?', 'je rookt te veel, als je er nu deze maand eens mee stopte?', 'je moet vandaag niet het visgraat maar het gewone pak aantrekken', 'help me even met de konijnen', 'kom nu eindelijk uit bed', 'je moet je haar eens kammen', 'je hebt het bruidsboeketje op je eigen kamer gezet', 'we gaan gewoon naar Tanja, of jij nu zin hebt of niet', 'heb je het examen medisch recht nu al afgesproken?' Het is maar goed dat ze dat allemaal zegt: zonder Eva zou ik niets meemaken en de hele dag in bed liggen en onafgebroken bier en whisky drinken. Maar over mijn vrouw wil mijn psychiater niet spreken. Hij heeft het over mijn moeder. En hij wil graag weten waarom ik in mijn angst denk billen en tanden van glas te hebben. Een vreemde man die psychiater. Aan Eva komen we pas over drie of vier jaar toe, zegt hij. Over godsdienst hebben we het ook nooit. En hoe moet het met mijn vader-complex? Ik heb nooit een gesprek gevoerd met mijn vader. Nu is hij dood en in mijn dromen praat ik met hem over onderwerpen die ik fijn vind. En het gymnasium? Ik heb nu al duizendmaal gedroomd dat ik het examen nog moet doen, terwijl ik het diploma al vierentwintig jaar op zak heb. En dan dat idiote gedoe met vrouwen. Altijd moet ik maar naar vrouwen kijken en wel met een zeer hebzuchtige en enigszins wellustige blik. Zijn dat soms gewone zaken? Dat moet worden uitgepraat! Is het soms gewoon dat, als ik twee weken mijn anti-psychotische pil niet slik, ik weer in het gekkenhuis zit? En dan al die krankzinnige personen die ik dagelijks tegenkom en waar ik een behoorlijk gesprek mee moet proberen te voeren: je mag niet zomaar iemand op zijn gezicht timmeren of zeggen: 'Het is niet om u te beledigen, maar ik vind u eigenlijk een grote zak.' Vandaag praat ik beslist niet over mijn moeder! Daar zit ik nu in de wachtkamer van de polikliniek van het gekkenhuis Endegeest in Oegstgeest. Het is een kaal kamertje. In een hoek ligt een stapel bladen, voornamelijk *Kuifje*, *Panorama*, *Arts en auto* en *Nieuwe Revu*. Wat moet ik met die bladen, dat vermaak voor ingezakte geesten? Soms als ik moet wachten blader ik zoiets door. Vreselijk! Zijn wij daarvoor geboren? Wat spijt het mij op zo'n moment dat ik *Eugénie Grandet* of *Anna Karenina* niet bij me heb. In het vertrek is een raam dat uitkijkt op het gekkenhuis. Tussen polikliniek en instituut loopt een verkeersweg. Hier rijden bussen, fietsers en taxi's. Er zijn ook wandelaars. Vandaag durf ik niet naar buiten te kijken: de brandnetels werpen een schaduw naar rechts in plaats van links terwijl het pas halfdrie is! Achter een boom steekt iemand steeds zijn hand op. Het gekkenhuis is betoverd! Daar rijdt een bus het terrein op, en het is gewoon lijn 41 van Leiden naar Katwijk! Ik durf niet meer te kijken en sluit de gordijnen juist op het ogenblik dat er een grote doorzichtige plastic doos vol met moeren en bouten voorbij het raam komt zweven. Het is nu donker in het vertrek en ik ontsteek de lamp, het licht in de duisternis. Er hangt één schilderij in het kamertje, een gondelier die een gondel voortduwt door een modderig kanaal tussen twee rijen krotten. Over het water heen is een waslijn gespannen waaraan onderbroeken en hemden hangen. Het is net of het water, de lucht, de gondel, de man, de krotten, de hemden en de onderbroeken boven het water allemaal geel zijn. In de verte zie je een heel brede lagune. Ik kijk goed naar het schilderij. Vlak bij de gondel steekt iemand zijn hand uit het water. Griezelig. De schilder is misschien iemand die de *Icarus* van Breughel na heeft willen maken. Maar hij is een kitsjschilder. Ik kijk naar het hoofd van de gondelier. Een patiënt heeft het hoofd met een sigaret weggebrand. Er zit daar gewoon een gat in het doek... Het is donker. Boven me hoor ik lopen. Ik ga op een stoel zitten, slaak een zucht en geeuw. Niet laten merken dat ik me niet op mijn gemak voel. (Kan ik dit verhaal niet beter in de verleden tijd schrijven? Ik zit nú gelukkig en tevreden op mijn eigen kamer, wat een onzin. Als ik al honderd jaar dood ben zal iemand een boek uit de vuilnisbak vissen en een zin van mij lezen: 'Vandaag praat ik beslist niet over mijn moeder!' Ik ben dan verrot en verteerd en mijn moeder ligt niet naast me. Verdomd, daar heb je weer zoiets, ik moet nog dood. Laat ik me in mijn kist niet hoeven schamen wegens aanstellerij: verhalen in de tegenwoordige tijd zijn kletskoek. Ik zit nu toch niet in dat kamertje op de polikliniek.) Ik hoorde voetstappen. Een man kwam binnen. Het leek een heel gewone man. Ongeveer net zo groot als ik. Een snorretje, een burgermanspak, peenkleurig haar, grijze ogen, gewoon haar, pas nog naar de kapper geweest. 'Ik doe de gordijnen open en de lamp uit,' zei hij, 'vindt u dat goed?' Ik zei niets. Ik had zin om de man een schop te verkopen. Waarom moet een gek er zo afschuwelijk normaal uitzien? We zaten vijf minuten zwijgend tegenover elkaar. Toen begon hij over het weer te praten. Het was de laatste weken grijs weer geweest. 'Nevelig,' zei ik uit beleefdheid, 'en veel regen.' 'U slaat de spijker op zijn kop,' zei de man. 'Het regent maar, het mist maar, er hangen maar wolken voor de zon,' klaagde hij, 'een mens bekruipt gewoon de lust om naar het zuiden te trekken. Wilt u iets roken? Ik heb goede sigaretten.' Ik rookte van hem en vroeg of ze hem ook altijd over zijn moeder aan zijn kop zeurden. 'Bent u dan al bij de moederbinding?' vroeg hij, 'ik ben nog steeds bij het potje en het drollen smijten. Ik kan me er niets van herinneren. Verdringing. Mag ik u iets vragen?' vroeg hij. Ik zei niets en keek broeierig voor me uit. 'Hebt u dat artikel in het CS al gelezen over de ten-

toonstelling van Koopman in Parijs? Hebt u vandaag het *Finan-cieel Dagblad* gezien? Hebt u *De boerderij* al uit? Hebt u dat artikel van Durieux gelezen over de spanningen in het Oosten in *Le Monde*? Ik heb hier de *Herald Tribune*, Parijse editie van gisteren bij me, moet u even lezen, staat iets in over koningin Beatrix, niet best, het is wel aardig, het laat haar weer eens van een andere kant zien. En dat artikel over de magische kubus in *Der Spiegel* was heel aardig. Hebt u gelezen over de dreigende stakingen door de ver-voersbonden in *Newsweek* van twee weken geleden? Ik hou ervan om veel te lezen. Hela, hier liggen nog oude *Panorama's* en *Kuifjes* die ik nog niet gezien heb. Ik wacht wel tot u boven bent. Volgens *de Volkskrant* doet de Amsterdamse politie rustigmakende midde-len in de waterkanonnen. *De Volksgazet* uit Antwerpen spreekt het tegen. Weet u hoeveel plezierjachten er per jaar uitvaren in Oos-tende? Het staat in de *Waterkampioen* van deze week. Hier heb ik nog een *Trouw*. Die is van gisteren, daar wordt beweerd dat W.F. Hermans een nihilist is. Hebt u *Tirade, Hollands Maandblad, De Tweede Ronde, Raster, De Revisor, Maatstaf* van deze maand al uit? Ik houd alle bladen en kranten bij. Ik lees ieder weekend de *Haag-se Post, Vrij Nederland, Elseviers Weekblad, De Nieuwe Linie, De Groene* en *Hervormd Nederland*. Dan kijk ik iedere avond televisie. Kijkt u ook televisie? Moet u doen! Ik heb zes toestellen. Zes ver-schillende kanalen, kan ik alles tegelijk zien en als ik iets niet inte-ressant vind, lees ik de bijlagen van *Vrij Nederland* van voorgaande jaren. Leest u ook veel kranten? Tijdschriften? Kijkt u veel naar de televisie? Je moet er een hoop voor over hebben om bij te blijven.'
'Hou nu eindelijk je mond,' zei ik tegen de man, 'ik lees alleen af en toe een boek, als het een goed boek is. Er zijn maar tachtig boe-ken die ik goed vind en die herlees ik al mijn leven lang. Bij kran-ten heb ik het gevoel dat er iedere dag hetzelfde in staat. Mijn televisie is kapot en ik laat hem nooit meer maken. Het enige dat ik wil zien is het programma van Koot en Bie en dat zie ik wel bij de buren. Laat mij maar in mijn tuin zitten met een pijpje bier. Ik luister naar het ruisen der bomen en ik zie hoe de brandnetel en de springbalsemien groeit.' 'Maar dan bent u helemaal niet bij,' zei

de man, 'doet dat u niets?' 'Niets,' zei ik, 'en ik schaam me niet.' 'Leest u dan dit artikel in *De Telegraaf* van vandaag. Een prachtig bouwvakkers-schandaal wordt daarin onthuld.' Ik sloeg hem het blad uit zijn handen en werd bij de psychiater geroepen. De eerste persoon had ik gehad.

De tweede persoon was de psychiater. Hij ging zitten en vroeg of ik mijn jekkertje uit wilde trekken. Het was drie uur. 'Verdomd, Maarten, een trek dat ik heb!' lachte hij. Hij wachtte tot ik goed zat en een pijp had opgestoken. 'We zijn gebleven bij het rusthuis van je moeder en haar naderende dood,' zei hij. 'Ik vertik het om vandaag ook maar iets over mijn moeder te zeggen,' zei ik. Hij keek glazig. Hij dacht aan aardappels. Aan een bloedende biefstuk. Aan een goede Spaanse wijn. Hij zat een voorgerecht te verzinnen. Kreeftesoep. 'Toen je moeder eenmaal zeventig was ging het helemaal niet meer?' vroeg hij. 'Vertel nog eens hoe je bij haar in het rusthuis kwam en wat je dacht van haar perkamenten gezicht waar geen emotie meer op lag omdat ze de ziekte van Parkinson had en een verstijving van de gelaatsspieren haar het zichtbare huilen en lachen verhinderde?' 'Het zijn stuk voor stuk, allemaal zijn het zakken en idioten,' mompelde ik, 'zelfs met je psychiater kun je geen gesprek voeren.' Zijn hand maakte reeds bewegingen of hij een zwanehals gevuld met druiven omknelde. Zijn mond ging open om een geweldige pudding vol rozijnen en rum te verorberen. 'Maar je moeder was toch een lieve vrouw?' vroeg hij. 'Luister,' zei ik, 'daarnet heb ik iemand ontmoet die sprak over kranten lezen, tijdschriften lezen, naar de televisie kijken. Ik doe die dingen niet. Waarom heb ik die vent niet op zijn smoel geslagen? Omdat jij me rustigmakende pillen geeft.' 'Je moeder kon het orgel niet meer bespelen,' zei hij. 'Ik werd gek van het gebeuzel van die man,' mompelde ik, 'ik heb hem gezegd dat ik niets doe. Dat ik in mijn tuintje luister naar het groeien van de brandnetels en de springbalsemien, naar het ruisen van de noteboom en de pereboom. Ik luister naar de vogels. Als er een kind voorbijkomt of een oud mannetje maak ik daar een praatje mee. Mensen die altijd kranten lezen en altijd televisie kijken, die alle programma's willen volgen, moeten een draai om hun oren krijgen! Er is geen nieuws! Het nieuws is mijn nieuwe tuinhekje. Het nieuws is dat jij vanavond lekker zit te vreten en te zuipen en dan duik je met je vrouw in bed.' 'En toen gaf je je moeder een hand,' merkte mijn psychiater op. 'En niet alleen vandaag zo'n idioot,' zei ik, 'gisteren en eergisteren ook al.' Hij glimlachte. Hij zag nu heel duidelijk een tournedos met gebakken paddestoeltjes. 'Het was immers duidelijk dat ze je niet meer kon missen,' zei hij, 'als je eens in de twee weken kwam vond ze dat al weinig.' 'Gisteren bijvoorbeeld,' zei ik, 'toen kwam er een man op mijn kamer op kantoor, waarom spreken we nooit over kantoor of over Eva? Er kwam een vent op mijn kamer die zei dat de nieuwe Verlosser al sinds 1977 in den vleze een hoge functie bekleedt bij de Verenigde Naties. In 1983, in de maand augustus zal hij met twaalf discipelen handelend gaan optreden. Als dat niet zal gebeuren zal die vent, mijn collega, diep in de put zitten. En ik weet zeker dat dat niet gebeurt. De Verlosser komt niet. Wat verzinnen de mensen toch allemaal? Ik ben ook de Verlosser geweest. Nu is het afgelopen, ik kan het woord niet meer horen.' De psychiater lispelde 'blussen met koude Riesling en dan knoflook en Madeira'. 'Je speelde voor je moeder op het orgel een psalm,' zei hij, 'en dat terwijl je geen geloof had?' 'En of de duivel ermee speelt, eergisteren weer zo'n klootzak!' riep ik, 'weet je wat die beweerde? Het was zo'n moderne mens. Zo'n *Bres Planète*-figuur. Ik zag hem op een literaire bijeenkomst. "Deze planeet is heerlijk, man," zei hij, "deze planeet waar wij op leven is heerlijk, nee wás heerlijk, want over twee jaar is het afgelopen, dan gaan we naar de kelder, maar ik trek naar de Himalaya of naar Nepal. Daar is nog echte armoe en hennep en opium. Er is daar maar één autoweg. De rest moet je allemaal lopen, berg op, berg af. Daar vergaat de wereld niet. De wereld is een hel hier. Deze planeet is prima, man, maar dan moet je wel in Nepal zijn."' Mijn psychiater stak zijn hand uit naar een gemarineerd en gebakken niertje. Hij likte zijn lippen af, hij verslikte zich in de wijn. 'Wat een gelul,' zei ik, 'waarom nou nooit eens een behoorlijk gesprek? Het moet toch anders kunnen?' 'We stoppen er weer mee,' zei mijn psychiater, 'het is dus duidelijk geworden in deze zitting dat het niet je moeder zélf was aan wie je je ergerde, maar de ziekte die haar had aangegrepen. Je kunt je niet voorstellen wat een trek ik heb, man, ik hoop dat Hilde lekkere inkopen heeft gedaan. Overigens was dit een behoorlijk verwarrend gesprek, makker, je kletst maar wat, je moet bij mij eens wat meer op je qui-vive zijn, je kunt er niet van alles bij slepen. Recht door zee. We zijn nu bij je moeder. Zal ik een recept voor je schrijven?' Hij schreef een recept voor mij en ik wenste hem smakelijk eten. De tweede persoon had ik gehad.

De derde persoon komt nu. Ik liep de polikliniek uit en rende naar de bus. Ik miste hem op het nippertje. Nu moest ik een half uur wachten. Vijfentwintig minuten stond ik langs de rand van de grote en drukke Rijnsburgerweg. Allerlei verkeer spoedde zich walmend en ronkend van de grote weg Leiden in en in omgekeerde richting de stad uit de grote weg op. Veel fietsers, af en toe een bus, maar mijn bus wilde maar niet komen. Naast het bushuisje was een muurtje en daarachter zaten onder een hoge boom twaalf gekken rustig bij elkaar. Een van hen riep naar mij: 'Hij wil maar niet komen, hè? Je wacht toch op de bus? Moet je soms lijn 41 hebben?' 'Ja,' riep ik. 'Oh, die kan nu ieder ogenblik komen,' zei hij, 'ik houd het allemaal bij.' Op dat moment stopte er een klein geel autootje, een koekblik op wielen, zo'n auto die bij de jeugd erg geliefd is, ik geloof dat het een Renault vier was. De auto had een Frans nummerbord en ik kon daaraan zien dat hij uit Nantes kwam. De auto stopte vlak naast me. Voorin zat een Franse vooruitstrevende jongeman met zijn haar in een staartje. Zijn vrouw stuurde. Twee kinderen zaten achterin met kleine autootjes te spelen. Een leuk en vlot gezin. De man stapte uit en vroeg me: 'Vous parlez Français?' 'Parfois je trouve la juste expression,' zei ik grappig. Hij moest naar de Besjeslaan, maar het duurde heel lang voor ik hem begreep. Hij had het steeds over de 'Boulevard Bêchesse'. Ik begon hem in het Frans uit te leggen: 'Helemaal terug, tot het derde stoplicht, alsmaar rechtdoor rijden, dan tweede links, dan derde rechts, daarna zigzag', ik maakte met mijn arm een kronkelende slang-beweging, 'en dan is het de eerste links.' Ik moest mijn uitleg driemaal herhalen. Toen begreep hij het. Hij complimenteerde me met mijn goede Frans. 'Je viens de lire *La Nausée* de Jean-Paul Sartre,' zei ik met een vriendelijke glimlach, maar vergat te vermelden dat ik *Walging* in het Nederlands had gelezen. De man met het staartje, zwarte ogen, zwart haar, geel truitje, spijkerbroek, sandalen legde alles aan zijn vrouw uit. Ze stak haar hoofd uit het raampje en riep me 'Merci' toe. Daarbij glimlachte ze heel vriendelijk. Het autootje maakte een snelle draai over de drukke weg en verdween uit mijn gezichtsveld. De Fransen waren nog geen minuut weg of ik begon te weifelen. Was het niet na het derde stoplicht derde links, tweede rechts geweest vroeg ik me af in plaats van tweede links, derde rechts? Zoals ik het gezegd had zouden ze in Warmond uitkomen en nooit in Leiden! De vrouw zou zeggen: 'Laten we snel terugrijden naar die vent van *La Nausée*, Jean-Pierre, hij heeft ons belazerd. Jij moet hem maar eens een paar tanden uit zijn bek slaan.' Ik begon me achter het bushuisje te verbergen. In de verte kwam het autootje al aan. Ik sprong over het muurtje en ging bij de gekken zitten. Het was net zo'n autootje als van de Fransen en het had dezelfde kleur. Pas op het laatst zag ik het Nederlandse nummerbord. Maar ieder ogenblik konden ze nu toch echt komen! Toen kwam mijn bus. Ik was gered. In de bus viel ik in slaap door de werking van de rustigmakende pillen van mijn psychiater en pas drie kilometer voorbij mijn huis, bij het eindpunt, werd ik wakker gemaakt.

belevenis op een grasgazon aan de voet van het moderne hoofdgebouw van een inrichting voor geesteszieken*

Eens ging ik naar een inrichting om daar een oom te zien die ik nog nooit had ontmoet. Hij was daar vanaf zijn kindertijd geweest. Ik ging erheen omdat mijn moeder dood was en ik me op een avond, toen ik alleen in bed aan haar lag te denken, herinnerde dat zij een van de weinigen in onze familie was die haar uit de maatschappij gestoten broeder regelmatig een bezoek bracht. Toen ik mijn oom een hand gaf en hij, schokkend met zijn bovenlichaam en zijn gezicht in een onmogelijke grijns vertrekkend, moeite deed zich voor te stellen wie hij nu eigenlijk voor zich had, vertelde een verpleegster me dat er in geen drie maanden bezoek voor hem was geweest. Omdat ik de dag voor mijn komst had opgebeld dat ik eraan kwam, hadden ze hem een zondags pak aangetrokken en hem een dag vrij van bezigheden gegeven. Ik liep met hem tussen de barakken door, over grote gazons en tuinderskassen in de richting van het hoofdgebouw. Daar was een groep mannen die met touwen aan elkaar zaten vastgebonden. Een jongeman van ongeveer twintig jaar met een vlekkeloos witte jas aan liep voor hen uit: hij gaf de richting aan. Naar omhoog kijkend zag ik op de derde etage van het gebouw enige artsen zitten op een fraai balkon met een hekwerk van doorzichtig plastic. Zij nuttigden hun lunch in de zon. Terwijl ik me verbaasde over de architectuur van het gebouw, die gedurfd mocht heten: het stond op ranke poten,

* Dit verhaal heb ik in 1964, anderhalf jaar voor ik zelf gek werd, geschreven. In die tijd had ik inderdaad een oom die in een gekkenhuis verzorgd werd.

ja het leek zo weg te kunnen zweven, ontving ik een onverwachte stomp van mijn oom. Ik keek naar hem en zag over zijn schouder heen dat een van de gebondenen naar ons toe kwam lopen, beter gezegd regelrecht naar mij, dat was zijn doel. Wat zag hij in me? Door zijn pogingen hield hij iedereen op, bovendien trok hij drie mannen van wie er één gedurig hikte, met zich mee, weg van de troep en hun leider. Hij die trok, droeg een eenvoudige fondsbril maar in de ogen achter het bolle glas lag een heftige, opgewonden uitdrukking. Voor me stilstaande en zich niet storend aan de ruwe bewegingen van mijn oom (ik had koekjes bij me, in cellofaan verpakt) begon de man me streng en ernstig aan te zien, daarna hief hij de hand die hij vrij kon maken bevend op en wees met brede gebaren naar het gebouw, waarna hij de hand van diezelfde arm balde tot een vuist en hem enige malen op zijn borst deed neerkomen. Naar de trekkingen van zijn gezicht te oordelen had zijn emotie iets met lachen te maken, ik weet het niet. Onderdehand maakte hij knikkende bewegingen met zijn hoofd. Het maakte op mij de indruk van een bevestiging. Maar waarvan? Wat hij sprak aan woorden kon ik niet verstaan. Wellicht mompelde hij, misschien was het wel huilen. Ik trok mijn schouders op en liep, mijn oom bij de hand nemend, door. Achter mijn rug hoorde ik de witjas roepen. Naar mijn mening verdwenen de mannen om de hoek van het gebouw. Al wilde ik het wel, ik kon hen met mijn ogen niet meer volgen: er bevond zich daar een bosschage tussen ons. Niet in staat ben ik om te beschrijven op wat voor manier het zacht roffelend geluid van hun voeten langzaamaan minder en minder hoorbaar werd. Ik hoorde hoe de jongeman degenen die onder zijn hoede stonden toeriep om te gaan zitten. Honderd meter verderop, vlak in de buurt van een sigarettenautomaat (ik heb niemand in de inrichting zien roken, wel een keer een verzorger en ook een kruidenier die met zijn bakfiets over een smal grindpad langskwam, het is mijns inziens ook billijk dat de patiënten niet roken), liep ik een van de directeuren van de instelling tegen het lijf. Ik kende hem vaag: ik kon hem pas in mijn bewustzijn en herinnering plaatsen toen hij vlak bij me stond. Hij is getrouwd met een van mijn nichten van vaders kant. 'Een zot geval,' begon deze tegen mij, 'je wist zeker niet wie die man daarnet was, die man aan het touw.' Hij trok daarbij een gezicht alsof hij een aardig raadsel opgaf dat waard was te worden doorverteld. 'Dat was namelijk B. en het gebouw waar hij naar wees, het hoofdgebouw, heeft hij vier jaar geleden ontworpen, het toeval echter wilde...' Dat was het! Ik luisterde al niet meer, stak een sigaret op en blies de rook in het gezicht van de zwetser. De hele dag bleef ik vriendelijk en lacherig tegen het lopende vlees dat door omstandigheden mijn oom moet heten, ja, vaak bood ik het nog iets lekkers aan. Maar men had de poort van de inrichting nog niet achter mij gesloten of ik barstte in tranen uit.

De angstkunstenaar

Ja maar, zou je in ieder geval kunnen zeggen, ja, je zou het kunnen vragen als je er maar lang genoeg over had nagedacht, maar van tevoren wist je natuurlijk al zeker dat er helemaal niemand was die er antwoord op kon geven, want waar is wijsheid? Iemand aan wie je het vroeg zou kunnen zeggen: 'Niet kakelen, maar eieren leggen, ook kruimels zijn brood', en weer was je niet tevredengesteld, hier zit ik nu met mijn handen in het haar op mijn kamer in de nacht want helemaal donker is het niet, wie heeft die lamp dan aangestoken? Ja maar, daar komt het kind en het kind wrijft over zijn neus en kijkt je olijk aan, het weet al dat het iets gaat vragen waar niemand antwoord op weet. Ja maar, vraagt het, zou het niet zo kunnen zijn dat in een afgelegen straat, in een afgelegen huis een oude man te midden van zijn familieleden zit..., hij wrijft zijn handen door zijn haar en bepeinst ineens met schrik dat hij nooit iets heeft begrepen, zo iemand zou hij kunnen zijn, gewoon een oude man, hoewel hij in dit geval dan alles tot het uiterste heeft doorgedacht. Hij wrijft zijn handen door zijn haar en het haar geeft mee als zacht zeewier, nee! het is niet zacht en licht, maar zwaar en keihard. De man heeft zijn leven lang zoveel gedacht, de oude man, wij geven hem hier geen naam. Want die naam zou eigenlijk iedereen moeten zijn, ik heb daar mijn gedachten over. Alleen dat haar. Kent u zelf niet de zwaarmoedigheid, de angst, ik bedoel de angst die aanhoudt, niet de schrik, die komt als een bliksemflits en is weer weg en dan is alles weer gewoon. Je hoort bijvoorbeeld een kind zeggen: 'Het huis is ingestort, waren er ook levenden in?' Nee, ik bedoel de angst van het niet meer begrijpen, van het niets meer begrijpen, de angst de zwaartekracht haar geheim te ontfutselen, te snappen wat een bureaublad is, wat een speldeknop en wat wroeging, schuld en pijn. Is er wel iets, zijn wij niet allen gedroomd of misschien iemands herinnering? Ja ja, wij troosten ons met een Lieve Heer en het kind doet voor het slapen gaan zijn gebedje, het gaat op zijn gewone, immers zo gewoon aandoende, mollige knietjes liggen, voor zijn bedje en het prevelt woorden, wij verstaan het als woorden en als het 'Amen' heeft gezegd springt het jolig in bed en verdwijnt haast helemaal onder de dekens, wij doen het licht uit en het kind kent geen angst. Het slaapt binnen twee minuten in en iedereen, ook de oude man, zegt: 'Kijk wat leuk, daar is een slapend kind.' Een kindeke, net een engel. De oude man echter is oud geworden met beuzelarijen. Vanavond zegt hij niet bij de thee: 'Waar is mijn eigen lepeltje nou?' Hij wrijft zich in zijn haar, zijn handen gaan door de haardos. De haardos niet als zeewier. Wat is haar eigenlijk? Zijn haren niet de uitwendige concretisering van onze hersenspinsels? Van griezelige gedachten waarvoor in onze hersenpan geen plaats genoeg is? Vlak bij de hersenen, waar waarschijnlijk gedacht wordt, is het haar. En het leven is angst en onbegrip, wij leven zo ondeskundig. Je hebt een hele roman verzonnen, honderd romans, en vele mensen hebben je hun roman of hun verhaal verteld en met afgrijzen, afschuw, schrik, angst en beven heb je alles aangehoord. Je hebt eens op straat gelegen, de straatverlichting was uit, er waren geen wolken, en toen kon je zo goed de miljarden sterren zien. Dat heeft je krankzinnig gemaakt. Een korrel is uit je hoofd gekomen, een korrel angst, zwaar als de aarde maar klein als een speldeknop, het was een stukje haar, en de volgende dag zit je op kantoor, je zit achter je bureau en je hebt je opgesloten, zoals altijd. Ze kunnen je niet ontslaan, maar er is geen werk en daar lig je te snikken als een mens die niet verder kan. Je armen gespreid op het bureau, het hoofd er precies tussenin, er zijn geen gedachten, er is chaos en schrik en angst en onderdehand heb je niets te doen. Acht uur lig je zo met je hoofd, iedere dag, soms gaat het lichtje van de telefoon branden, maar de telefoon zoemt nooit voor jou want niemand heeft je nodig, je denkt dat je op kantoor bent maar niemand ziet of kent of ruikt je. Zo lig je met je hoofd op je bureau. Je moet geluidloos wenen want anders horen de 'anderen' het, je moet 'zijn'. Je voelt je voeten, ze staan de hele dag zo stil dat ze nu al reiken tot het einde van het heelal, je handen zijn de zon en Sirius, en je neus is de maan. Ja, mijn maan is mijn neus, denkt de oude man, maar hij laat zich door die gedachte niet afschrikken. Waar de 'anderen' mee bezig zijn, dat begrijpt hij niet. Het is een wonder dat hij nog leeft, merkwaardig dat hij nu niet zingt of neuriet. Als kind huilde je toch ook, totdat eindelijk moeder kwam om je te troosten. Haar vleugels zag je niet. Zo is het geweest met de oude man. In het begin was er nog wel werk, maar toen was er niets meer en hij kon niet ontslagen worden. Vroeg opstaan, met de bus naar kantoor. 'Vlug chauffeur, anders kom ik nog te laat.' Je bent er eindelijk en dan is er niets, een lege kamer, een kast en een stoel en een bureau en een telefoon. Je houdt je muisstil, geen koffie drinken met de anderen, geen thee, niet pauzeren voor een wandeling, niet pauzeren om in het restaurant te gaan eten. Je denkt aan de oorlog, aan de martelingen, aan de honger en de dorst. Dat zand waar je zojuist doorheen bent gelopen, vlak voor je het gebouw binnen ging, de straat was opgebroken, je hebt gewoon op het zand gelopen, heeft dat niet toevallig ooit in de woestijn gelegen, kroop daar niet een verdwaalde in de brandende zon, zonder een 'ander' in de buurt, een verlatene? Hij heeft geroepen: 'O, een druppel water!' maar die druppel was er niet, het werd donker, het werd licht, zijn voeten en handen tastten rond of ze ook een heel kleine bron konden vinden, allemaal korrels, kleine spierwitte of een klein beetje gele korrels, miljarden korrels en daartussen een mens met zijn angst en zijn dorst. En het werd licht en het werd donker en weer licht werd het en toen hapte de man zand en hij kreet lang, een uur lang schreeuwde hij en toen begon hij te verdrogen en is hij langzaam gestorven, hij bleef maar op zijn plekje omdat de woestijn te groot was en omdat de afwezigheid van 'anderen' te opzichtig was..., daar heb je op gelopen, op hetzelfde zand en nu zie je dat glas water voor je, jij. De oude man op het kantoor, hoeveel mensen zijn niet in zee verdronken? Kan het niet zijn dat iemand is gestikt in het zoute water dat wolk is geworden en regen en als water is gevallen dat jij zit te drinken? En dan de misverstanden en de nachtmerries, en iedere keer komt er een korrel uit je hoofd, klein als een speldeknop, kleiner nog, en de bezwarende gedachte is kleiner dan een zandkorrel, zwaarder dan de hele wereld en alle mensen en dingen en gedachten tesaam en zo groeit al die angst tot een haar. En er groeien in de loop der tijd duizenden haren op je hoofd. O, wat is de kapper lankmoedig of is hij juist de scherprechter? Alles valt op de grond, twee plukjes, de schaar knipt weer een plukje haar, de vloer van de kapperszaak breekt niet knallend in stukken. Als de kapper klaar is houdt hij een kleine spiegel achter je hoofd en vraagt: 'Zo goed, meneer? Mag ik dan even afrekenen?' Je geeft hem geld en hij is tevreden. Maar zo is het niet. Hij is nog niet klaar, hij veegt je haar in een hoekje en dan begint hij aan een nieuwe klant. Ja, dacht de oude man, ik moet toch wat duidelijker worden, wij worden opgejaagd als het hert door de jager. Wij zitten in de val en moeten leven. Op een keer bel je op naar je vrouw en je zegt door de telefoon: 'Ik heb overwerk.' Iedereen overkomt dat weleens en je kunt dan tegen je buren zeggen: 'Ik heb verleden week overwerk gehad, het is ook zo druk op kantoor.' Dan lig je nog langer met je hoofd op het bureau en je weent geruisloos. Je hebt niets omhanden. De 'anderen' mogen het niet merken, je mag ze niet storen. Dan komt er weer een korrel bij, een duizendste van maar één haar en die avond kijk je naar de televisie en van afschuw en angst groeit er een hele haar bij. Je billen stevig op de bureaustoel geplant, je hoort achter de deur de telex ratelen, de telefoons zoemen en rinkelen, deuren worden opengedaan en dichtgetrokken, zakengesprekken worden gevoerd, iemand fluit op de gang en roept: 'Eindelijk thee', iemand zingt op de gang, er wordt een venster geopend, er wordt op schrijfmachines gerateld, de telefoon gaat weer, je buurman hoor je roepen: 'Ja, kóm maar binnen!' 'Zeg, wat een bedompte lucht hier, ik zou het raam eens opengooien,' hoor je de ander zeggen. Mijn buurman is een beetje kaal. Misschien heeft hij minder angst. De angst wil bij hem niet meer groeien. Je denkt aan wat er dagelijks in gekkenhuizen gebeurt, in de operatiekamers, in de folterkamers over de hele wereld, en je krijgt haar. Onder de bruggen langs de Seine wordt honger geleden en daaroverheen rijdt een vrouw, een prachtige vrouw, ze rijdt in een Rolls Royce over de brug en kust een dieprode roos in het donker, ze drinkt wijn van het pauselijk slot. Ze weet van niets en dan komt er weer zo'n korrel uit je hoofd. De oude man moest zijn zieke, argwanende, gierige moeder verzorgen, vier jaar lang, toen hij jong en gek was. Ook daardoor zijn een paar haren gegroeid. Nu is het elf uur. Hij is oud. Overdag geen werk. Hij heeft overdag naar de rivier zitten kijken en naar de wolken. Nu wil hij geen thee. Hij draait zich om in zijn stoel en staat plotseling op. Dan begint hij in zijn jaszakken te graaien. Hij vindt een dubbeltje, maar weet niet meer wat het is. Hij kijkt verbaasd naar de hiëroglïefen op het zwart uitgeslagen ronde stukje metaal. Is het een batterijtje voor een modern horloge, is dat kleine ronde, niet zo zware dingsigheidje een onderdeel van een machine, is het een doorsnede van een kogellager, is het een zilveren en kleine damsteen, kun je er het kinderspel 'vlooien' mee doen of is het gewoon een pil, een pil tegen de angst? Hij hoort de gesprekken. Nooit heeft hij de gesprekken begrepen: 'Ik zeg tegen de kruidenier: Doe het nou in een puntzak; hij zegt: Maar die zijn uit de mode, alles is nu standaard en ze worden ook niet meer aangeleverd; ik zeg tegen hem, ik zeg: Maar je verkoopt ze wel onder de toonbank hè, aan mensen van je eigen kerk; hij zegt: Nee mevrouw, ik zweer het u, ik ben blij dat u mij begunstigt, weet u, alles is gemechaniseerd, het gaat niet anders meer; ik zeg: En tóch doe je het maar in een zakje; hij heeft zijn schouders opgehaald en heeft de biet toen in een krant gewikkeld en ik wilde nog wel gekonfijte dadels hebben.' Op kantoor heeft hij een vergadering bijgewoond: 'Omdat meneer Deutekom er niet is gaan we meteen over naar punt zes A van de agenda. We heten hartelijk welkom de heer B die zich zo weinig laat zien. Het grote probleem van de affiliatieziekenhuizensyndroom-theorie in diazorie komt op ons over als een bottleneck die wij met econo-

misch-ecologische motieven van de minister niet alléén verotase-
ren kunnen, wij zijn er zelfs op tegen en ook kan de computer-
gestuurde kantoorkracht niet dermate gebundeld worden dat
daaruit meer formatieplaatsen ontstaan zodat wij, en dat weten
wij al zo lang, zodat wij bijvoorbeeld niet eens meneer B kunnen
ontslaan. Papier en potloden liggen voor u, kan het kamermeisje
binnenkomen? Er is thee. Buigen wij ons over dit probleem. De
prinses zal aanwezig zijn bij de opening van het nieuwe paviljoen,
maar onze onze... digitaal of analoog?... onze... onze... ehhh' (het
stamelen is een manier geworden om tot wederzijds begrip en begrijpen te komen, vroeger waren de helden halfnaakt, nu zijn ze
naakt) 'hier schors ik voor een ogenblik de vergadering.' De oude
man denkt na. Hij denkt na over zijn reizen. In Caïro wonen alleen al zestien miljoen mensen, maar zijn er ook gebakjes? Hoewel de hoeveelheid soep in de Kaspische Zee geweldig groot is
kunnen wij toch niet de hele wereldbevolking ermee voeden en
ligt Caïro naast Nieuwe Beerta? Ze hebben daar toch een weg
aangelegd? O ja, o ja, o ja, een luchtweg. Hij denkt aan al die dingen, aan die dingen denkt de oude man, te midden van zijn familie. Een kleinzoon zit met een rekenkundig probleem. Stel: een
fietser rijdt van A naar B met een gemiddelde snelheid van tweehonderd kilometer, van B naar A terug gaat hij op de grond zitten. Hoe kun je meteen vaststellen dat de gemiddelde snelheid
over de hele reis minder dan vijftig kilometer is? De man kijkt
naar zijn dubbeltje en naar het leerboek. Hij slikt het dubbeltje in,
dan roept hij iets vreemds. Zijn haar is nog altijd zwart en wordt
niet meteen spierwit. Hij vindt het heel gewoon dat zijn hart het
begeeft, maar hij weet dat je de mededeling een beetje pathetisch
moet brengen. Dan komt er een ziekenwagen. Die rijdt vier keer
met je door de stad. Op de ziekenwagen is een klok, een kerkklok
en die beiert maar. Sommige mensen zeggen: 'Het is een bruiloft',
andere: 'Angst', andere: 'Een begrafenis', andere: 'Het is een jubi-
leum', andere: 'Daar wordt iemand naar het ziekenhuis gebracht.'
Ding dong dong dong dong dong dong! dong! dong! dong!
dong! dong! dong!!! gaat het straat in straat uit, singel op singel

af, boulevards worden gekruist, een botsing met een dronken automobilist wordt nét vermeden, een rat wordt doodgereden, een poes weet te ontsnappen, acht voorbijgangers weten zich in een portiek te drukken, dong dong dong dong! dong! Je zou er in de auto als patiënt banger van worden dan je al was. Het ziekenfonds heeft het zo geregeld dat je ook als fondspatiënt direct naar de operatietafel kan. Hartslag wordt gemeten. Vierhonderd slagen in de minuut. 'Dat kan niet,' zegt de chirurg. 'Verhoogde temperatuur, hart gaat als een gek tekeer,' zegt de chirurg, 'opereren maar.' De beul komt binnen en verlost de patiënt uit zijn lijden. Het hoofd rolt op de grond. Nu bekommert het hoofd zich niet meer om zijn haar. Het hoofd met het haar uit de neus, uit de oren en het gewone haar weegt iets meer dan twee kilo en drie ons en tweeëndertig gram. De enige manier om een hoofd te kunnen wegen, je moet het eerst afhakken, wetenschap, o wetenschap. En zwaartekracht dan? De operatie is geslaagd, de patiënt is overleden. Het hoofd wordt weer aangenaaid, je ziet er niets van. De oude vrouw, de kinderen, de kleinkinderen, één met het natuurkundeboek nog in zijn handen, komen op bezoek, hij ligt opgebaard. 'Wij hebben altijd gespaard voor teraardebestelling, er zullen twaalf volgauto's zijn.' Nu is de oude man eindelijk bevrijd van zijn angst en pijn, hij mag dood zijn. De anderen hebben nu ieder hun verschrikkingen en pijn, ze leven eigenlijk haast net als de oude man het heeft gedaan, maar ze zeggen: 'De angstkunstenaar is gestorven, Godzijdank heeft hij nu rust, het is zo maar het beste.'

Dan vergaderen ze weer om het niet uit te krijten van onwetendheid en het Grote, de angst. Anderen gaan door met het sarren, plagen, kwellen en martelen van mensen. En de kinderen gaan naar de amusementshallen en de danszalen, ze schreeuwen om te vergeten en ergens leest een man op een stille kamer in de nacht zijn Dichter, om te kunnen vergeten. Morgen rijden er weer auto's, de garages zullen werken, de grote winkelcentra worden opengegooid en het zal regenen. Fabrieken, kantoren, bibliotheken en universiteiten zullen werken. De mensen zullen

met ernstige gezichten over straat gaan en zeggen: 'De angstkunstenaar is gestorven, wat een weertje anders hè? Hoe gaat het?'

Over de moeilijkheid van het zegenen

Wij zijn een goddeloos volk en wij zijn daar trots op, misschien juist te meer omdat we vroeger niet goddeloos waren. Nu kan het zijn dat iemand ons vanuit de hoogte beschermt en zo iemand schijnt er inderdaad onder ons volk te zijn. Er is een man in de hoofdstad en die gaat soms aan zijn raam staan, de legende zegt dat het raam altijd open is, midden in de nacht komt die man uit bed en gaat aan het raam staan en geeft ons dan de zegen. Sommigen beweren dat hij zijn hand naar het Noorden opheft en zo een paar seconden blijft staan, het schijnt te zijn dat hij dan denkt: Ik zeg u, mijn volk. Niemand heeft de man ooit gezien terwijl hij zegende en velen van ons menen dat wij een dergelijke zegen niet nodig hebben. Als je die man die de zegen geeft vraagt: 'Wat doet u nu eigenlijk?', dan antwoordt hij: 'Ik doe niets en ik heb eigenlijk nooit iets gedaan. Hoe zou ik nu de zegen kunnen geven als ik ooit iets gedaan had? Mijn vader heeft ook nooit iets gedaan, mijn grootvader ook niet en diens vader ook niet en zo gaat het door tot wij ons verliezen in de grijze nevelen van de tijd. Maar gaat u liever weg, ik kan dit gesprek niet verdragen, gisteren sprak een bakker mij nog aan en het duurde lang voor hij begreep dat ik niet met hem onderhandelen wilde over een brood of een kadetje. Mijn vrouw, mijn dochter, de bediendes zorgen voor dat soort dingen,' – hij veegt met zijn mouw over zijn voorhoofd hoewel er helemaal geen zweet op staat – 'denkt u toch niet te licht over dat soort dingen, ik weet het alleen van mijn vader, ik was de enige zoon en hij is eigenlijk zijn hele leven bezig geweest om mij de kunst bij te brengen. Kijk, of er goden zijn of niet, dat weet ik niet zeker, maar iemand moet toch de zegen geven? Ik weet wel dat er mensen zijn die onoordeelkundig over mij spreken en ik zeg u, ze hebben het niet bij het rechte eind, want het is niet zo eenvoudig wat ik doe. Ik moet altijd maar aan één ding denken en dat is tegelijk de voorbereiding tot de zegening. Mijn vrouw vraagt me weleens, midden op de dag: "Wil je dit gordijn even vasthouden?", ik doe dat dan weliswaar, maar die nacht kan ik niet mijn taak verrichten, dan ligt alles in de war, in gewone zaken moet ik niet gemengd worden. Het komt weleens voor dat iemand zegt dat daar op tafel een aardige sleutel ligt en ik zie die sleutel niet, ik zie hem niet omdat ik anders ben. Natuurlijk had ik ook niet anders kunnen zijn, want dan was ik meteen niet opgewassen tegen mijn taak. Zo ga ik bijvoorbeeld naar kantoor, iedere dag weer wandel ik naar kantoor, ik ben daar soms drie minuten, soms vier uur, maar de mensen daar in de buurt zouden niet aan me moeten vragen om het een of ander te doen, dan kan ik het niet, pakjes dragen doe ik ook niet, een tas dragen is me al te zwaar, een boodschap kan ik niet overbrengen, ik ben de deur nog niet uit of ik ben alles al vergeten. Ik zie eruit als iedereen, ik draag pakken, overhemden en sokken. Maar dat is om niet te veel op te vallen. Ik woon in een gewoon huis zoals u ziet, ik heb een vrouw en kinderen, ik heb boeken. Ja, eigenlijk kan ik maar één ding, dat is overdag slapen en 's avonds lezen in mijn boeken, het zijn weinig boeken die ik lees en ik ken ze goed. Ik weet eigenlijk niet waarom ik ze lees maar ik wil er niet bij gestoord worden. Ja, je zou kunnen zeggen dat ik de boeken uit mijn hoofd ken. Ik neem ze weleens mee naar kantoor en daar denken ze dan dat ik achter wetboeken zit, het zijn namelijk allemaal dikke zwarte boeken, maar wat erin staat is niet de wet, het zijn gewoon geschiedenissen zoals je ze overal kunt kopen, misschien is het wel zo dat je bij de kruidenier voor een kwartje al betere verhalen koopt dan ik lees, maar ik zit aan mijn eigen verhalen gebakken. Zo weet niemand hoe ik eigenlijk leef en hoe ik denk. Ik ga naar kantoor en ze zeggen dat ik daar werk. Niets is minder waar, want op kantoor zou ik nooit mijn hand zegenend op kunnen heffen, voor een geopend raam, en dat is nu juist mijn werk. Mijn vader heeft altijd gezegd dat ik mijn werk goed moet doen en dat ik alles moet doen om te verhullen dat ik af en toe zegen. Ik geloof zelf eigenlijk dat haast niemand, helemaal niemand mag ik hopen, weet van mijn werk, u schijnt een klein beetje op de hoogte te zijn, maar echt begrijpen doet u het toch niet. Mijn vader zelf begreep niet wat hij deed of hoe hij het deed, maar hij heeft me altijd voorgehouden: Iemand moet het doen, anders gaat het verkeerd bij ons. Mijn vader was een statige man. Mijn grootvader droeg nog een stijve boord. Ik heb mijn grootvader ook nooit iets zien doen. De boeken die mijn grootvader las waren weer heel anders dan de boeken die ik lees, want als je de gave hebt, en het is vreselijk om de gave te hebben, dan loop je toevallig als het ware tegen die boeken aan. Toen mijn vader nog leefde had ik al wat boeken, maar ik wist dat het er niet genoeg waren, ik spreek nu niet over een zekere wijsheid, maar over iets anders, je voelt op een zeker ogenblik wat het getal van de boeken moet zijn en hoe dik ze ongeveer moeten zijn. Eigenlijk weet je de inhoud en aard van de boeken van tevoren al. Op mijn zesde jaar wist ik al dat er een boek zou komen waarin de volgende regels voorkomen: "De archivaris stond aan het raam, het raam was open, het begon te donkeren, hij keek uit over de klotsende rivier, in de verte stak een sleepboot zijn steven onder een brug, het begon te waaien." Dat boek is er gekomen. Toen mijn vader gestorven was, had ik juist de laatste zinnen binnengekregen. De laatste zin die ik nodig had in een boek was: "En haar tepels wezen naar God." Hoe het mogelijk is weet ik niet, maar ook dat boek is er gekomen. Stelt u zich voor dat ik u nu iets probeer uit te leggen terwijl ik aan alle kanten door vlooien word gestoken, u ziet de vlooien niet, maar mij steken ze, het lijkt wel of ze aangesteld zijn om me lastig te vallen. Maar op geen enkele manier laat ik me door die beesten in de war brengen, want alles wat ik tegen u zeg, heeft niets met de zegen te maken. Als ik de zegen geef, dat kan ik in het holst van de nacht voor een open raam, ik zegen het liefste naar het Noorden, maar het kan ook dat ik overdag in bed lig, diep onder de dekens, terwijl ineens een stem in mijn binnenste zegt: Doe het nu maar, dan mag ik beslist door niets gestoord worden, niet door een radio, niet door een knallend rotje, niet door een kus van mijn vrouw, niet door een plooi in het laken, niet door de beet van een vlo. Hoe minder er in mij is, hoe beter. U moet namelijk weten dat ik de krant niet lees, nog nooit heb ik de krant gelezen, ik heb weleens in het voorbijgaan een televisie in werking gezien, maar zo'n toestel in huis hebben zou de sfeer bederven, ik kijk niet. Er moet namelijk helemaal niets in mij zijn, want eerlijk gezegd, ook als ik in het holst van de nacht de boeken lees is er niets in mij, niets in mijn geest...' en zo kan die man uren spreken, maar wat hij eigenlijk bedoelt, daar kom je nooit achter en het is ook niet de bedoeling dat je erachter komt want een mysterie dat een wetenschappelijk feit is geworden houdt op een mysterie te zijn. In ieder geval is het zo gesteld dat nu wij toch een goddeloos volk zijn er velen onder ons opstaan die zeggen en ook werkelijk menen dat wij de zegen van die man niet nodig hebben. Er wordt de laatste tijd veel over gesproken. En is het eigenlijk geen schande dat een man zijn hele leven niets uitvoert? Stel je voor, hij heeft een huis, hij beweert dat hij iedere maand een grote som geld nodig heeft voor zijn bomen, zijn vrouw en kinderen en zijn vee. Hij woont midden in de stad, waar heeft hij dan vee voor nodig? De noten vallen van zijn bomen, de peren, de pruimen, niemand raapt ze op. Die man zit in de tuin, hij kijkt naar het verkeer en hij mompelt in de zomer: 'Dat verkeer, dat raast maar.' Hij drinkt in de schaduw bronwater en rookt af en toe een sigaar. Hij schaamt zich beslist niet dat hij niets uitvoert want hij gelooft in zijn gave die tegelijk een opgave en een kwelling is. Die man ziet er gewoon uit, en hij spreekt gewoon. Het is helemaal geen dikdoenerige figuur en hij vindt dat zijn taak op zichzelf niet veel voorstelt. Maar als je hem vroeg om nu eens iets te gaan doen of tenminste iets anders te gaan doen, dan zou hij je uitlachen en je vragen: 'Hoe dan?' Eigenaardig is dat nog nooit iemand hem de zegen heeft zien geven. Veel mensen denken dan ook dat hij een ergerlijke luilak is. Hij zit in zijn huis en verschanst zich daar, hij houdt van goede worst, van goede wijn, de lekkerste hapjes zijn hem nog niet lekker genoeg, het liefste eet hij buiten, want hij moet bediend worden. In onze tijd zijn er weliswaar helemaal geen bediendes meer, maar hij heeft ze wel. Je zou menen dat je voor zoiets toch moest werken. Nu kan men in het holst van de nacht langs zijn huis lopen, maar nog nooit heeft iemand hem zien werken. Men heeft hem nooit zien zegenen en of hij werkelijk 's nachts leest, dat is nog maar de vraag. Er zijn mensen die het niet meer met de gang van zaken eens zijn en die zeggen: 'Hij leest sprookjes en houdt ons voor de mal of onder de duim, wij willen niets meer met die man te maken hebben, in ieder geval willen wij hem niets meer betalen.' Nu kunnen ze dat wel zeggen, maar die man ontvangt zijn geld van de staat, je moet niet vergeten dat hij in zekere zin een instelling is en wel een instelling die misschien al duizenden jaren oud is. Wat doe je daar nu mee? En wie moet er bewijzen dat er goden zijn en dat die man inderdaad met de goden op goede voet staat en zodoende ons hun krachten kan doorgeven? Wij zijn een goddeloos volk en nu willen wij niet langer meer ge- zegend worden, 'en zeker niet door een luiwammes', zoals pas nog een kind achter zijn tol riep. Het kind is gestraft, maar zulke ge- dachten leven er veel onder ons volk. De man gaat om drie uur in de nacht naar bed, hij beweert dat hij van negen uur 's avonds tot drie uur in de nacht zit te werken. Dan wordt hij voorzichtig ge- wassen en in bed gelegd door zijn vrouw en zijn bediendes. Hij slaapt tot twaalf uur de volgende dag. De hele wereld is dan allang bezig te draaien. Kruideniers, bakkers, chirurgen, psychiaters, stra- temakers, verzekeringsmensen, iedereen heeft er om twaalf uur tussen de middag al een tijd werken opzitten. We gaan misschien steeds harder werken, het verkeer gaat toch ook veel sneller dan vroeger, de communicatiemiddelen van elektrische aard staan ons ten dienste. Vroeger rende er een bode van hier naar Japan met een bepaald bericht. Tegenwoordig bereikt dat bericht Japan in een breuk van een seconde, terwijl datzelfde bericht er vroeger maan- den over deed, vaak overleed de boodschapper net nadat hij zijn verhaal aan de geadresseerde had kunnen vertellen. Nu ja, daar gaat het nu niet om of liever, misschien is dat wel het belangrijkste van alles, alles gaat sneller en wij zijn een goddeloos volk geworden. Die man trekt zich daar niets van aan. Hij staat om twaalf uur op en laat zich weer wassen en aankleden, dan gaat hij ontbijten, hij doet daar twee uur over en de bediendes rennen in het rond. Hij kan ineens woedend opstaan en zeggen, hij zegt het met gebiedende stem en iedereen siddert voor hem: 'Dat zoutvaatje staat op de verkeerde plaats.' Het moet altijd zijn zoals hij het wil en het is niet makkelijk om het hem naar de zin te maken. Hij ontbijt lang en tegen tweeën laat hij zich dan weer in bed leggen. Zo slaapt hij nog tot vier uur in de middag, hoewel het meer een soort dromen of dommelen moet zijn. Dan eindelijk begint hij met wat er gebeuren moet. Hij laat zich weer aankleden en begeeft zich naar kantoor. Vaak is hij daar pas om kwart voor vijf terwijl hij om vijf uur alweer vertrekt. De mensen op kantoor weten niet wat ze met hem aanmoeten. Sommigen denken misschien wel: 'Het kan juist wel zijn dat hij híer de zegen geeft, maar waarom moeten wij hem dan betalen, als er dan toch goden zijn geven ze immers alles voor niets? Regen, zon, lucht, vuur, water, grond, alles is de mensheid voor niets gegeven, waarom moet die zegen dan zoveel kosten?' Hij komt met een heel gewichtig gezicht op kantoor en roept iemand. 'Ik heb de lift nodig,' zegt hij. Dan wandelt hij eindelijk naar zijn kamer en ontsluit de deur. Hij gaat naar de radio luisteren, maar alleen als er muziek van Mozart is, hij kijkt in plaatjesboeken. Er komen mensen voorbijrennen, ambtenaren met hun armen vol papieren, de telefoons ratelen, de telex zoemt, deuren slaan dicht, hier en daar is druk gepraat, mensen gesticuleren tijdens de vergadering, ze zoeken naar woorden, maar *hij* doet niets. Ten slotte gaat hij weer naar huis. Ze zien hem weleens wandelen in de stad. Ze vragen hem dan: 'Waar komt u vandaan?' en hij antwoordt: 'Ik ben op kantoor geweest.' Zo wandelt hij naar huis. Onderweg ergert alles hem. Hier schuift hij een bananeschil in het water van de gracht, daar weer raapt hij oud papier, een zakje of een stuk krant op om het ergens in een prullenbak te stoppen. Thuisgekomen rookt hij eerst een pijp, daarna gaat hij uitgebreid eten en drinken, na de koffie maakt hij een kleine wandeling met zijn hond, daarna rookt hij nog wat en drinkt nog meer koffie en likeurtjes. Hij eet alleen snippen en kwartels en die moeten uit Rusland worden aangevoerd, iets anders wil hij niet eten, geen ander vlees. Een haring versmaadt hij maar steur wil hij wel eten. Tegen negenen begeeft hij zich naar zijn kamer en zegt tegen zijn vrouw: 'Ik moet nu werken.' Dat is zijn leven. Zes uur lang in de nacht zit hij misschien sprookjes te lezen en de zegen geeft hij waarschijnlijk niet. Hij geeft hem maar eens in de maand. Zeker, hij is een instelling, maar wij hebben lang genoeg gebukt moeten gaan onder dit zware juk, nu willen wij ervanaf, hij moet gewoon gaan werken, laat hij loonstaten bijhouden of iets dergelijks, misschien kan hij dat niet eens, anders moet hij maar koplampen in elkaar zetten op de maatschappelijke werkplaats, daar zijn die inrichtingen toch voor. Wij zijn een goddeloos volk en iedereen werkt, daarom hebben wij de zegen van een dergelijke slapjanus niet nodig, als het tenminste wel een zegen is. Hoeveel mensen zouden het niet prachtig vinden om veel geld te verdienen door overdag in bed of in het holst van de nacht voor het open raam de zegen te geven. Je zou haast zeggen, ik geef ieder uur de zegen, want het is nogal makkelijk, je heft gewoon je rechterhand op naar het Noorden en zegt dan: 'Ik zegen u, mijn volk.' Dat zou je makkelijk ieder uur kunnen doen, even je hand opsteken en zegenen en als het dan ook nog in bed kan, je wordt even wakker en je doet het. Ik ben die mening niet toegedaan want ik heb juist een geschrift van die man gelezen:

'Ik had mij uren, dagenlang voorbereid om nu eens de hele wereld te zegenen, op een gegeven moment wist ik dat het zover was, het was bij het opstaan, vlak nadat ik mijn pillen had geslikt, als ik geen pillen slik spat ik uit elkaar van de zenuwen, maar niemand wil dat begrijpen, en ik dacht: Ik hef mijn hand op naar het Noorden en begin dan te zegenen. Eerst Nederland, Scandinavië en de Noordpool, en zo via Duitsland naar Polen, Rusland, Mongolië en China. Ik had een kwartslag op mijn kamer gemaakt met opgeheven hand, steeds zegende ik maar en steeds meer vloeide de kracht uit mij weg. Ik kon het niet. Soms, als ik er heel goed aan toe ben kan ik het Noorden zegenen, dan moeten er maar anderen in andere landen zijn die het Westen, het Zuiden en het Oosten zegenen, ik ben er niet op gebouwd, het kost mij te veel inspanning, je kunt niet in één keer de hele wereld tegelijk zegenen, want ik sta niet gelijk aan de goden. Toen ik mij in mijn kamer al zegenend naar het Oosten had gedraaid zag ik dat daar mijn bed was, ik ben erin gevallen, er kwamen geen bedienden om me aan of uit te kleden, ik had niet eens mijn tanden gepoetst en heb toen dagen achter elkaar geslapen, zo moeilijk is het nu om de zegen te geven. En ik heb het nog van mijn grootvader gehoord: "Je moet niet te veel van je krachten vergen, jongen: zegen in principe alleen het Noorden en zeg daarbij de daartoe geëigende woorden."' Ik, de schrijver, ben blij dat we een dergelijke man in ons midden hebben. De kleine brochure die hij geschreven heeft en die haast niemand is opgevallen, over de moeilijkheid van het zegenen van de hele wereld in veertien seconden, heeft mij volkomen overtuigd, natuurlijk is geen mens daartegen opgewassen, ook al heb je de geheime boeken en heeft je vader je tientallen jaren de kracht ingepompt om het Noorden te zegenen, maar te veel van een mens moet je niet vergen!

Wij zijn een goddeloos volk, goddeloos, nuchter, alles gaat snel, handig en vooral nuchter. Krachtig zijn wij en wij werken hard, wij dulden geen dromers. Er zijn mensen bij me geweest die me hebben gevraagd of ze het moesten doen en ik ben droevig naar bed gegaan: ze willen hem nu *dwingen* te zegenen. Ze willen het zelf zien! Vanavond zullen mensen zich in het holst van de nacht voor zijn huis verzamelen en die moet hij dan zegenen. Ik weet uit betrouwbare bron dat hij zoiets nog nooit heeft gedaan. Ja natuurlijk, er zijn mensen die vinden dat je zoiets niet van hem vragen mag.

Het tij kan keren en dan hebben we zegen maar al te hard nodig. Maar er zijn veel mensen die hem willen zien zegenen.

Het is nu drie uur in de nacht, ik zelf ben er ook bij geweest, niet honderden maar duizenden mensen hadden zich verzameld op het plein voor zijn huis, en uit duizenden kelen klonk het: 'Zegen ons.' Eindelijk ging er een iets groter licht aan op de studeerkamer van de man, hij trad aan het raam en opende het. Hij stond daar en wij zagen hem, want het was volle maan. Misschien probeerde hij zijn hand op te heffen naar het Noorden, wij hadden ons zo opgesteld dat hij ons wel moest zegenen als hij het Noorden zegende. Hij stond daar wel een kwartier en klappertandde, hij trilde over zijn hele lichaam. Zijn gezicht stond verkrampt. Zijn rechterhand bungelde er maar zo'n beetje bij, hij had net zo goed geen rechterarm kunnen hebben en ten slotte verdween hij van het raam. Een bediende kwam uit zijn huis en begon de menigte toe te spreken: 'Hij zit weer in zijn stoel. Hij kan niet zegenen als hij die duizenden gezichten ziet want hij is nu eenmaal gewend om te zegenen als er niemand op straat is. Juist als er helemaal niemand is die om de zegen vraagt kan hij zegenen, maar nu wordt hij afgeleid door al die uitdrukkingen op uw gezichten, er zijn misschien hier veel mensen die niet in zijn zegen geloven, er zijn misschien mensen die menen dat het allemaal maar flauwekul is, een legende, een overlevering, meer niet, maar hij die het doen moet weet wel beter. Hij is gewend om te zegenen terwijl niemand hem ziet en terwijl helemaal niemand erom vraagt. Zo heeft ook altijd zijn grootvader gezegend en in die zin heeft ook zijn vader gezegend. Gaat nu allen heen, misschien zegent hij nog wel als alle lichten uit zijn en er helemaal niemand meer is te zien, niet op het plein voor het huis en eigenlijk in de hele stad niet. Gaat heen, want zo kan hij het nooit, het vergt te veel van zijn krachten.' Sommige mensen wilden gaan lachen maar hielden zich bijtijds in. Velen, en ik ben één van hen, hebben zich laten overtuigen. Vanmorgen was er een groep schooljongens in de stad, ze reden rond op ouderwetse fietsen en ze zongen uit volle borst: 'Hij is geen luilak: hij zegent.' Dat schijnt nu de overheersende mening te zijn. Haast iedereen gelooft het. Ziedaar, het tij is al gekeerd en de goden zijn nu zéker met ons. Mijn vrouw zei zelfs: 'We zouden hem moeten vragen wat minder te zegenen, wat zou hij zich toch afpeigeren? We worden immers allemaal oud in ons land en we hebben allemaal genoeg te eten en te drinken.' En ik ben het met haar eens.

De zenuwachtige boer

Hij dreef het bedrijf met zijn twee zoons, alleen had hij het nooit aangekund, maar op zondag waren die zoons er niet, die gingen dan naar de kerk en hielden zich met meisjes bezig en juist op zondag was de boer altijd zo zenuwachtig. In zijn kleine bedrijf had de boer te maken met koeien, hooi, de boerderij zelf, een beerput, een schuur, een hooiberg, varkens die hij vetmestte, het huis dat tamelijk klein was (er liep een vliet langs, het water stroomde achter een klein dijkje ongeveer op de hoogte van de dakgoot), hij was bezig met het maken van kaas en dan had hij zijn paarden nog. Hij was getrouwd, het was een hard bestaan. De hele week werkte hij zich uit de naad en 's avonds viel hij snel van vermoeidheid in slaap. Hij liep rechtop, trilde met zijn handen een beetje en ook af en toe met zijn wenkbrauwen. Hij droeg altijd overalls, liep op klompen, hij had een goede aard, hij rook naar de melk, het hooi en de dieren. Tolstoj zegt ergens dat het beste middel tegen krankzinnigheid of zenuwachtigheid een arbeidskuur is. Deze boer werkte erg hard, maar hij was ook erg zenuwachtig. Hij redeneerde altijd: 'In ieder mensenleven gebeurt een drama, niet altijd gaat alles op rolletjes en juist als je er het minst op verdacht bent hoor je een gil van je zoons: "Vader, het gebeurt!" Of je hoort je vrouw schreeuwen: "Kees, kom onmiddellijk hier, ik houd hem niet..." zoiets.' Hij was bang voor de zondag, dan had je van die rustige momenten. En vandaag was het zondag, hij was niet naar de kerk geweest, hij had de koffie al op, hij had er een pijp bij gerookt. Na de koffie had hij de hooiberg van onderen bijgesneden. Torren, pissebedden, maden en rupsen kropen en zwalkten nu over het erf. Hij gooide een puts water over het erf en boende het schoon. Toen ging hij naast zijn vrouw zitten. Niets te doen, zonnige dag, de zoons zijn weg, de varkens knorren, de paarden schuren hun lendenen tegen het hout van de schuur, het gezang van de leeuwerik weerklinkt, de zwaluwen scheren om het huis. Zondag, heerlijk rustig weer, er komen geen karren voorbij aan de andere kant van de vliet, het bruggetje kraakt af en toe in de zon, nergens hoor je een motor. De wolken glijden geluidloos langs de hemel. Hij drinkt nog een kopje koffie. Hij kijkt zijn vrouw aan. Zou hij toch nog iets kunnen doen? Zenuwachtig schuifelt hij heen en weer op de bank naast zijn vrouw. Hij draagt nu: pantalon, overhemd met das, klompen. Het erf is schoon. Iedere kleine boer zakt nu voor een uur of twee, drie uur onderuit om gezellig met zijn vrouw te praten. Hij zou meer koffie kunnen drinken, verschillende pijpen opsteken, ten slotte een sigaar roken en daar een glaasje jenever bij drinken. Hij doet dat soort dingen niet. Hij zwijgt, kijkt om zich heen en luistert. Hij drinkt geen koffie, hij rookt geen pijp, hij spreekt niet met zijn vrouw. De vrouw zit te breien. Hij haalt een klein stukje zijn schouders op en blijft zo zitten. Hij luistert en kijkt. Was nu een van de zoons er maar, het liefst allebei, dan had je leven en afleiding op het erf. Hij is niet gewend om met zijn vrouw te spreken. Hij fronst zijn wenkbrauwen en denkt: Gaat de zon de laatste tijd niet wat sneller dan gewoonlijk? Nu merk je het nog niet, maar over een jaar of drie? Of zou het niet kunnen dat de aarde tachtig centimeter per seconde sneller dan gewoonlijk draait? Nu merk je het nog niet, maar over een tijdje? Zou de aarde werkelijk steeds sneller om haar as draaien, zodat je korte dagen krijgt, dan word je op een gegeven moment met vrouw en zoons het grenzeloze duistere heelal in geslingerd. Het is stil, de zon schijnt stil, de wolken glijden geluidloos. Je hoort alleen het tikken van de breipennen van de vrouw. Is ze nu een muts voor een paard aan het breien? Ik moet mijn mond houden. Laat ik haar niets vragen. Dan komt weer zo'n vermoeiende gedachte op. Het kan dat een vreemdeling geruisloos tot achter de schuur is doorgedrongen en nu bezig is in de beerput te verdrinken. De zon schijnt stil, de wolken glijden geluidloos, hup, daar verdwijnt weer een mugje in de bek van een zwaluw, ze zwieren zo sierlijk die dieren, het lijkt net of ze achterwaarts stukken lucht uitknippen. Wat was dat? Geknor van een varken. Zal ik gaan kijken? Nee, ik blijf zitten. Sterft misschien een koe op het veld bij het baren? Het zou kunnen. Het ongeboren kalfje steekt tegelijk met zijn voorpootjes en achterpootjes uit de opening, het glijdt niet meer, de zaak zit muurvast, het weiland is ver. Als je er op het paard naar toe galoppeert doe je er twaalf minuten over, al neem je het snelste paard. Koe sterft, kalf sterft, maar hier merk je niets. De zon schijnt stil, de wolken drijven rustig, geen fietser komt voorbij, geen motor is hoorbaar, de zwaluwen, kunnen die niet eens even rustig gaan zitten? Ik hoor het getik van de breipennen van mijn vrouw. Ik wrijf over mijn broek. Waarom zit ik hier eigenlijk? Hooi, veel hooi in de hooiberg. Al dat hooi drukt op de grond en het is een warme dag. Het zou niet de eerste keer zijn dat een hooiberg tot zelfontbranding kwam. Brand, brand!, wat moet ik dan het eerste doen?! De zon zo rustig, de wolken ook, ik blaas naar de zwaluwen, ze gaan rustig door. Ik hoor de breipennen. Vanuit mijn ooghoeken zie ik mijn vrouw. Zal ik haar zeggen..., ik zeg haar niets. Daar snort iets. Wat, wat? Het blijkt een vlieg te zijn. In de kamer tikt de klok, als je goed oplet kan je de klok hier buiten horen tikken. Een klein plonsje, misschien een visje dat opsprong in de vliet. Er zitten weleens ratten in de dijk. Wenden zich op het ogenblik twee ratten in hun nest, in hun hol, zijn het woelratten, kan straks de dijk breken en de hele boerderij onderlopen?! Wat moet ik dan het eerste doen?! Hoor ik het daar in de verte, iemand die schreeuwt in doodsnood: 'Kees, Kees! Het gebeurt!' De zon, de wolken, de hooiberg. Je hoort niets en juist dat maakt de zaak zo griezelig. Had ik toch een pijpje opgestoken? Ik knipper met de ogen en leg het pijpje weg, het smaakt me niet. Ik verzet de voeten in mijn klompen. Ik roffel even met de vingers op de kleine tafel. En de vrouw kijkt me aan en fronst vragend haar wenkbrauwen. Ze durft niet te vragen: 'Is er iets?' Ineens hakkelt ze tóch: 'Kees, Kees?' Ik zeg: 'Nee lieveling, er is niets, er is niets aan de hand.' Ik pak mijn pijp weer op en probeer hem aan te steken. Het huis is stil, geen varken knort, de paarden hinniken niet, de koeien zijn op het veld. De zon, de wolken, de zwaluwen, het getik van de breipennen. Nu zou ik de tafel met één vuistslag kapot kunnen slaan. Ik zou mijn vrouw bij het haar kunnen pakken en haar snel en krachtig over het dak van mijn huis in de vliet kunnen smijten. Ik blijf heel stil zitten en steek mijn pijp weer op. Hoe rustgevend lijkt het getik van de breipennen. Ik heb weleens gehoord van de stilte voor de storm. Páng! Ik spring op. Dat was in huis! Ik ren het huis binnen. Een poes heeft een eierdopje gebroken. Het eierdopje is van de tafel op de plavuizen gevallen. Het ligt aan vier stukken. Ik loop vlug terug en ga weer naast mijn vrouw zitten. Nu vraagt ze: 'Wat is er toch?' 'Het was een eierdopje,' zeg ik. De zon, de pannen van het dak, zo rustig, de wolken, de zwaluwen. Daar knort een varken. Ik schrik geweldig. Meteen sta ik rechtop. De vrouw kijkt me vragend aan. En ik zeg: 'Ik ga naar bed, voor een uur of twee, ik ga heel diep onder de dekens en het laken liggen.' De vrouw zegt: 'Dat hoort niet, dat doe jij niet.' Ik blijf zitten en tuur door spleetjes naar de zon. Je hoort niets voor het ogenblik. Ik pak mijn pijp en steek hem weer aan. Ik spied in het rond, ik spits mijn oren. Mijn handen glijden over een kleine oneffenheid op tafel. Het is een kwast. Niets raars te zien, niets griezeligs te horen. Wat ik ook rondspied, wat ik ook mijn oren spits, dit is gewoon mijn boerderij op een rustig moment, onder een rustige warme zon, onder kleine witte wolkjes. De zwaluwen piepen niet tijdens het rondscheren, mijn vrouw is opgehouden met breien. Dit is mijn rust, dit is mijn verpozing. Ik spied en luister. Ik zweet. Het zweet afvegen en het dan uit durven roepen: 'Voor de donder!, wanneer gebeurt het nu eindelijk?!' Dan wild over het erf stampen, maaiend met de armen, ronddansen en krijsen. Je vrouw trekt spierwit weg. Misschien dat ze het dan goed zou vinden dat je voor een ógenblik in bed ging liggen!

Een overtollig mens

'Eenzaamheid, wat zijt ge overbevolkt'
JERZY LEC

Er zijn mensen op de wereld die er droevig aan toe zijn, er zijn van die figuren die helemaal naast de maatschappij staan, ellendige eenlingen die huilen in bed voor het slapen gaan, juist zij hebben een beetje liefde meer dan wie ook nodig, maar ze krijgen het niet. Laat me eens een van die mensen aan u voorstellen, een man van vijfenveertig jaar. Hij heet Johan Knipperling en hij heeft aan de universiteit van N. een graad behaald. Hij is nu al vijftien jaar lang aan het promoveren, maar echt lukken wil het niet. Nadat hij afgestudeerd was heeft hij een jaar of vijf gewerkt als boerenknecht ergens in Karelië. Vrienden heeft hij er niet aan overgehouden. Ja, het leven is moeilijk voor sommige mensen. Angst en vooral eenzaamheid doen je de das om. Daar zit hij nu op zijn kamer, laat op de avond. Het is winter. Hij heeft veel papieren voor zich liggen en de vloer van zijn kleine kamer is bezaaid met boeken. Hij heeft al honderdtwintig bladzijden van zijn proefschrift klaar, maar hij durft het niemand te laten lezen. Hij snuit zijn neus, stookt zijn kacheltje nog eens op, trekt zijn schoenen uit en gaat met een zucht weer achter zijn bureau zitten. Hij schrijft: 'De ziekte van Bechterev is een merkwaardig geval, zolang wij de oorzaak niet kennen...', hij schrapt de laatste zin door en begint weer helemaal overnieuw: 'Het merkwaardige begin van de ziekte van Bechterev is onbekend, er moet een onwaardige oorzaak zijn, maar veel mensen lijden eraan. Dat mag toch niet. Wij zijn nu zo ver in de wetenschappen. U zou zelf eens Bechterev moeten hebben, dan zou u wel anders piepen. De laatste patiënt die zich bij mij meldde verklaarde als volgt: "Het is geen ziekte, dokter," – zij noemde mij dokter – "het is een ramp. Reuma is natuurlijk ook een verschrikking en multiple sclerose is een regelrechte gesel van de duivel, maar de ziekte van Bechterev is het ergst van alles... Gaat u na dokter, ik ben een vrouw en ik heb de hele dag overal pijn. 's Nachts kan ik niet slapen van de scheuten ramp die over mij komen..." Zo zei ze het letterlijk. "Gelukkig heb ik mijn familie nog, ik heb een aardige man, drie kinderen, maar het leven is geen doen zo. Misschien had ik beter niet geboren kunnen worden. Als men mij als kind verteld had wat mij te wachten stond, dan weet ik niet wat ik zou hebben gedaan. Maar ja, ik heb plezier van mijn kinderen, van het lezen van boeken en van het luisteren naar mooie muziek. Ik heb mij laten vertellen dat de ziekte zich als volgt manifesteert: de tussenwervelschijven gaan verstenen. Het kraakbeen wordt steen. Zo wordt je ruggegraat van een soepele en stevige streng, iets dat je makkelijk buigt, een reeds lang gestorven stijve stok. De spieren in je hele bovenlijf doen pijn omdat ze nooit bewegen. Je kunt heel vaak oefeningen doen, maar de onhandigheid in het lichaam blijft en de pijn blijft ook." Die opmerking, die ik heb uit de status van mevrouw B., staat niet op zichzelf. Uit mijn statistieken op bladzijde vierenvijftig en vijfenvijftig blijkt dat dergelijke opmerkingen...' Johan zit een hele tijd naar die laatste zin te kijken en verscheurt de bladzijde dan weer. Zo is het niet wetenschappelijk genoeg, denkt hij. Daarna bestudeert hij de boeken, kijkt zijn proefschrift na voor zover hij het afheeft en het zijn goedkeuring draagt en vervalt in droef gepeins. Hij blijft een kwartier zitten en luistert naar de geluiden van beneden. Daar woont een gezin. Een loodgieter en zijn vrouw, ze hebben zes kinderen. Het gaat daar altijd leuk en gezellig toe, hoewel er weleens armoe en honger heersen. Soms gaat hij met zijn oor op de vloer van zijn kamer liggen en hoort dan de breipennen van de moeder, hij hoort het knisperen van de bladzijden van een boek, blijkbaar wordt de bladzij omgeslagen. De moeder zingt vrolijk in de keuken, ze is bij de wastobbe bezig en heeft altijd opmerkingen, vrolijke opmerkingen. O, hoe verlangt Knipperling er nu naar om naar beneden te

220

gaan en zich in de huiselijke kring te mengen. Het is winter, het is tussen Sinterklaas en de heilige Kerstmis. Hij loopt een paar keer door zijn kamer. Er komt een ijzige tocht door het raam. Dan gaat hij bij zijn kacheltje zitten en neuriet een liedje uit zijn kindertijd. Hij zou graag naar beneden gaan. Twee kinderen zijn nog op. De vrouw zit waarschijnlijk te breien en de loodgieter leest het een of andere komische boek. De kinderen die in bed liggen maken pret en zo nu en dan hoor je de stem van de moeder: 'Stil nu toch daar, gaan jullie toch eindelijk slapen.' 'Ja, maar het is zo koud in bed, kunnen we niet meer dekens krijgen?' luidt het antwoord. 'Meer dekens hebben we niet en nu slapen,' roept de moeder. Maar de kinderen gaan niet slapen, het lijkt wel of ze levendiger zijn dan overdag, levendiger dan ooit. Het kamertje van twee van de zoontjes ligt vlak achter de kamer van Knipperling. Hij hoort een van de kereltjes zeggen: 'Zal ik jou eens wat aardigs vertellen over een waterrat en een mol in een roeibootje? Ze gaan picknicken en ze hebben allerlei lekkers bij zich. Augurken, pastei, verse ham, verse boter, knapperig vers brood, flessen karnemelk, rosbief, koude tong...' Dan wordt de stem zachter, die twee kinderen liggen zich naast elkaar in een groot bed te verkneukelen. Knipperling zit bij zijn kachel en gooit er nog wat hout en kolen op. 's Morgens ontbijt hij op de universiteit, of liever op het ziekenhuis dat bij de universiteit hoort. Tussen de middag eet hij daar ook. 's Avonds krijgt hij zijn eten van de hospita. Lekker warm eten met een glas wijn erbij. 'Die heren geleerden drinken maar wijn, wij drinken nooit wijn, bij ons zijn vaak van die eenvoudige praatjes, daarom durven wij u niet uit te nodigen, het is niet goed voor u om tussen die domme kinderen aan tafel te zitten, mijn man heeft alleen maar verstand van loodgieten, wij zijn beducht voor geleerde heren,' zegt de vrouw af en toe. 'Kijk nou eens wat een boeken, hier en daar een stuk van een geraamte, wat is dat? wat is dat toch voor iets?' 'Dat is een ruggegraat, een bekken en de ribben aan de ruggegraat,' verklaart Knipperling, 'maar ik ben helemaal niet zo geleerd en ik zou best eens bij u aan tafel willen eten.' Hij heeft ook één keer beneden gegeten, het avondmaal gebruikt, maar dat was eens en nooit weer. Hij durfde niet op te kijken van zijn bord. Hij heeft een fles wijn omgegooid en het was dure wijn. De kinderen waren stil en de moeder schaamde zich een beetje voor het eenvoudige maal. Op een gegeven moment heeft hij zijn bord van zich afgeduwd, en toen zag hij de gaten in het tafellaken. De moeder dacht dat hij zich daar aan ergerde, en hij voelde zich nog ongemakkelijker toen hij tegen de loodgieter zei: 'Dat loodgieten komt zeker niet meer voor in zijn eigenlijke betekenis?' De loodgieter begreep hem niet en antwoordde: 'Wij zijn loodgieters, natuurlijk zijn er loodgieters, hoe moet het anders met de waterleidingen en de dakgoten?' 'Ja, maar wordt er nog lood gegoten?' vroeg Knipperling. 'Hier en daar vind je nog een loden pijp,' zei de man schuchter. 'Ja, maar tegenwoordig gaat toch alles met plastic en getrokken metaal?' vroeg hij. 'Wij zijn loodgieters en wij hebben het niet eenvoudig,' zei de man, 'je moet heel wat doen om een gezin te onderhouden. Nu wonen wij al niet ruim en toch moeten wij u als huurder hebben. De mensen uit de buurt zeggen weleens: "Hoe gaat het toch met die geleerde? Die zien we haast nooit... Soms hoor je hem ratelen op zijn schrijfmachine en in de zomer komt van zolder weleens een liedje, gezongen door een vreemde stem. Hij loopt zo eigenaardig die meneer. Woont hij hier eigenlijk wel goed, zou hij niet op een dure singel moeten wonen? Waarom trouwt hij niet?"' Johan trok krijtwit weg en mompelde: 'Ik voel me niet zo goed, mag ik even bij u op de bank gaan liggen?' Hij had een angstbui. Alles in de kamer maakte hem bang en hij voelde dat de kinderen zo stil waren, dat de stemming verknold was door zijn aanwezigheid. Angst eet de ziel op. Wat zit ik me hier eigenlijk aan te stellen, dacht hij, ik moet de mensen niet plagen, ze kunnen niet met me overweg. 'Wilt u het bankstel eens proberen?' vroeg de loodgieter. 'Jazeker,' mompelde Johan. 'En het toetje zult u dus niet gebruiken?' vroeg de moeder, ze had juist erg haar best gedaan op de pudding en er waren nog schijven ananas uit een blik bij. De loodgieter droeg hem naar de bank en legde hem erop neer. Het hart van die arme Johan ging flink tekeer. Angst en eenzaamheid, dacht hij, en zo zal het mijn hele leven blijven. Hij lag op de bank en keek midden in het felle licht van een schemerlamp. 'Wilt u hier blijven slapen?' vroeg de moeder, 'bevalt het bankstel u wel? Wij hebben dat heel duur moeten kopen. Dus het was u eigenlijk om de bank te doen?' Johan hoorde haar niet. Leefde hij of was hij dood? Alles kwam op hem af. Was het leven een zinsbegoocheling? Hij wist niet waarvoor hij bang was. De stemmen van de moeder en de loodgieter leken regelrecht uit de folterkamer of de hel te komen. 'Wilt u het toetje op het bankstel?' De loodgieter begon zachtjes met zijn vrouw te praten. Hij ving een paar woorden op: 'Geleerde... behoefte aan luxe... sluit zich op... dat kan écht niet... wij een fout begaan...? omdat hij op die bank ligt.' Johan zag iets op de tafel staan, hij wilde ernaar grijpen. Was het een eekhoorntje van hout, een wolfje van hertshoorn, een kopie van een gillende Japanse trein, was het een kurketrekker, of misschien een blikken kikker die wippen kan als je hem opwindt..., gewoon een presse-papier misschien? 'Wat staat daar toch op het tafeltje?' vroeg Johan zacht, ze hadden hem echter gehoord. 'Wat voor tafeltje?' vroeg de moeder. 'Noemt u dat niet een salontafeltje?' vroeg Johan. 'Daar staat van alles,' zei de vrouw, 'bedoelt u dat kopje uit Andingen soms, dat is uit de Vogezen, dat gebruiken we alleen in de vakantie.' 'Dus er is geen eekhoorn of een treintje hier?' vroeg Johan. Zijn hart ging tekeer. De vader, de moeder en de kinderen zaten nu allemaal met open mond naar hem te kijken. Hij zweette overal, het zweet parelde op zijn voorhoofd, het ondergoed plakte aan zijn lichaam. Hij had neiging om te pissen maar kon niet pissen hoewel hij het probeerde, liggende op de bank. Hij was een komeet, een komeet met ogen en met die ogen was hij een soort van televisiecamera. De mensen waren er niet, het toetje was er niet, de kinderen waren er niet, de stilte moest juist het vriendelijke gezang der sferen zijn. Er was niets. Hij nam niets waar. Nu moest hij zelfmoord plegen. Beter hier zelfmoord plegen dan op zijn kamertje. 'Sterk zijn, sterk zijn,' hoorde hij in de verte een stem. En hij wist niet of hij die stem zelf te voorschijn toverde of dat het de stem van de loodgieter was. Het is maar een angstbui, dacht hij. Hij begon te spreken: 'O gij die een

223

moeder zijt voor en van uw kinderen, knel ook mij aan uw borst, ik ben een eenzame ellendige academicus en ik heb angst.' 'Bent u dan bang voor ons?' vroeg de moeder. 'Het leven jaagt me angst aan,' antwoordde hij, 'ik begrijp zo weinig en ik verbaas me over alles.' 'Dat kan niet,' merkte de loodgieter op, 'u weet zoveel dat u nog eens professor wordt.' Johan dacht aan zijn werkkamer op de universiteit of liever op het ziekenhuis, daar zat hij de hele dag alleen achter zijn bureau, hij piekerde maar, de anderen bemoeiden zich niet zozeer met hem. Hij dacht na over de zwerfkatten op het terrein. Die moesten toch te eten hebben? Hij was in een gekkenhuis geweest, niet als dokter maar als patiënt, dat tekent een mens...

Het werd de loodgieter te veel, de moeder ook. Johan moest de kamer uit. De vader probeerde hem de trap op te dragen, maar het bleek dat Johan nog een beetje lopen kon. Op zijn kamer was hij weer alleen. Hij slikte een pil tegen de angst en ging een uur op bed liggen. Vijf weken geleden is dit gebeurd en sindsdien heeft hij nooit meer beneden aan tafel gegeten. 'De verschrikking, de verschrikking,' mompelt Johan, 'ik kan niet leven.' Ik zou daar wel altijd willen eten, denkt hij, maar het kan niet, de mensen worden bang van me, juist als ik zelf niets dan angst ken, als een dreigende zwarte demon zich in mij wentelt en gromt door mijn keel zodat ik bang word van mezelf en mijn leven dan zijn de anderen bang van mij en zo zit ik in een vicieuze cirkel. Hij gaat aan zijn bureau zitten. Het is nog steeds koud op zijn kamer en de kachel staat een eind van zijn bureau af, hij gooit er nog eens kolen op. Dit is de eenzaamheid, dit is het leven, een verprutst leven. Hij is nog maar vijfenveertig en zijn vader en moeder zijn al gestorven. Ze hebben een verkeersongeluk gehad. Zo gaat het nu jaar in jaar uit: hij gaat naar kantoor, daar ziet hij haast niemand, hij spreekt niet met collega's, en 's avonds zit hij alleen thuis. In zijn studententijd was dat al zo. Hij ging naar college en verder zat hij op zijn kamer. Nooit vrienden en vriendinnen gehad. Tegenwoordig op zijn werk heeft hij de aanhankelijkheid van de zwerfkatten die op het ziekenhuisterrein rondlopen. Hij geeft die beesten allemaal te eten. Ook op het werk probeert hij aan zijn stellingen en zijn proefschrift te werken, maar het wil niet vlotten. Alles wat hij tot nu toe heeft, heeft hij eens laten lezen aan een jongeman die pas gepromoveerd is op de behandeling van leukemie. 'Het lijkt me allemaal onzin,' heeft die man gezegd, 'dat proefschrift is niet wetenschappelijk, het is allemaal geleuter. Het is allereerst nodig dat je een idee hebt voor een proefschrift, maar hier zit helemaal geen idee in, het hangt als los zand aan elkaar. Het is gewoon niks.' Moet Johan dan naar de professor toestappen en zeggen: 'Ik heb hier de hele tijd de kluit maar bedonderd, het is niks geworden met dat proefschrift, misschien kunt u mij nu aanstellen als laboratoriumhulp?' Hij zit een beetje op zijn werkkamer, maar wat voor werk hij doet weet hij eigenlijk niet. Soms komt er een Bechterev-patiënt bij hem en klaagt zijn nood. Hij maakt dan aantekeningen. Liefde kan hij niet geven. Hij leeft wel mee maar hij is geen vlotte man. Hij zou iedere Bechterev-patiënt wel willen vragen: 'Wat zijn toch de wetenschappelijke kanten van de ziekte? Weet u, ik schrijf er een proefschrift over en nu moet ik een idee hebben. Als je geen idee hebt in een proefschrift, dan kom je helemaal nergens. U kunt mij toch zeker wel aan een idee helpen? Niet iedereen is zo stom als ik. Verstening van het kraakbeen, pijn in de rugspieren, kanteling van het bekken, verkeerd gaan lopen, pijn in de benen, in de knieën, pijn in alle spieren, de voeten staan scheef bij het lopen, maar wat is daar in Godsnaam de oplossing voor? Vertelt u mij dat toch alstublieft, ik ben maar een arme academicus en ik moet ook verder!' Maar niemand helpt hem. Hij heeft al honderd keer het gevoel gehad dat hij dat ellendige proefschrift in de kachel moet gooien en op een keer heeft hij het gedaan. De kachel ging ervan uit. Hij heeft het pak papier in zijn geheel weer uit de kachel getrokken. Een paar hoekjes van de blaadjes waren gescheurd en verkoold, met roet besmeurd of enigszins verbrand. Zo is hij er weer verder aan gaan werken. Een ellendig werk, een ellendig leven. Johan kijkt naar de spullen op zijn bureau, hij kijkt naar zijn proefschrift. Hij wrijft zich nog eens in zijn handen bij het kacheltje. Hij ontbloot zijn bovenlichaam en laat zijn rug boven het kacheltje hangen.

Met een ruige handdoek borstelt hij zijn rug. Dat is goed voor de bloedtoevoer naar de rugspieren. Zo doet zijn rug iets minder pijn. Langzaam trekt hij een paar truien aan. Die truien zijn vies en doorzweet. Hij is te verstrooid om iedere twee weken naar de wasserij te gaan. Zijn ondergoed stinkt gewoon. Hij vergeet zich vaak te wassen, dat is een van de redenen waarom de mensen hem mijden. Hij weet niet waarom hij altijd alleen is. Je kunt de eenzaamheid van zijn gezicht lezen, hij stinkt, hij is onhandig in de omgang. Hij gaat weer achter zijn bureau zitten. De asbak komt hem vertrouwd voor en hij steekt een pijp op, weldra hangt er een blauwe walm in de kamer. Hij kijkt een hele tijd naar de spullen op zijn bureau. Hij ziet zijn kleine treintje, het plakband, het Sumatraanse pennenkistje, de walvistand, een bronzen beeldje van Laurens Janszoon Coster, hij ziet een fraai geslepen glas, pennen, pijpen, pijperagers en een zak met tabak. Een doos sigaren, een loep van zijn vader. Hij ziet een groot kompas dat hij ook eens van zijn vader heeft gekregen. Langzamerhand begint hij zich weer beter te voelen. Hij denkt aan zijn vader. Wat was dat toch een goede man. Nog in de tijd dat hij knietje reed bij zijn vader heeft hij het kompas gekregen en als hij aan zijn moeder denkt wordt het hem droevig te moede. Ik moet een soort moeder hebben, iemand die voor me zorgt. De vrouw van de loodgieter, dat is niks gedaan, dat is meer zo van: bed opmaken: een kwartje, warme maaltijd op uw kamer bezorgd: een gulden vijfentwintig, de kamerhuur is zestig gulden per maand, kolen kosten ook veel, u moet de abonnementen nog betalen, ik ruim uw kasten op voor twee gulden, wat stinkt het hier toch, alstublieft een spuitfles met frisse lucht, spuit dat maar op uw lichaam als u zich niet wassen wilt, het is drie gulden, even op uw kamer zitten als u bang bent is een kwartje, hand vasthouden als u angst hebt is twintig cent. Hij legt het proefschrift weer in zijn kast, de boeken ruimt hij op, hij gaat aan zijn bureau zitten. De gedachten aan zijn vader en moeder hebben hem warm gemaakt vanbinnen. De kersentuin, de zomer, knietje rijden bij pa, door moeder ingestopt worden... Vandaag moest hij op het terrein van het ziekenhuis een potje met iets vreemds erin bezorgen bij een professor. De professor was niet op het laboratorium. Johan heeft hem opgebeld en de professor heeft hem gesmeekt of hij het potje (vol macrofagen uit een kankerweefselcoupe) bij hem persoonlijk thuis kon bezorgen. Dat heeft Johan gedaan. De man woonde in een gezellige buurt en had een lieve vrouw en een prachtige dochter, wit gezicht, donkere ogen, zwart haar, van ongeveer vijfentwintig jaar. Ze zat op de piano Schubert te spelen. Hij heeft even met de professor gesproken en hij heeft in vervoering naar het spel van het meisje geluisterd. Haar moeder noemde haar Irma. Johan heeft het stellige idee dat ze niet getrouwd is. Hoewel Irma in haar spel verdiept was, heeft ze toch even vriendelijk naar hem geglimlacht. Hij begint haar een brief te schrijven:

'Het stadje N. 17-XII-1956

Lieve Irma,

Of mag ik reeds zeggen, trouwe levensgezellin? Ik heb bij uw vader iets bezorgd, een potje. Ik heb uw lieve gezicht gezien en ik heb genoten van uw pianospel. U zat achter het toetsenbord als een madonna. En ik heb heel goed gehoord wat u speelde, het was natuurlijk Schubert, want ik ben zelf ook een beetje muzikaal. Deze brief komt voor u als uit de hemel gevallen, hij is van een onbekende, van een droevige onbekende maar hij heeft een goed hart, alleen is hij een beetje eenzaam en altijd droevig. Ik ben op het ziekenhuis hier ter stede mijn proefschrift aan het voorbereiden. Maar ik ben te schuchter om er met iemand over te praten. Sommige hoogleraren denken wel dat ik ergens mee bezig ben, maar ik heb het eigenlijk nog aan niemand laten lezen. Ja, even aan iemand die het niet begreep, misschien verscheur ik alles wel en begin ik weer overnieuw. Overdag ga ik naar kantoor. Ik probeer daar te werken. Ik krijg er ook salaris voor. Ik ben natuurkundige en werk op het ziekenhuis en nu is het zo dat dokters alleen met dokters willen babbelen, mij laten ze links liggen. Ik werk op de afdeling laboratorium voor de fysica toegepast op de geneeskunde voor de mens. Ik hou me bezig met de ziekte van

Bechterev. Ik heb zelf ook die ziekte. Ik spreek zelfs niet met de conciërge, ik ben maar alleen. Eens in de week komt er een patiënt bij me die iets over zijn ziekte vertelt. Ik hou staten bij van wat me allemaal verteld wordt over de ziekte van Bechterev. De hele dag werk ik aan mijn proefschrift en 's avonds als ik thuis ben ook. Nu heb ik niet zozeer een tehuis, ik woon bij mensen op kamers. De kachel brandt hier flink maar ik heb het toch koud. Eenzaam ben ik en ik heb last van angsten. De ziekte aan mijn rug is erg vervelend. Ik heb vaak pijn en 's nachts kan ik niet zo goed slapen omdat ik maar aan vrouwen lig te denken, ik heb nog nooit een vrouw gehad, ik ben nooit getrouwd geweest en bij dames van lichte zeden ben ik ook nooit geweest. Ik heb gewoon het gymnasiumdiploma, mijn vader en moeder zijn gestorven. Ik ben afgestudeerd natuurkundige maar kon gelukkig hier op het ziekenhuis werk krijgen. Nu moet ik van mezelf zeggen dat ik niet veel initiatief toon. De mensen zouden me wat meer moeten helpen. Af en toe een glimlach, een opmonterende opmerking, maar ik ondervind niets van dat alles. Ze komen ook nooit een praatje bij me maken. In het weekend lig ik almaar op bed en soms maak ik een wandeling. Mijn kamer is maar klein en nogal donker. Er hangt een reproductie van een schilderij van Alexander de Grote die Bagdad inneemt, nee, hij heeft juist nooit Bagdad ingenomen! Of toch wel? Verder heb ik hier een bed, een tafeltje, een paar stoelen en een bureau, en niet te vergeten mijn boekenkast. Ik ben een liefhebber van Lenze, Wurfbain, Grotianus, Liebgoot, Reveau, Labardong, Sezianus en Knoppelgroot. Nu weet u meteen wat mijn voorkeuren zijn op het gebied van de literatuur. Ik heb bij u ook een paar boeken gezien van Labardong! Dus wij zijn verwante zielen... Zoals u op die piano speelde, ik kon mijn oren niet geloven. U speelde in dat gezellige milieu. Uw moeder keek vriendelijk naar u, ik zag de tapijten, de schilderijen, ik zag uw sjaal, ik heb uw vader en moeder al leren kennen. Dat hoge A-akkoord in het laatste deel kwam er een beetje vreemd uit, maar de loopjes waren allemaal prachtig. Wat hebt u lieve ogen en wat bent u een goed mens, want u bent het toch die naar me geglimlacht heeft, dat overkomt me niet zo vaak. Ik mag natuurlijk niets zeggen van uw kleding, maar wees ervan overtuigd dat ik niet zo iemand ben die steeds uw rok optilt om te zien wat er nu eigenlijk onder zit. (Hoewel ik natuurlijk erg nieuwsgierig ben.) Ze zeggen dat ik een beetje aan het vervuilen ben, maar dat is niet waar; ik ga al mijn kleren wassen en ik zal ook mijn lichaam eens goed reinigen. Ik hoop dat ik eens bij u op bezoek mag komen. Stelt u zich voor dat ik over acht jaar professor ben net als uw lieve papaatje. Ach, luistert u naar mijn bede en schenkt u mij de hand. Wij worden misschien rijk en gelukkig. We gaan wonen in een huisje bij de rivier. Daar zitten we dan 's zomers met de kinderen op schoot in de bloeiende boomgaard. Zou dat allemaal waar kunnen zijn? Ja? Nee! Vreemd eigenlijk dat ik u deze brief schrijf. U moet bedenken dat ik een eenzaam man ben, maar ik ben toch ook geschapen naar het beeld van God? Wie weet hoe ver ik het zou kunnen schoppen. Een schrijver als Labardong zou ik nooit kunnen zijn, maar professor toch zeker wel. Kijk, in mijn proefschrift wil ik het menselijk lichaam behandelen als een hefkraan, alleen zijn er geen wieltjes. U begrijpt me toch wel? Tilt u bijvoorbeeld eens een heel zware pot op en denk u dan in dat u een hefkraan bent. In die geest ben ik het proefschrift aan het schrijven. Ik leid een eenzaam bestaan. Met vakantie ga ik nooit. Ik bid en smeek u, maak een einde aan mijn eenzaamheid en droevigheid. Op mijn kamertje thuis heb ik niemand en op kantoor heb ik ook niemand. Ik heb geen vrienden. De mensen zeggen weleens dat ik wereldvreemd ben. Nou, dat zal ik meteen ontkrachten. U hebt mij ook gezien en u hebt misschien gedacht: Die man is een beetje raar. Ik ben helemaal niet vreemd. Ik heb ook mijn geschiedenis en mijn roman. Zoudt u misschien de belangrijkste episodes uit mijn roman willen leren kennen? Daar reken ik op mevrouw, of mag ik al zeggen mijn lieve kleine muzikale Irma uit de gezellige woning?'

Zo schrijft Johan nog zes bladzijden door, want als hij verliefd is, is hij meteen lang van stof. Het is allemaal eenzaamheid, droefenis, pijn, angst en ellende. Zijn belangrijkste klacht is dat de mensen hem niet willen kennen. 'Maar,' gaat hij dan door, 'ik heb rare verhalen meegemaakt, twee rare verhalen en daar moet ik vaak aan denken. Ik zal ze u vertellen en dan moet u misschien lachen. Ik zou ze eigenlijk eens goed op moeten schrijven, goed letten op de stijl en de compositie en dan kan ik ze misschien naar een tijdschrift sturen. Het kan toch best dat ik een geboren schrijver ben. Ach, mijn lieve Irma, ik ken u nog zo kort, maar stelt u zich eens voor dat ik ophoud met mijn proefschrift en dat u trouwt met een heuse schrijver. Die is nog veel belangrijker dan een professor. Wat zullen wij gezellig samen leven en onze kinderen zullen trots zeggen: Ons pappie is een schrijver...

Het eerste verhaal gaat over een zakenman die vaak met vrienden zeilt op zee. De zakenman woont in Scheveningen bij de haven. Hij is op zee altijd maar in gedachten verzonken. Het schip waarop hij vaart is niet van hem maar van vrienden.' (Dan verliest Johan zich in een ellenlange beschrijving van wat er allemaal aan een scherp jacht vastzit. De zakenman blijkt er eigenlijk niets van te begrijpen, hij kan helemaal niet zeilen. Op een gegeven moment is hij erg rijk en koopt hij een eigen schip met een diepe kiel en een heel hoge mast.) 'In Nederland wordt het op prijs gesteld dat een zeezeiler van alles weet van navigatie en kaarthoeken en kompasafwijkingen, zeestromingen en afdrijven van het schip. Probeer maar eens te zeilen met wind en stroom tegen, of met stroom mee en wind tegen, dat maakt een heel groot verschil. Je bent op zee en denkt: "Daar zal de haven wel zijn." Je stuurt er recht op aan, maar het lukt niet en je schip slaat stuk op de pieren. Die gevaren wilde de zakenman helemaal niet kennen. Ik noem hem hier Peter, lieve Irma (schoonste onder de vrouwen, donkerharige vrouwen met witmarmeren gezichten hebben iets ontroerends, iets verbijsterends). Die Peter koopt dus een schip in België en hij legt het in de haven van Oostende. In België kijken ze niet zo nauw. Op een mooie dag neemt hij een paar vrienden mee naar het schip. Nu moet je als je uit Oostende naar zee wilt door een sluis. O ja, ik moet nog vertellen dat die vrienden ook helemaal geen verstand hebben van zeezeilen. Ze gaan aan boord. De mast is wel twaalf meter hoog en de kiel steekt wel drieënhalve meter diep. Ze komen in de sluis, tot zover gaat alles goed. Peter legt het schip stevig vast aan de kade. Er komt nog een jachtje de sluis binnenvaren. En daarop zitten vier meisjes. Dat tweede jachtje, meer een zeewaardige motorboot, meert af aan de zijde van het jacht van Peter. En die Peter en zijn gezellen vinden de meisjes zo vrolijk, zo mooi en zo leuk. Het water gaat zakken, mensen, het water gaat zakken!, nou u begrijpt het zeker al, het schip de Aurora, zo heette het schip van die zakenman Peter, komt steeds strakker aan zijn lijnen te liggen. Het schip begint helemaal over te hellen. Dan willen de mannen de landvasten kappen maar het is al te laat. Een geknars en gepiep, wat een gedonderjaag... een luide knal! De mast van het schip is gebroken, de kiel is tegen de wallekant stukgeslagen en de mannen vallen in het water. De meisjes weten hun bootje op tijd los te maken en als de sluisdeuren opengaan varen ze vlug weg. Maar Peter en zijn vrienden halen het bootje zwemmend in, het is eigenlijk heel gevaarlijk wat ze doen. En dan kruipen ze op de boot bij de meisjes en gaan toch een heerlijk zeetochtje maken. Die zakenman, die Peter, kan zijn schip wel afschrijven, maar hij is helemaal niet boos of verdrietig. Hij zegt gewoon: "Leuk tochtje gemaakt met een paar schoonheden van vrouwen in de Belgische territoriale wateren." Zo zijn sommige mannen, lieve Irma, die kennen geen moeilijkheden en ze hebben altijd gezelschap.

Dan nog het volgende. Verdomd als het niet waar is, ik heb het zelf gehoord van het dienstmeisje van de familie waar de dramatische gebeurtenis zich heeft afgespeeld. Stel je, lieve Irma, een patholoog-anatoom voor. De man is directeur van het laboratorium voor de anatomie van het menselijk lichaam. En er is een wereldberoemde schaker die sterft, juist in ons stadje. Wat wil nou het geval? De directeur van het laboratorium weet voor onderzoek beslag te leggen op de hersenen van de schaker. Je bent toch benieuwd of zo'n genie in zijn hoofd een paar windingen meer heeft dan een ander, of er grotere of kleinere hersenen zijn dan bij de gemiddelde man. Nu zult u wel denken, lieve Irma, wat schrijft die man mij toch allemaal, maar luistert u toch alstublieft want het wordt nogal vreemd. Als een dergelijke geschiedenis in de krant zou staan, schrijven de andere kranten er meteen ook over, de een neemt het van de ander over, bij de groenteboer wordt erover gesproken, de kinderen beginnen over het geval, hoogleraren interesseren zich ervoor en mij wordt gevraagd om eens wat bij te dragen aan een literair tijdschrift, zo gaan die dingen. Ik heb het nu lang genoeg moeilijk gehad, ik ben lang genoeg eenzaam geweest, daar moet verandering in komen, ik wil beroemd zijn en geliefd, net als de anderen. Stelt u zich voor dat ik overal in de etalages van de boekhandels lig en dat een vrouw van mij houdt. Die vrouw zou u kunnen zijn, lieve Irma, trouwe levensgezellin. Maar laat ik gauw verder gaan met het verhaal. De patholoog-anatoom heeft vrouw en kinderen en bedienend personeel. Nou, u weet hoe dat gaat, er zijn altijd kleine vergissingen in een huishouden en die vergissingen kunnen de grootste gevolgen hebben, hoewel het in dit geval alleen maar een raar gevolg is, een raar gevolg dat helemaal geen nut heeft en zo onbetekenend is dat het algauw vergeten is. Maar laat mij u verzekeren, lieve Irma, dat dit verhaal heus en waarachtig gebeurd is en nu zie ik meteen hoe moeilijk het is om een goed verhaal te schrijven. Een echte schrijver zou als volgt beginnen: "Het stadje N., dat een prachtig park heeft, heeft ook een beroemd ziekenhuis. De brandweer daar staat goed bekend. De vogeltjes tsjilpen daar en de katten hebben er een goed leven. Er is nog nooit een wolf of een vos of een beer in de stad geweest, maar er zijn wel veel egels en brandnetels..." Zo beginnen ze waarachtig, en ik vraag me af wat dat er allemaal mee te maken heeft. Nou ja, laat ik maar weer verder gaan. Ik zit hier op mijn kamer en denk: "Hoe zou ik op de beste manier een liefdesbrief kunnen schrijven? Vrouwen willen verhalen horen. Interessante verhalen. Mooie vrouwen willen vermaakt worden." Nu lieve juffrouw, uw wens wordt meteen ingewilligd. Even iets anders... misschien (natuurlijk mag ik dit niet zeggen) hebt u weleens last van zweetvoeten, weet u wat daar het beste middel tegen is? Onmiddellijk nadat u uit bed bent gekomen moet u uw lieve voetjes een hele tijd wassen met koud water, het beste is een teiltje nemen en dat vullen met ijskoud water, daar plaatst u uw voeten in. Houd uw voeten vijf minuten in het koude water en dan gewoon afdrogen en aankleden. Ik durf me niet voor te stellen hoe u zich aankleedt, want u hebt natuurlijk prachtige ellebogen en een hele leuke hals die in een kraagje verscholen gaat, u hebt een schattig hieltje en uw teentjes zijn om te kussen, vergeef me dat ik het zeg. Irma, ik zit hier zo droef, ik ben zo alleen, ik heb geen vrienden. Als het geen lastering tegen God was zou ik zeggen dat mijn leven geen zin heeft. Lieve Irma, ik zit hier maar en denk de hele dag aan u. Ik zie hoe bij u thuis de rabarber wordt bereid en dan zou ik willen roepen: "Een beetje meer krijt en wat minder suiker! Zo blijft de smaak frisser en fruitiger." Maar niemand luistert naar mij. Op kantoor luistert ook niemand naar mij en hier op mijn kamer ben ik een vrijgezel. Al vijftien jaar werk ik aan mijn proefschrift. Ik heb het eigenlijk, om zo te zeggen, nog nooit iemand laten lezen. Was ik maar iemand anders, dan wist ik meteen hoe ik moest beginnen, hoe ik duchtig moest optreden, maar nu ben ik een aarzelaar, ik kan niet besluiten, ik kan nooit besluiten. En hoe komt het dan dat ik nooit kan besluiten? Dat komt omdat ik van tevoren al weet dat dat besluit geen enkele zin heeft. Veronderstel dat ik tegen het loodgietersgezin zou zeggen, want ik woon bij loodgieters: "We moeten voortaan voor elkaar leven, we horen bij elkaar. Op mijn kantoor heb ik niemand en hier ben ik maar een treurige vrijgezel." Dan zouden ze gaan gieren van de lach. Soms kan ik niet besluiten om uit bed te komen en dan kom ik twee of tweeënhalf uur later op mijn werk. Dacht u dat iemand daar iets van merkte? Het wordt niet opgemerkt. Ik ben een schim, een uitgestotene. Ik vraag me af wat ik de maatschappij heb aangedaan dat ik zulk een leven moet leiden.' (Ach, moedertje, jij ligt in je graf en jij kunt me niet helpen, en waarschijnlijk lig je naast vader en die kan ook niets doen. Geef uw zoon toch weer een beetje liefde. Ik ben toch uw zoon? O, als het kon, staat u op uit uw graven en laten we weer gezellig met z'n drieën leven. Laten we de psalmen zingen en laat moeder op het orgeltje spelen. Stel je voor, lieve ouders, dat ik in het weekend vaak de hele dag op bed lig. Ik voel me warm en vies en bezweet en dan denk ik: 'Nu eruit gaan en iets ondernemen.' Maar ik kan dat niet. Ik kijk vanuit mijn bed naar de prent van Alexander de Grote, op mijn schoorsteen staat de buste van Pallas Athene. Ik kijk naar de kachel en breek in snikken uit. Dan probeer ik weer te slapen, maar het lukt me niet. In bed voel ik me het meest beklemd en nu weet ik wat ik eigenlijk ben: een overtollig mens. Andere mensen hebben nog wel enig nut. Maar ik niet. Je zou zeggen dat ik voor de zwerfkatten enig nut heb. Aan hen geef ik al mijn geld uit en daarom ben ik zo arm. Maar het lijkt wel of die poezen zich niets aan mij gelegen laten liggen. Als ik ze te eten geef, kijken ze mij aan met een fluwelige en tegelijk koude blik. Ze rennen weg als ik hen probeer te aaien. Ze zijn schuw voor mij. God, heb toch genade, ontferm U over een overtollig mens. Ik kan niet besluiten, en jij vader, kon jij goed besluiten? Ik kan mijn leven niet de een of andere draai geven. Ik kan het geen richting geven zodat men zegt: Dat leven heeft wel enige zin, ja die Johan heeft een zinvol bestaan. Ik hoop dat u vrolijk bij God leeft, lieve ouders, en nu ga ik weer door met mijn brief aan Irma...) 'Het ergste van alles in het leven is misschien niet eens mijn verdriet maar wel mijn besluiteloosheid! Maar er wordt wel gezegd, en niet door de domste mensen: Ook tot besluiteloosheid moet je kunnen besluiten. Daar zit wat in. Ik denk weleens bij mezelf: "Overtollige mensen zouden ze af moeten schieten. Dan was het uit met mijn ellende." Lieve Irma, weet je wel dat ik zo laf ben dat ik niet eens zelfmoord durf te plegen? En doe niet te veel zout op de biefstuk, want te veel zout is niet goed voor de nieren... Als ik nu een vriend had die ineens binnenkwam en God geve dat het waar kon zijn, dan zou die vriend mijn liefdesbrief lezen en die man zou zeggen, die man, die vriend: Jongen, pijn, besluiteloosheid, eenzaamheid, huilen, droefheid, een overtollig mens, dat moet je allemaal niet beschrijven want weet je, zo win je nooit Irma's hand. Nu weet ik dat natuurlijk ook wel, maar ik ben iets heel speciaals van plan met deze brief. Wat dat is ga ik nu nog niet vertellen. Ik zal het doen en ik weet waarom ik het zal doen: uit eenzaamheid en vooral uit besluiteloosheid. Irma, ik zou je nog wat willen vragen: Je laat nu dat haar maar over je oren groeien en ik ben juist zo benieuwd hoe je oortjes eruitzien. Doe het haar toch als keizerin Eugénie..., dan komen je oren veel beter uit. En dan heel kleine oorhangertjes eraan. Liefst van diamant, of een in zilver gezet pareltje! Laatst was ik op een nacht buiten, ik stond onder een lantaarnpaal en een snik welde in me op. Ik ging gebukt onder zorgen. Het proefschrift raakt maar niet af, het raakt waarschijnlijk nooit af en ik blijf op dit kamertje. Een dame werd langzaam voorbijgereden in een grote auto. Het regende en ik dacht: "O, als die dame me maar meenam." Ze giechelde achter haar hand toen ze me zag en het was me droevig te moede. En toen is er zoiets vreemds gebeurd, lieve Irma, dat was nou echt eng en griezelig en bovennatuurlijk. Ik sloot mijn ogen en weende, en toen ik mijn ogen opendeed hing ik tien meter boven de overkant van de straat en ik zag mezelf in gepeins aan de andere kant bij die lantaarnpaal staan. Ik dacht: Die man zou ik nou nooit willen zijn, maar ik ben al dood en nu ga ik naar de Lieve Heer. In Christus' naam, verlos mij van de herinnering aan het ellendige leven van die man. Maar er kwam niets van in. Ik zag mijn vader en moeder niet aan Christus' hand in de bloeiende boomgaard in de zon. O nee, dat zag ik helemaal niet. Ik werd langzaam, heel langzaam, weer naar die ellendige man toegetrokken, naar die Johan die ik ben, onweerstaanbaar. Ik had ook flink medelijden met die Johan. Een hond rende onder me door en ook een paar mannen, in de verte naderde weer een auto en toen gebeurde er iets gruwelijks. Ik was weer helemaal Johan zelf, de oude, de oude sukkel, de oude overtollige. Ik was als het ware weer in mezelf gevaren. Pas op voor brekende spiegels Irma, want die geven ongeluk. Ach, als u maar hier op mijn kamer was. Dan was alles schoon en opgeruimd. U zou tegen me zeggen wat ik moest doen en ik zou het doen. Nu is er nog iets: ik heb op het ogenblik veel last van een steenpuist zodat ik alleen maar op mijn rechterbil kan zitten. En zo schrijf ik u nu deze brief. Ik hoop dat u nooit last van steenpuisten krijgt, vooral niet als u een liefdesbrief wilt schrijven: het is dan zo moeilijk om romantisch te zijn. Hij doet veel pijn en kwelt me voortdurend en als hij openbarst zullen mijn kleren nog viezer zijn dan nu. Maar wil één ding weten, lieve Irma, lichamelijke pijn is niet zo erg als geestelijke pijn. Het voortdurende besef een overtollig en besluiteloos mens te zijn is erger dan pijn aan een bil of aan je rugspieren. Soms heb ik van die momenten en dan denk ik: "Had ik maar een pistool, dan zou ik me voor mijn raap schieten." Wat denkt u dat het beste is, lieve Irma, gewoon door de slaap schieten of op het hart richten? Er is nu nog maar één ding dat ik wil en dat is zo gauw mogelijk dood. Wat zullen de mensen lachen als ze mijn proefschrift te lezen krijgen. Het is niets dan loos gezwam. Maar hoe zet je zoiets wetenschappelijk op? De professor geeft mij geen leiding. Ik wil wel naar hem toe gaan maar hij zal zeggen: "Moet ik nu ook dat proefschrift nog voor je schrijven, wat ben je toch een ergerlijke luilak. Bovendien heb ik als professor al zoveel aan mijn hoofd: artikelen hier en daar, de belasting regelen, college geven en voor vrouw en kinderen zorgen." En hij heeft gelijk want ieder moet zijn eigen peultjes doppen. Lieve Irma, je bent een heel goede vrouw, maar misschien vergeet je af en toe wat: vergeet niet zo nu en dan je vader en moeder te prijzen. Ik ben dat weleens vergeten toen ik jong was en nu kan het niet meer. Ze geven je alle liefde die mogelijk is en daar moet je niet ondankbaar aan voorbijgaan. De beste mensen die ik heb gekend zijn mijn eigen vader en moeder geweest. Zeker, mijn vader heeft me meermalen een draai om de oren gegeven maar ook dat was uit liefde, hij heeft het als het ware uit aardigheid gedaan om een beter mens van me te maken en wat is er nu van me geworden? Een vod! Iemand die door iedereen wordt genegeerd. En staat er niet geschreven: "Eert uw vader en uw moeder zodat ook uw kinderen op hun beurt u weer zullen eren."? Nee, het is geloof ik: "Eert uw vader en uw moeder opdat gij in het beloofde land komt." In religieuze zaken ben ik eigenlijk niet geheel zeker van mezelf. Er zijn van die kleine attenties waar je vader erg op gesteld is. Ik hoef waarschijnlijk geen voorbeelden te geven. Borduur bijvoorbeeld monogrammen in zijn zakdoeken en ook voor je moeder kun je van alles doen om haar te laten merken dat je haar liefhebt. Vergeef me mijn wijdlopigheid van stijl en vergeef me eveneens mijn ellendig leven. En nu ga ik weer verder met het verhaal van de hersenen van de beroemde schaker. Hij was dood die man, natuurlijk was hij dood en toen heeft de professor, de patholoog-anatoom, de hersenen uit het hoofd gelicht. Hij heeft de hele zaak, dat wil zeggen alle hersenen, laten zakken in een grote glazen pot vol zuivere alcohol en hij dacht: "Die ga ik thuis eens goed bekijken, het zijn toch de hersenen van een wondermens." Onderweg heeft hij steeds tegen de chauffeur gezegd: "Man, rij toch wat voorzichtiger, want wat ik hier bij me heb! Allemachtig, zo'n klein gedeelte van het menselijk lichaam zou de wereld geschapen kunnen hebben, met alles erop en eraan, grassprietjes, torren, bomen, beren, mensen, ingewikkelde boeken. Man, rij toch wat voorzichtiger en hou vooral rechts, wat ik hier heb zijn de hersenen van de wereldberoemde schaker K." Maar de chauffeur luisterde niet, hij had slaap. Tegen chauffeurs moet je altijd heel duidelijk zijn. Zeg bijvoorbeeld: "Rijd mij naar het Vyborg-eiland, de prijs is drie gulden en geen flauwekul, de kortste weg en geen botsingen met andere auto's." Dat is optreden. Maar de professor was dat gewoon vergeten omdat hij die hersenen had, ik bedoel die hersenen van de schaker in een pot. Nou had hij het een hele tijd nogal druk en hij dacht: "Die hersenen blijven wel goed op pure alcohol. Die houden het zeker een paar weken in de oorspronkelijke toestand uit!" Hij vergat dat niets uit het menselijk lichaam zo snel stuk en kapot gaat als hersenen. Nou ja, op een dag zouden ze bij de professor thuis gebraden haas eten. De haas was er al en de professor belt de huishoudster en de kokkin op vanuit zijn laboratorium. Hij had een bericht, een waarschuwing, hij wilde zich mengen in de huishoudelijke zaken, maar dat had hij beter niet kunnen doen. Niemand was zo vergeetachtig als deze professor en de mensen zeggen niet voor niets: "Een echte verstrooide professor." Vergilius zegt het al van een professor: "Animam in diversas partes mittit." (Hij zendt zijn geest alle kanten op, dat wil zeggen hij is nogal verstrooid.) Want waar stond namelijk de pot met vet...? De professor had ergens speciaal smeuïg schapevet opgedaan om de haas in te laten smoren. Die pot stond in de kelder en het was net zo'n glazen pot als de pot die hij op het bureau in zijn werkkamer had staan. Hij zei door de telefoon tegen de kokkin: "Kokkin, braad die haas in speciaal vet, het staat daar en daar." Maar hij vergiste zich, hij gaf de richting van de hersenen op zijn werkkamer aan. Hij zei namelijk dat het schapevet op zijn bureau stond. "Doe er een beetje laurier en wat venkel bij," zei hij. De kokkin pakte de pot, niet de pot uit de kelder, maar de pot met de hersenen van de schaker. Een regelrechte ramp! Ze dacht nog: "Maar dat ruikt een beetje naar alcohol." Ze is echter een doortastende vrouw en pakte de hersenen uit de alcohol. De hersenen sisten in de pan. "Raar schapevet," zei de kokkin, "daar zit een luchtje aan." Stel je voor, lieve Irma, de hersenen die in Finland Turati hebben verslagen! Hersenen die zo krankzinnig veel mogelijkheden op schaakgebied konden voorzien dat ze gewoonweg geniaal waren. En dat lag als vet gewoon in de keuken in de pan te sissen. De familie zei: "Hij is wel lekker die haas", ze vonden het allemaal. "Maar hij smaakt een beetje naar alcohol, hoe komt dat toch?" zei de professor met een volle mond. "Het smolt niet genoeg, dat vet," zei de kokkin die de gerechten opdiende en in een hoek van de kamer stond, "toen heb ik er een beetje boter en gewone olie bij gedaan." "En je was zeker net een borreltje aan het drinken en toen dacht je: 'Dat gooi ik er ook maar bij,'" grapte de professor. Toch smaakte de haas heel lekker. De aardappels en de spinazie waren ook verrukkelijk, om de grote pudding voor toe niet te vergeten. Trouwens, heb ik het al gehad over de sterletsoep? Zo krijg je die hier bij de loodgietersfamilie niet! Nou ja, de hele familie was een beetje dronken en ze sloegen allemaal aan het snurken na het avondeten. Om halfnegen werd de professor wakker. Hij ging naar zijn studeerkamer en wreef zich verlekkerd in zijn handen. "Nu ga ik die schakershersenen eens onderzoeken," dacht hij. Hij had nieuwe messen en vorken bij zich. En wat ontdekte hij? Dat weet u al, lieve Irma. Woedend begon de professor het huis te doorzoeken en vond het schapevet in een glazen pot in de kelder, op een koude plek. De kokkin schrok vreselijk toen ze dat hoorde en ze mompelde maar: Ach, die bloedjes van kinderen. Ze dacht namelijk dat de schaker nog leefde en dat de professor de hersenen zomaar eventjes had meegenomen. Nu zag ze in gedachten de kinderen van de arme schaker die niet meer schaken kon. "Die eten voorlopig geen haas en sterletsoep," snikte de kokkin, "die arme kinderen, dat wordt bedelen en het is mijn schuld, mag ik het adres van de schaker? Dan ga ik mijn verontschuldigingen aanbieden. Zo zie je maar, een ongeluk zit in een klein hoekje." De professor begon te gieren van de lach. Maar ineens werd hij ernstig en zei tot zijn zoontje, die ook weer een beetje bijgekomen was: "Zeg, jij kan toch zo aardig schaken? Dan gaan we nu samen een spelletje doen." "Maar u kan toch helemaal niet schaken?" zei het zoontje. "Met hersenen in mijn maag van de man die Turati op het edele schaakbord in Finland heeft verslagen, zal ik schaken als de beste," zei hij. Ze zetten zich aan de huiskamertafel aan het spel. Natuurlijk verloor de vader. "Dat spreekt vanzelf," zei het zoontje tegen de verblufte vader, "wat dacht u dan, als u kalfshersenen hebt gegeten, gaat u toch ook niet loeien en schijten in de achtertuin?" Vanwege die opmerking werd het zoontje vroeg naar bed gestuurd. Er gebeuren rare dingen op deze wereld, lieve Irma... Ik heb vaker een liefdesbrief geschreven, maar nooit is er één zo lang geworden als deze. Dat bewijst dat ik erg veel van u houd. Lieve Irma, gezellige vrouw, prachtig wezen uit de comfortabele woning, onwezenlijk schone vrouw die zo mooi op de piano speelt, wil weten dat ik zonder u niet leven kan. Ik vraag u om uw hand, en ik vraag het uw vader en moeder ook. Wij zullen in de kerk trouwen. Wij zullen een rustig en waardig bestaan leiden. Ik zal in alles naar u luisteren, lieve Irma. Als u zegt: "Word toch schrijver", dan probeer ik dat, als u zegt: "Maak het huis schoon", dan doe ik dat. Irma, er is nog nooit liefde in mijn leven geweest, maar nu groeit het, ja ik voel het groeien. In gedachten kus ik uw hals honderdmaal, en uw voetjes en uw oortjes. Laat mij niet langer alleen. We moeten elkaar alleen maar beter leren kennen. De kinderen wil ik op een Danziger school hebben, ze moeten een goede opleiding krijgen. Lieve Irma, ik denk steeds aan u. Ik ben er haast zeker van dat u mijn verzoek zult inwilligen. Ik zal proberen mijn angsten overboord te gooien. Irma, mag ik op u rekenen?

uw Johan Knipperling
(tot nu toe een overtollig mens)

adres:

Zoltán Kodálystraat,

bij de loodgieter,

hier in de stad.'

Johan Knipperling is niet zo iemand die een dergelijke brief nog verstuurt ook. Hij heeft al zo vaak van die brieven geschreven. Het merkwaardige is dat hij meestal zijn oog laat vallen op de dochter van een professor, of van een notaris. Eén keer is hij zelfs verliefd geweest op de dochter van de burgemeester. Hij snapt niet dat je bij zo iemand thuis moet worden uitgenodigd. Hij snapt niet dat je dan met degeen op wie je een oogje hebt laten vallen quatre-mains moet spelen, of samen met haar gedichten doornemen, spelletjes met haar doen en vooral een goede indruk zien te maken op de vader en de moeder. Men moet zo'n band langzaam opbouwen. Op een gegeven moment wandel je met je geliefde door de tuin. Er is een avondnevel, de rozen geuren teer. En dan stamel je: 'Sofie, mag ik je vader..., mag ik hem je hand..., neem me niet kwalijk..., word mijn vrouw!' Dan valt ze snikkend aan je borst of ze doet helemaal niets. Johan heeft nu vierendertig van die lange brieven liggen en nog nooit heeft hij er één verstuurd. Vóór het schrijven van de brief al weet hij dat het nooit iets zal worden met zijn geliefde en dat het zijn lot is, zijn doem, om altijd eenzaam en alleen te zijn. Deze brief aan Irma verstuurt hij dus ook niet en hij legt hem boven op het stapeltje andere nooit verzonden liefdesbrieven. Soms leest hij de brieven door en breekt dan in huilen uit. 'Ik heb wel degelijk een gevoelsleven,' mompelt hij dan, 'maar wie zal er zijn om dat te beantwoorden?'

En zo sleept hij zich voort. Hij gaat naar kantoor en geeft daar de zwerfkatten te eten. Op het ziekenhuisterrein zijn wel honderdtwintig zwerfkatten. Onderweg naar zijn werk koopt hij blikjes voer en vers vlees. Dat deelt hij uit onder de schuwe dieren. Hij gaat ook eten ophalen bij de centrale keuken van het ziekenhuis. Daar is altijd vlees over, gebakken aardappelen, visjes, afval van vis, ingewanden van allerlei dieren. De mensen laten hem maar zo'n beetje begaan. Uren is hij in de weer met de zwerfkatten. Hij kan ze niet aaien, omdat de dieren zo schuw zijn. Driekwart van zijn salaris gaat op aan het voer voor de zwerfkatten. Op een keer heeft hij op zijn kamer bij de loodgieter een angstbui. Hij heeft zich ingebeeld dat hij een steen is. Die steen is het heelal. God zit midden in de steen. De steen ligt in de woestijn. Maar er zit toch mos op de steen. Soms, als maandenlang de zon erop gebrand heeft, is het mos helemaal grijs en stoffig geworden. God bidt en bidt, maar Hij weet niet tot wie Hij bidt. Johan voelt zich alsof hij Jezus is die een toespraak houdt tot het lege heelal. Hij zit in de steen en bekommert zich om het mos. Als hij lang genoeg gebeden heeft komt er regen, een ware plensbui, en het mos wordt weer krullig en groen. Dan is Johan even gelukkig. Maar de droogte begint weer. Hij lijdt pijn en is erg eenzaam. Hij ligt te krijsen in bed. De hospita komt zijn hand vasthouden. Als ze dat een uur gedaan heeft is de bui van Johan weer een beetje over. Hij pakt zijn proefschrift, maar de tekst dringt niet tot hem door. De hospita komt weer binnen en zegt: 'Ik heb een uur uw hand vastgehouden, het tarief is twintig cent.' Dan wordt Johan niet gek van teleurstelling, maar hij betaalt. 'Ik ben een steen,' dat is zijn idee, 'ik ben een steen, niemand wil met me te maken hebben. Ik ben een rots van eenzaamheid. Het meest ben ik een overtollig mens.' Jaren gaan voorbij en hij gaat steeds krommer lopen. De ziekte begint nu pas goed toe te slaan. Hij lijdt pijn aan zijn lichaam, zijn spieren doen pijn, hij kan zijn rug niet bewegen, hij heeft geen vrouw, hij heeft geen plezier. Alleen de zwerfkatten op het ziekenhuisterrein geven hem een beetje aandacht. Soms als hij uit kantoor komt snakt hij naar een praatje. In de stad spreekt hij een jongetje aan: 'Zo jochie, ben jij leuk aan het tollen?' 'Loop door, slijmerd!' krijst het jongetje en rent weg. Dan gaat Johan naar de openbare toiletten diep onder de grond bij de rivier. Hij probeert een praatje aan te knopen met de vrouw die achter het schoteltje zit. Ze heeft geen tijd, ze gaat juist schoonmaken. 'Mánnen,' zegt ze, 'u kunt u niet voorstellen hoeveel vieze mánnen er zijn.' Johan wil weglopen, maar de vrouw zegt: 'Ik krijg nog iets van u, een kwartje.' Johan schrikt en betaalt. Op een keer loopt hij een lampenwinkel binnen, alleen om contact te hebben met mensen. Hij informeert langdurig naar een mooie schemerlamp die nogal kostbaar is. Het blijkt dat hij de lamp niet kan betalen. De verkoper zegt: 'Als u nog eens langskomt en zoveel van mijn tijd neemt, neemt u dan geld mee', en vervolgens kijkt hij hem de zaak uit. Soms komt hij heel even in aanraking met een lief meisje en probeert hij haar een liefdesbrief te schrijven. Maar hij verstuurt zo'n brief niet! Hij is en blijft een overtollig mens. Hij begrijpt maar niet waarom niemand met hem praten wil. Hij leidt het leven van een droevige gevangene, maar toch loopt hij vrij door de stad. Hij kan naar de bioscoop gaan, naar een goedkoop restaurant. Hij kan de etalages bekijken. Waarom praten de mensen toch niet met hem? Op een keer zit hij in de trein en een oude vrouw komt naast hem zitten. Ze zegt, met de bedoeling een gesprek te beginnen: 'De grootste kwelling is wel de eenzaamheid, meneer.' Nu lijdt hij ook aan achtervolgingswaanzin, hij vat daarom de opmerking verkeerd op en gaat ergens anders zitten. Hij ziet de lichtjes van de steden en de lichtjes op het platteland voorbijschieten. De conducteur komt. 'Kaartje, meneer,' zegt hij. En Johan laat zijn kaartje zien. Johan ziet die lichtjes en denkt: 'Daar zitten de gezinnen. De kinderen zijn naar bed en de man ligt in de armen van zijn vrouw. Veel mensen zijn gelukkig.' Dan komt hij weer thuis en klimt in zijn bed. 'God,' smeekt hij, 'geef mij toch een draaglijk leven, ik hoef toch niet altijd alleen te zijn?' Op een dag gaat hij naar het laboratorium voor pathologische anatomie. Daar spreekt hij iets af met twee mannen. Ze zullen zijn lichaam na zijn dood gebruiken voor een wetenschappelijk doel. De afspraak is: Al het vlees eraf!, het draait alleen om het skelet. En Johan is vrolijk en blij: eindelijk praat er iemand met hem! Zo zijn er veel mensen onder ons, eenzame mensen, vooral ouden van dagen en wij bemoeien ons niet met hen. Wat heb je aan sombere, eenzame mensen?! Lachen willen we, plezier hebben, leuke types ontmoeten, leuke meiden oppikken en die even de broek uittrekken en kietelen, sigaren roken, bier en whisky drinken, pijpen opsteken en zwetsverhalen afsteken tegen iedereen...

Johan sleept zich door het leven. De pijn in zijn rug wordt steeds ondraaglijker, zijn werk vordert niet. Op een keer schrijft hij in zijn proefschrift: 'De ziekte van Bechterev is als een gesel van God..., maar eenzaamheid is erger.' Dan weet hij niets meer. Hij komt steeds meer tot de overtuiging dat hij een steen is die moet bidden voor het behoud van het mos op zijn oppervlak. Hij heeft niemand meer. Niemand heeft iets aan hem. Alleen de zwerfkatten danken hun leven aan hem. Het is ontroerend de eenzame man bezig te zien op het grote terrein van het ziekenhuis. 'Kleintje, wat heb je toch aan je oog?' vraagt Johan en probeert het dier te strelen. De poes vlucht. Overal op het terrein kent Johan de schuilhoeken van de poezen. Op straat zit hij weleens naar de mieren te kijken en mompelt dan wat ze in zijn gedachten zeggen: 'O pardon meneer, ik wilde met deze pop het kuiltje in.' 'Wilt u even met me meelopen, ik heb namelijk een suikerblok gevonden.' 'Wat een weertje hè?' 'Zeg kleine daar, wilt u niet zo rennen?' 'Als het even rustig is gaan we allemaal in de grote kamer zitten en dan vertellen we elkaar vrolijke verhalen.' 'Mijn pijpje is uit, heeft u een vuurtje voor me?' 'Ren toch niet tegen me op!' 'Wie komt daar uit het zijkuiltje?' Mensen die voorbijkomen moeten om Johan lachen. Een buurvrouw van de loodgieter heeft hem zo op straat zien zitten. Ze vertelt het overal rond: Hij mompelde mee met de mieren. Dat is toch wel vreemd gedrag. Als Johan naar bed gaat hoort hij voor het slapengaan de gekste dingen. Hij hoort mensen dingen zeggen die hij in werkelijkheid nog nooit gehoord heeft: 'Gezellig hè, met z'n tweeën in bed!' 'We gaan met z'n allen op vakantie.' 'Ach, liefje, laat mij dat even voor je doen.' 'Heb je je bezeerd, kleintje, kom maar even bij mij, ik zal je troosten, waar zit de zere plek?' 'Dokter, als ik sterf...' 'U sterft nog niet, mevrouwtje, zal ik u eens wat vertellen? De bloedspiegel is weer goed en volgende week mag u waarschijnlijk het ziekenhuis verlaten, o kijk eens, daar zijn uw kinderen.' 'Dag moeder, dag moeder, we hebben bloemen voor u meegebracht.' Dan hoort hij de dominee preken. 'Jezus is voor ons gestorven, er zal nooit meer eenzaamheid bestaan.' Huilend valt Johan dan in slaap en hij droomt van het Paradijs. Een klein dorp ergens in Amerika. Er wonen maar veertig mensen in knusse huizen. De mannen hangen met een brandend pijpje over hun tuinhekje. Ze hebben allemaal tijd voor een praatje. Dat is nog eens gezellig. Geen televisie! Dat vermaak voor ingezakte geesten! Geen bussen, geen treinen, geen kranten, geen vliegtuigen, geen computers, geen auto's, geen contactadvertenties. Mensen zoeken via de krant contact met elkaar. Maar op straat botsen ze tegen elkaar op en zeggen niet eens pardon. Johan droomt van het Paradijs en hij is gelukkig. Eindelijk hebben de mensen tijd voor elkaar. En Johan denkt: 'De mensen zeggen Homo homini lupus, dat wil zeggen: de mens gedraagt zich tegenover de mens nog gevaarlijker gemener en erger, kwaadwilliger dan een wolf. Maar je kunt beter geslagen en beledigd worden dan dat ze je helemaal links laten liggen, en zijn slotsom is: Homo homini vacuum.' De mens is voor de mens een leegte.

Op een gegeven moment hoeft Johan niet meer aan zijn proefschrift te werken, hij heeft naast Bechterev nog een eigenaardige ziekte opgelopen. Hij ligt in het ziekenhuis. In hetzelfde ziekenhuis waar hij altijd heeft gewerkt. Hij maakt zich zorgen om zijn zwerfkatten, wie zal er nu voor die beesten zorgen? Een week of twee is hij niet alleen. De verpleegsters zijn heel aardig en hebben vaak tijd voor hem. Wanneer hij huilt houdt een verpleegster zijn hand vast en vraagt: 'Hebt u pijn? Kan ik iets voor u doen?' 'Ja, houdt u mijn hand vast zonder er naderhand twintig cent voor te vragen,' zegt Johan gelukkig en hij gaat door: 'Hier in mijn ziekbed zie ik pas dat de mensen aardig zijn. Vergeeft u mij als u niet gelovig bent, maar God is goed. Hij geeft mij een waardig einde aan mijn leven. Nu eindelijk spreken de mensen met me, de chirurg, de anesthesist, de verpleegsters, de broeders, de dames van het rijdende bibliotheekje.' Dan gaat Johan dood, hij sterft met een glimlach op zijn gezicht.

Drie dagen later komen twee mannen van het pathologisch-anatomisch laboratorium volgens afspraak naar het mortuarium. Ze bekijken het lijk, proberen de rug te buigen, maar het lukt niet. 'Aan een kookpot uit de centrale keuken hebben we niets,' zeggen ze. Ze bestellen een kookpot met een middellijn van twee meter. Achter het laboratorium wordt de pot gevuld met water en er wordt een geweldig vuur onder aangelegd. Als het water sist, stoomt en borrelt wordt het lijk erin gelegd. Drie uur ligt het zo te koken. Het vlees valt ervan af. De zwerfkatten komen op de lucht van de verse bouillon af. En de twee assistenten gooien de katten van alles toe, stukken long, hart, het vlees van de benen en het vlees van de handen, de eindelijk losgeraakte rugspieren, spieren die altijd vastgezeten hebben en veel pijn hebben veroorzaakt. De assistenten maken het skelet helemaal schoon en ze krabben de restjes vlees ervan af. De zwerfkatten eten voor de laatste keer lekker, want er is nu niemand meer die zich om hen bekommert. Ze genieten van de bouillon en knorren en snorren en zwaaien met hun staarten.

In een studiezaal van de universiteit onderzoeken studenten een skelet. De professor wijst aan met een stok. 'Hier hebben wij een skelet van een man die in hoge mate last had van Bechterev. De ziekte van Bechterev komt op het volgende neer. Komt u eens hier,' zegt hij tegen een student. 'Ziet u dat hier het kraakbeen tussen de wervels van de rug helemaal versteend is?' 'Ik zie eerlijk gezegd helemaal geen verschil met andere skeletten,' mompelt de student. 'Ja, maar u had die man moeten kennen toen hij nog in leven was,' zegt de professor... O eenzaamheid, o Johan Knipperling, o mensheid!

Hoe mijn psychiater aan zijn kleine wonderbibliotheek is gekomen

Ik ben vaak bij mijn vriend de psychiater. Zijn naam is Andy Lameyn en hij is uit Nederlandse ouders geboren in Argentinië. Hij heeft ook gewoond in Frankrijk en Spanje. Hij probeert mij te genezen van een uiterst onaangename ziekte. Ik ben vaak lang, heel lang somber, en ook vaak enorm wild aanvallerig en springerig en onbegrijpelijk voor anderen en dat is niet zijn en mijn bedoeling. Hij probeert mij pillen voor te schrijven, maar ik hou daar niet van. Ik zeg altijd: 'Weet je wat het is Andy, ik ben een romantisch type. Dat wil zeggen, soms ben ik himmelhoch jauchzend en dan weer zum Tode betrübt.' 'Nee,' zegt hij, 'eigenlijk niet, daar is een nieuwerwetse term voor in de medische wetenschap, jouw gedrag heet manisch depressief.' 'Maar wat is dat voor flauwekul,' zeg ik dan, 'die kreet bestaat pas eenenveertig jaar, terwijl het woord "romantisch" ...Homerus, Tibullus, Keizer Augustus, Mondriaan, Montaigne, Titiaan, Munch, Palinurus, Flaubert, Toergenjev en Jezus Christus waren al romantisch! Wat moet dan ineens dat woord "manisch depressief"? Het is een akelig woord en doet me aan plakplastic denken. Trek de rommel plastic weg en er komt oud verweerd prachtig hout te voorschijn: "Romantisch". De thermotechnicus en groenstrookverzorger van nu heetten vroeger ketelbaas en tuinman!' Als we uitgepraat zijn en hij me heeft overtuigd dat ik pillen moet slikken, vooral zout, lithiumzout – waarvan ik niet bang ben omdat het niet chemisch is, maar gewoon een element uit het periodiek systeem der elementen van Mendelejev, zoiets als koper, helium, mangaan, ijzer, zink – dan beginnen we over andere dingen te praten. Hij zegt: 'Ik schrijf nu dit recept en jij slikt de pillen, zoveel 's morgens, zoveel 's avonds, en dan gaat het beter met je: niet te wild, niet te veel ideeën, niet te uitgeblust of zonder hoop of liefde.' 'Het gaat toch al goed?' zeg ik. 'Nee,' zegt hij. 'Wat wij moeten zien te vinden, is een gulden middenweg, aura vita mediocra. En dat kan door het slikken van lithium.' Ik geloof hem. Hij heeft er verstand van. Hij is een dokter die net zoveel weet heeft van roeien en hoogspringen en tennissen als ik. Dan lopen we, gearmd (Turkse en joodse en Marokkaanse mannen lopen gearmd over het strand of door een stad of door een woestijn) naar zijn studeerkamer en daar bewonder ik zijn boekenkast. Er zijn niet eens zoveel boeken in die kamer. Een rustige kamer, met kleine vensters, er staat een klein bureau waar goed gewerkt wordt, want Andy, mijn vriend, laat wetenschappelijke artikelen het licht zien in het Nederlands, het Frans, en het Spaans, want hij kent zijn talen goed. Hij heeft een goede ontwikeling. Als ik al die bandjes van de boeken zie – zeg dat het er duizend zijn, allemaal bandjes in linnen, grijs, donkergroen, lichtgroen, lichtblauw, zwart, die bandjes staan allemaal precies op de rand van de plank, Andy is daar heel precies in, als er een werkvrouw in zijn kamer is geweest en een van de boeken in de onberispelijke rij heeft ingeduwd zet hij het weer precies zo dat de onderkant van het ruggetje gelijk staat met de rand van de plank – dan zeg ik tegen hem: 'Andy, 't is mooier dan een zonsondergang boven zee.' Zo staan al die boeken daar keurig, ik geniet ervan. Maar hoe weinig boeken het ook zijn, het zijn misschien de mooiste en belangrijkste boeken vanaf Tibullus via Giordano Bruno tot Jean Paul Richter. En dan vraag ik hem: 'Hoe kan dat nou in vredesnaam? Het zijn... tja hoe moet ik het zeggen? Het is een wonderbibliotheek! Het zou eigenlijk wel de bibliotheek van Adolfo Bioy Casares kunnen zijn. Het is een wonderbibliotheek!' 'Goed,' zei hij op een keer, 'Maarten ik zal je het wonder van mijn boekenkast eens uitleggen.' En hij begon als volgt: 'Wij woonden in een klein dorpje in Argentinië en mijn vader besloot op een fraaie dag om met het hele gezin – mijn moeder, mijn broertje die een jaar jonger was en ik – om met z'n vieren in de auto, een Mercedes Benz uit het jaar 1948, te rijden naar de Indianen die werkten in de tinmijnen in Peru. Een allemachtig eind weg van ons dorpje. We zouden weken moeten rijden. Maar we deden het en we sliepen onderweg in tenten en bouwvallige hotels met gammele matrassen op de bedden. En op een gegeven moment kwamen we, op weg naar de tinmijn, waarin ongeveer 30 Indianen per jaar het leven lieten omdat de technische hulpmiddelen zo schamel en zo gammel waren, bij een hoge, stoffige berg, nee een heuvel van 1200 meter. We reden de berg op en we dachten o, o, o als dat maar goed gaat. Natuurlijk had mijn vader de auto in de eerste versnelling, maar de weg werd ineens heel nauw. Het ravijn links van ons was vlak bij de wielen en we reden haast van de weg en mijn vader wilde anders rijden. We reden achteruit, dreigden naar beneden te storten, vader versnelde en koppelde van schrik verkeerd, een geratel en een paar doffe dreunen waren hoorbaar en toen was ons vervoermiddel kapot. We stapten uit en gingen, voor zover de weg ons enige ruimte toeliet (links de diepte, rechts de berg), de zaak bekijken en kwamen erachter dat de versnellingsbak niet door ons, hier en nu, zo ooit, hersteld kon worden. En dat het dus wel een heel knappe man zou zijn die ooit de versnelling kon herstellen. Daarna een makkelijke afdaling. We duwden en remden een stukje. Beneden was een dorp van 40 lemen hutten, waarvoor hier en daar een houtkachel stond, wonderlijk genoeg op straat. En te midden van die hutten vonden wij een smederij. De smid, een Indiaan, nu, had kolen, een vuur, een aambeeld, een hamer en een tang. We duwden de auto tot in de smederij. En de smid kwam en bekeek de zaak. Gehurkt ging hij zitten turen naar wat overgebleven was van de versnellingsbak van de Benz uit 1948. En uit deze aanschouwing groeide het grote verlangen in zijn handen en zijn hoofd om dat apparaat, dat onderdeel van de auto nu eens goed te herstellen. Maar hij zei: "Ik kan het geloof ik niet. Ikke heb geen verstand van automobielen, ikke eigenlijk nooit auto hier zien, en niks van snap. Ik niet kanne maken nie." Maar mijn vader zei: "Met jouw voorstellingsvermogen moet het mogelijk zijn dat je dat ding herstelt." De man haalde het deksel van de versnellingsbak en haalde met een paar van onze tangen, hamers en schroevendraaiers de hele versnellingsbak uit de Mercedes. Hij zette het ding bij het vuur in zijn smidse, nam alle stukken staal, raderen, tandwielen en assen uit de bak en ging ernaar zitten kijken. Hij keek er een dag naar, keek er twee dagen naar, keek er drie dagen naar. En, gedreven door fantasie, belangstelling, bescheidenheid, zin voor harmonie, een goed karakter en inlevingsvermogen werd hij bevangen door een scheppingsdrang als van God zelf. Hij ging kijken en vragen bij de monteurs van de liften van de tinmijn, maar kon niet het gereedschap vinden dat hij dacht nodig te hebben. Hij ging daarna naar mijn vader en zei: "Misschien, hoogst misschien, klein beetje waarschijnlijk, ik maken kan machine, deze versnellingsbak zogenaamd u noemen." Wij hadden onze intrek genomen bij aardige Indianen in een van de kleine lemen huizen, en aten geit, schaap, groente en heerlijke platte broden, soms geitenkaas, en dat was allemaal bijzonder smakelijk. Binnen 2 dagen was er al een goede verstandhouding tussen de Indianen en ons: niet te veel misverstanden. We gingen natuurlijk vaak kijken naar het werk van de smid aan de versnellingsbak. Hij tuurde, rekende op z'n vingers, had toch nog ergens een centimeter en een passer gevonden en mat en mat. En had voortdurend overleg met mijn vader hoe dik deze as nu hier was geweest, en waar misschien de tandwielen gezeten zouden hebben. Er zitten ongeveer 28 tandraderen in een versnellingsbak en die draaien en glijden bij iedere versnellingshandeling op een andere manier in elkaar. De tandraderen glijden over de assen, hier pakken ze wel, daar niet, het is erg ingewikkeld, het zit moeilijker in elkaar dan het differentieel dat een wonder van eenvoud is. Maar de smid – laten we nu maar zeggen, een man met een verstand van techniek zoals iemand het ongeveer in 1280 in die streken moet hebben gehad, hij had in ieder geval zeker nog nooit een versnellingsbak van een auto gezien – begreep dat hij een versnellingsbak kon scheppen. Hij begon – en dat was heel slim – allerlei gereedschap te smeden waarmee hij dacht een nieuwe versnellingsbak te kunnen maken. Er kwamen kleine hamertjes, tangen, vijlen, raspen, allerlei ander klein gerei. Hij dacht en stelde zich voor en piekerde en glimlachte af en toe.

Hij begon met een kreet aan het echte werk. Twee en een halve maand later was de versnellingsbak klaar. Hij werd in de Mercedes gezet, mijn vader, de smid, moeder en wij gingen in de auto zitten, en, wat we nooit begrepen hebben, mijn vader draaide het contactsleuteltje om, zette hem in de eerste, liet de koppeling opkomen, en de auto reed! Er was daar een betrekkelijk vlak stuk weg. Hij zette hem in de tweede, de derde, de vierde. Wat je ook deed, zacht, hard, heuvel op of af, de auto reed als een klein stoomlocomotiefje waarvan de machinist weet dat hij alléén moet letten op de contramoer onder de ketel: niet te stijf vast, niet te los. Ja, dat hebben we nou meegemaakt met een Indiaan die nog nooit een auto gezien had in 1946. Op die manier heeft Berthold Schwarz, de slimme monnik uit een klooster in Duitsland, het kruit en het zwarte garen, het lont uitgevonden in het jaar 1208. Zo heeft die smid bij wijze van spreken, zich ingebeeld hoe een versnellingsbak in elkaar zou kunnen zitten, de werking ervan uit zijn verbazing getrokken, en hem opnieuw tot leven geroepen. Een wonder, zoals God ooit de eend en de centrale verwarming heeft geschapen. Die smid, die Indiaan! En mijn vader sprak: "Njewjerojadno, no êto fakt." Dat is Russisch en het betekent: "Het is ongelooflijk, maar het is een feit." Wij gaven de Indiaan een zaklantaarn en een geit voor de slacht. Meer wilde hij ook niet hebben! Nu reden wij met een heel rustige gang naar Rio. En zo kwamen we in Rio. Mijn vader wist dat daar een Mercedes Benz-dealer was, een garage, die de grootste was in heel Zuid-Amerika. Mijn vader liet daar de versnellingsbak van de Benz zien en de garagisten waren zo verbaasd dat ze zeiden: "Dat kán helemaal niet." En ze vroegen aan mijn vader hoe die Indiaan gewerkt had. En pa zei: "Vuur, hamer, aambeeld, tang." Twee coureurs van de firma Benz reden afwisselend in onze auto, met de Indianen-versnellingsbak, en een gewone Benz. En toen ze 4 dagen heuvel op, heuvel af en door zwaar terrein, soms door moerassen, gereden hadden, zeiden ze: "Het is waar dat de Indianen-versnellingsbak beter en soepeler schakelt dan welke versnellingsbak van welke nieuwe Mercedes Benz-wagen uit Duitsland dan ook." Toen kwam de directeur van Mercedes Benz in Rio, die de gang van zaken had doorgebeld naar het grote Benz-museum in Frankfurt. In Duitsland konden ze het nieuws niet geloven en de Duitsers boden 20.000 dollar aan mijn vader, zo hij zijn auto met de Indianen-versnellingsbak aan het museum in Frankfurt wilde afstaan. Mijn vader had nu zóveel geld, we wáren trouwens al niet arm, dat hij dure cadeautjes aan ons begon te geven. De Indiaan gaf hij niets. Mijn moeder gaf hij een bontjas, mijn broer een treintje dat echt op stoom kon lopen, er kwamen nieuwe dekens, er kwam heel veel marmer in de keuken, en voor mij had hij helemaal iets bijzonders bedacht. Hij zei: "Ik zal jou une biliothèque authentique geven." Weken zat hij na te denken. Eigenlijk verdiende mijn vader zijn geld als denker. Hij had een groot hoofd. En hij schreef op grote papieren welke boeken hij voor mij in de geest had. "Het mag wel wat kosten," zei hij. En hij begon te bestellen, hier, daar, links, rechts, Noord, Oost, overal in de wereld. En langzamerhand kwamen postpakketten bij ons binnen. Pakte je de pakketten uit, dan zag je 1 of 2 of 3 of 4 boeken. We hadden al wel boeken, maar die waren allemaal tamelijk eenvoudig: kinderboeken en dan verder Plinius, Wilnus de uitvinder van de dampkring, Boerhaave, Darwin, omdat ik die boeken op het gymnasium nodig had. Maar nu kreeg ik boeken zoals een denker, een lezer, een echte studiosus ze zou willen hebben. Van mijn veertiende, toen ik al die boeken, die duizend boeken kreeg, tot aan mijn zesentwintigste heb ik tot plezier van mijn vader en moeder 18 uur per dag zitten studeren en lezen. Ik wilde eigenlijk alle boeken wel uit mijn hoofd kennen. En zeg maar dat ik er 12 jaar over heb gedaan. Toen kende ik die boeken stuk voor stuk uit mijn hoofd. Natuurlijk robbedoesde ik tussendoor genoeg, en voetbalde en zong graag, maar 12 jaar lang heb ik niets aan mijn gewóne huiswerk gedaan, ook niet op het gymnasium. Het hoefde ook niet, ik wist alles al. Ik deed ook aan de universiteit niets, ik kon er niets meer bijleren en nu zou studeren miskenning van wijsheid en talent hebben betekend. In mijn hoofd waren die boeken. Ja ja het ging me alleen maar om die duizend boeken. Luister nu eens even, je moet je jeugd gebruiken om het beste vanaf die Tibullus tot en met Jean Paul Richter te lezen en uit je hoofd te leren en sindsdien heb ik nooit meer echt iets bijgeleerd. Eigenlijk weet ik behalve van de literatuur ook alles van gedichten, van geesteziekten, van filosofie, van theoretische natuurkunde, van gekoppelde slingers, van zware lichamen die elkaar aantrekken in het heelal, van logica. Nu ja, neem me niet kwalijk. De laatste veertig jaar heb ik voor mijn gevoel alleen maar getennist en geroeid, veel gebabbeld, vaak whisky gedronken en sigaren gerookt, af en toe iets opgeschreven, ook in het Frans en Spaans, want daar heb ik met mijn broertjes en mijn zusjes, mijn vader en moeder lang gewoond. Ha, ha, en nu noemt men mij de koning der psychiaters in West-Europa.' Zo sprak mijn psychiater, mijn lieve vriend met zijn welluidende naam Andy Lameyn. 'Mijn hele boekenkast, het mooiste van mijn kennis, mijn hele wijsheid heb ik te danken aan de wil, het doorzettingsvermogen, de inleving, de scheppingsdrang van een Indiaan, die met niet meer dan vuur, aambeeld, hamer, tang, de demonen van onze tijd te lijf ging.' 'Een slachtgeit, een staafbatterijenlantaarn, zijn eigenlijk maar een heel kleine beloning voor de Indiaan,' zei ik. 'Inderdaad,' sprak mijn vriend. 'Ja, verdomd, de wereld is slecht, bitter slecht!'

Cel

Uitgerekend onze charmante God had mij als patiënt in een gekkenhuis gebracht op de avond van 26 februari 1966 in Leiden en
als het nu Poseidon, Prometheus en de Schikgodinnen waren geweest die me dat hadden geleverd, had ik er vrede mee gehad.
Drie maanden lag ik in een cel, geen daglicht, het was te droog
en te warm voor mij, ik ben een homo nordicus en hou van 't
weer van de Noordatlantische Oceaan. Ik lag in mijn poep, pis,
kots en zweet onder een deken die door het lange gebruik net
een stijve plaat ijzer was geworden. Ik had trouwens geen deken
nodig, gewoon in 't donker over de houten vloer een hoek zoeken en slapen. Toen kwamen gymnastiekleraar Bontje en de etser
Bert Jonk! Ik had al kruipoefeningen gedaan en mocht nu met
mijn armen om de nekken van twee engelen naar arbeidstherapie
gaan. Hier moet ik van ontroering gebruikmaken van een nieuwe
alinea.

Het was, buiten mij om, tóch lente geworden! In de bloeiende pruimen- en appeltuin stond een stoeltje, achter twee stevige
schragen met een dikke plank erop. Bert gaf mij de spijkers, Bontje de hamer. Ik hoorde de vogels, zat met mijn stoel in echt gras,
de spijkers waren geen namaak. De vogels: tuut tuut tierelierе-
hopsa – fiet! De bloesem, de bomen, Kees Pronk, al even krankzinnig als ik met zijn grote koffiekan, en ik maar timmeren: frisse
lucht: ták, ták, ták, ták, ták, ták, ták, ták, ták! Et c'était le jour le
plus heureux de ma vie!

Angst

Een of twee weken geleden heb ik gevraagd of ik *Het wezen van de angst* van Simon Vestdijk mocht bespreken.

Het boek is eigenlijk bedoeld als proefschrift, maar Simon is er niet op gepromoveerd. Ik heb er een hele dag in zitten lezen. De eerste druk is van 1968 en de tweede van 1979. Het boek is uitgegeven door de Bezige Bij, in de serie 'leven & letteren'. Toen ik een beetje begreep wat er allemaal in staat, het is een geleerde en deftige verhandeling over de angst bij onder anderen Kierke-gaard, Heidegger, Rilke, Poe, Kafka, Dostojevski, Proust en Sar-tre, wist ik dat ik te hoog gegrepen had. Ik ben immers helemaal geen lezer, ik lees misschien tien boeken per jaar en meestal is dat nog herlezen, en van proefschriften begrijp ik niets. Ik heb nu een zeer hoge dunk van Vestdijk omdat hij bijna zevenhonderd bladzijden weet te vullen met een slimme verhandeling over het begrip 'angst', maar bespreken kan ik het boek niet omdat ik er te dom voor ben.

'Maar waarom,' zo zult u vragen, 'heeft u dan verzocht het boek te mogen bespreken?'

Die vraag is inderdaad niet gek en het antwoord luidt:

'Ik heb zelf zo vaak last van angst en door dat boek te lezen begrijp ik misschien wat er met mij aan de hand is.'

Ik ben niet wijzer geworden. Dat ligt natuurlijk niet aan Vestdijk maar aan mijn ziektebeeld. Ik bedoel dat iemand met huwelijks-moeilijkheden geen baat hoeft te vinden bij *Anna Karenina* terwijl dat toch het beste boek over dat onderwerp is. Toch raad ik intel-lectuelen die last hebben van angst in al zijn mogelijke gedaanten aan *Het wezen van de angst* van Vestdijk te lezen. Ik geloof dat het een prachtig proefschrift is. Er staan ongelofelijk veel aanvaardbare en mooie theorieën in het boek, maar nu heb ik het idee dat ik in de vorm van een klein verhaal nog een simpele theorie aan het proefschrift kan toevoegen.

Ongeveer eenmaal per week heb ik een aanval van angst. Ik weet niet waarvoor ik bang ben. Alles wordt onzeker. Mijn buurman is op bezoek en ik meen dat hij het over een luchtgekoelde cello heeft, terwijl hij spreekt over een onderkoelde vertolking van het celloconcert van Dvořák op de radio. Ik meen dat de gordijnen bewegen en er zit geen kat achter. Ik dacht dat er drie vlekken op het plafond waren en nu tel ik er vijf. Ik krijg sterke aandrang om me te ontlasten, het zweet staat in mijn handen, ik versta en begrijp mijn vrouw niet meer, mijn hart bonkt, geslachtelijke omgang is vies, God is van steen en dood. Auto's rijden op de straat voorbij, ik weet niet waarvandaan ze komen en waarheen ze gaan. Snel neem ik een boek en ga lezen. Twintig keer kan ik in die toestand dezelfde alinea overlezen en nog heb ik er geen snars van begrepen, zelfs al is het een lievelingsboek van mij zoals *Moby Dick* of *Ferdydurke*. Ik hoor geluiden in de flat en kan ze niet thuisbrengen. Die deur die daar dichtslaat, is dat de badkamerdeur van Renes of de woonkamerdeur van Boer? Mijn vrouw is met de afwas bezig. Ik hoor iets op de aanrecht rammelen, is dat steen of glas? We hebben acht poezen. Twee zitten elkaar achterna en ik kan niet meer op hun namen komen.

Ik denk eraan dat ik onlangs zo'n bui had bij het signeren van mijn nieuwe boek in de Athenaeum Boekhandel op het Spui in Amsterdam. Johan Polak rijst uit het voor mij onbekende, wazige publiek voor me op en ik denk:

'Eindelijk een bekende.'

Dan begint de paniek: 'Hij heet Polak, maar welke Polak? Ivan Polak, Bob Polak, Fred Polak, Bram Polak, David Polak, Jan Polak, Karel Polak?'...

Mijn hart begint te bonzen, het zweet staat in mijn handen, mijn blik glijdt weg, ik had het natuurlijk al te pakken, ik moet belangstelling hebben, er hadden meer mensen moeten zijn, ik voel me tekortgedaan, in de verte roept iemand: 'Die Italiaanse dichter' en ik denk: 'Die Griekse dichter!', waar komt het licht vandaan? Ben ik wel in Amsterdam? Moet ik glimlachen naar de fotograaf? Wat zet je eigenlijk in een boek, alleen de handtekening? Ben ik niet dood? Hoor ik hier wel? Had hier niet iemand anders moeten zitten? Heb ik mijn juiste pak wel aan, zit mijn haar wel goed, hoeveel boeken zijn hier bij elkaar? En als er straks een hoer de winkel binnenstapt, wat dan? Als ze heupwiegend op me afkomt en begint te lachen, te roepen: 'Dat is Maarten Biesheuvel, stelt niets voor!' Mijn broer zit in een gekkenhuis, waar is hij nu? Wandelt hij in de stad of huilt hij in een cel? Had ik hem vandaag beter niet kunnen opzoeken? Ik ben ijdel, ik moet hier helemaal niet zitten, Jan Wolkers, Joop den Uyl, Rinus Ferdinandusse, Karel van het Reve, Simon Carmiggelt..., ik heb ze allemaal wel eens een hand gegeven. Hoor ik erbij? Zien ze dan niet dat ik gek ben? Zien ze niet dat ik moeite moet doen om niet door het raam te springen en me voor een tram te werpen? Wie ben ik? Mijn moeder was toch heel eenvoudig, die zou zoiets nooit hebben gedaan...

Dat schiet door mij heen in snel tempo en onderdehand staat Polak te wachten. De mensen in de winkel kijken me glazig aan. Ik kan toch niet zeggen: 'Meneer Polak, ik heb een angstbui, complotten, oneindig heelal, pikken als kerktorens, dubbelgangers, ik dacht dat ik God was, dit boek is van gebonden slijm, wilt u een sigaartje?' Ik raak mijn baan kwijt, ik heb Theun beledigd, als ik Napoleon was zou ik thuisblijven, hoe leeft een ander mens, de hel dat zijn de anderen, komen die mensen voor mij? Maar ze hebben toch zelf een huis? Zweet in mijn handen, de blik glijdt van het ene voorwerp naar het andere, vlug Spa drinken, vlug een sigaartje opsteken. 'Polak!!, hoe gaat het?, leuk zeg, daar komt die Polak me ook nog opzoeken.' '"De pornografie" was een heel mooi verhaal,' zegt hij. 'Ik he... heb e... eraan vera... veranderd,' mompel ik. Polak kijkt me aan. Het duurt nu al een minuut.

Ik kan toch niet waar al die mensen bij staan zeggen: 'Polak?...
maar welke Polak? Wat is de voornaam toch weer?' Moeilijkheid
uitstellen. 'Tilly, hoeveel boeken zijn er nu verkocht?' Met de
trein ben ik hierheen gekomen. Ik ken de bestuurder niet. Wie
heeft me hier gebracht? Waar komt de stroom in de bovenleiding
vandaan? Zou Eva inmiddels niet overreden zijn? Was ik maar
een dier. Ik word achtervolgd, ze hebben mij in de gaten. Ik ben
groter dan het heelal omdat mijn angst er niet in past. Als ik sterf
zal ik brullen: 'Er is geen God.'

Vroeger was ik gelukkig, toen ik nog niet schreef: wandelen
langs de havens in Rotterdam, de krant begrijpen. Is mijn dasje af-
gezakt? Zijn mijn schoenen wel gepoetst? Even voelen of ik mijn
portefeuille nog heb? Wil Polak wel dat er met blauwe inkt in zijn
boeken wordt geschreven? Ben ik in Amsterdam of in Utrecht?
De duizenden boeken uit deze winkel zullen op je vallen. De
mensen zullen zich hoonlachend van je afkeren. Buiten tegen de
pui op het Spui, boeken tui, sui generis, 'is dit nu een species of
een genuscontract meneer?', 'ik weet het niet professor, ik heb
nooit iets geweten', 'maar nu doet u toch examen?', 'vita est examen, examen betekent in het Latijn zwerm van bijen, schaar of
schare, een menigte van slaven, het tongetje van de weegschaal of
een onderzoek.' Heb ik mijn gymnasium eigenlijk wel gehaald?
Heb ik echt mijn diploma? Ik heb het niet bij me.

Buiten tegen de pui staan in kistjes tijdschriften, wat voor tijdschriften? Zionistische, communistische, pacifistische, feminis-
tische, godsdienstige, socialistische, cultureel-antropologische,
pornografische? Wat voor tijdschriften eigenlijk en waar dienen
ze toe? Van alles wat. Ik heb er niet naar durven kijken. Ik hoor
hier niet. Thuis had ik moeten zijn bij Bolke de Beer en een kopje
thee. En wat gaat er straks gebeuren? Moeten we dan naar een
café? Als er maar geen harde muziek is. Als ze me maar kennen.
Een tram tingelt. Het moet hier naar zweet en pis en boeken ruiken, natte regenjassen, paraplu's. Ik ben in de beste en bekendste
boekhandel van Nederland, ik zit voor een lege bladzij, de balpen
aarzelt, iemand, een zekere Polak kijkt vriendelijk naar mij.

Iemand uit de menigte roept: 'Teken toch, Biesheuvel!' Guillotine, revolver, mes, operatie, hersenspat... Ik kijk naar Polak en zeg, mijn handen afvegend aan mijn broek en een slaappil slikkend om het bonzen van het hart tegen te gaan, wat moet ik tegen mijn droge mond doen?, mijn tong voelt aan als leer, ik heb hoofdpijn en buikpijn, ik moet onmiddellijk plassen, ik heb te veel gedronken, nu gaat de chemische pil bruisen in de alcohol en wordt het nog erger, een auto remt buiten, van buiten klinkt het verkeer als gezoem van bijen, examen automobilorum, auto's en trams en mensen, zweet, bonzend hart, ik begrijp niets meer, mijn psychiater weet niet of het een neurose is, een psychose, melancholie, paranoia, depressie door overspannen levenswil of ongerichte angst. 'Polak?' vraag ik, 'maar welke Polak?' Gegniffel van mensen. Lachen ze mij uit of Polak?

Heel vriendelijk zegt hij: 'Ik ben het, Johan, beste Maarten.' En ik schrijf in het boek: 'Voor Johan van je toegenegen Maarten.' Maar daarmee is het nog niet afgelopen. Ik moet verder signeren. Ik ben nog een hele dag in Amsterdam gebleven, het werd een steeds grotere nachtmerrie...

Tijdens het lezen van Het *wezen van de angst* van Simon Vestdijk ben ik niet een dergelijke gemoedstoestand tegengekomen. Zoiets wordt in het hele boek niet beschreven. Wat dat betreft ben ik dus beslist uniek in mijn krankzinnigheid. Ineens overvalt het me: Angst! En ik weet niet waarvoor ik bang ben. Ik ben bang voor niets en alles tegelijk. Ik durf niet in de tram te stappen, niet over het plein te lopen, ik ben bang van mensen, van honden, van katten, het zijn allemaal tekens en boodschappen, maar wat erachter steekt daar kom ik niet achter. Ik durf niet naar de hemel te kijken, niet met Eva te praten uit angst dat ik 'glavoniet strabuit dorrenieje mwje strach', wat niets of onzin is, zal zeggen.

Zo'n bui had ik ook eens toen ik met Eva uit Leiden bij Renate, Karel, Peter en Jozien op bezoek ging. Ik hoorde Karel toen ik hem een gebakje aanreikte zeggen: 'Maar een poes brandt immers heel anders dan een ventilator?' en ik begon uit angst te bidden.

Was Karel werkelijk God? Ongerichte angst. Ik ga dat nu niet weer allemaal beschrijven, ik zou in herhaling vallen en bovendien wil ik Jozien, Karel en Peter niet beledigen.

Om elf uur, we hadden drie uur in de kamer van Renate gezeten, stapten Eva en ik op. Ik wilde per se niet pillen slikken, omdat die me zo duf maken. Eva wilde een taxi nemen naar het station maar ik wilde lopen. Mijn vrouw weet precies hoe ik me voel als ik een bui heb. Zweet, bonzend hart, onzekerheden, allemaal vragen. Ze keek me steeds vragend en liefderijk aan als een tram te luid tingelend voorbij kwam, als we een hoer zagen, als auto's botsten of jongens schreeuwden.

Na een kwartier waren we bij het Centraal Station in Amsterdam. Ik was op van de zenuwen. We stonden op het plein voor het station.

'Even stilstaan,' zei ik, 'ik kan niet meer.'

Links van ons stonden honderd zwijgende jongens van tussen de vijftien en de twintig jaar. Rechts van ons ook. We stonden midden tussen die twee groepen. Ik wist toen nog niet dat de ene groep bestond uit Ajaxliefhebbers en de andere uit Feyenoordsupporters. Er was juist een wedstrijd geweest. Er was het gewone onbestemde lawaai in de stad maar die tweehonderd jongens zwegen. Dat vond ik wel prettig. Ineens bevond ik me op het slagveld. Het was of de slag bij de Berezina nog eens dunnetjes werd overgedaan. Struikelend en hinkend tussen de vechtende jongens en de politie die alles wat leefde en ademde een klap met de knuppel verkocht, tussen overvalwagens en woedende herdershonden die veel witte tanden lieten zien en gemeen gromden en blaften, tussen mannen die op straat lagen en kapotte flessen door, uitglijdend over mayonaise, stappend in een diepe plas... ja zo ongeveer kwamen we eindelijk op het perron aan.

Mijn vrouw vroeg hoe het nu met me ging.

'Goed,' zei ik maar dat zeg ik altijd.

Ze had het gevoel dat ik nu helemaal laaiend van angst moest zijn en omdat de trein pas over veertig minuten zou vertrekken, omdat het misschien ook nog een voetbalsupporterstrein zou wezen vol jongens en vandalen die brullen en schreeuwen, flessen door de ruiten werpen en een mes achter je rug in het namaakleer van de zitbank planten, besloot ze om onze buurman in Leiden te bellen met de vraag of hij ons niet wilde halen. Het liefst had ze een ambulance gebeld.

Terwijl ze belde keek ik naar een merkwaardig tafereel. Op twee meter afstand bij me vandaan stond een politieman als een tinnen soldaatje zonder gevoelens, iemand die geen partij trekt. Hij hield een herdershond aan de lijn. Jongens waren er niet op het perron, die zouden over tien minuten pas komen. De herdershond brulde als een depressieve God in een heelal van steen, onder die ijzeren overkapping van het Centraal Station brulde God als een herdershond die op straat gek is gemaakt door vallende en vechtende en schreeuwende mensen.

Een heel lieve, vriendelijke Marokkaan hield zich vlak bij me in de buurt op. Hij boog zich in de richting van de hond die zijn tanden liet zien en blafte. De agent bleef stokstijf staan.

Ik wilde tegen de Marokkaan zeggen: 'Die hond moet u niet aaien' en ik wilde dat in het Frans doen, ik weet niet waarom. Ik kon niet op het woord voor aaien komen en bleef kijken. Een trein raasde voorbij, de Marokkaan lachte en gebaarde in de richting van de woedende hond. De politieman deed niets. 'Jij lieve hond, jij zijn lieve hond,' lispelde de Marokkaan steeds, 'bij mij ook hondsjen... jij lief hondsjen...'

Juist kwamen ongeveer honderdveertig verwilderde voetballiefhebbers over de trappen het perron oprennen, schreeuwend en tierend, toen Eva zenuwachtig uit de cel kwam en me vertelde dat Jan, onze buurman die me van het einde der aarde op zou komen halen als ik een bui had en hij de tijd, niet te bereiken was.

'Wordt het nu nog steeds erger?' vroeg ze, 'hoe moet het nu in Godsnaam in die trein? Dat wordt een gekkenhuis!'

'Ik heb die bui helemaal niet meer,' kon ik triomfantelijk zeggen. Ik voelde me ontspannen en opgelucht.

Mijn theorie is nu dat er mensen zijn die soms last hebben van ongerichte angst, als er zich dan een werkelijk, overzichtelijk en begrijpelijk gevaar voordoet richten ze hun angst daarop, er is een bestaand angstvoorwerp en de angst verdwijnt daarin als een kwal voor de zon.

Dat is iets wat ik niet in *Het wezen van de angst* gelezen heb.

Als u *Het wezen van de angst* mocht kopen, misschien wilt u dan dit boekje op bladzijde 315 ('onbepaaldheid van het angstobject') leggen want wat deze theorie betreft: Vestdijk is hem gewoon vergeten!

Niet eerder gepubliceerd werk

Brief aan Theo Sontrop

Waarde Theo,

Nogmaals hartelijk dank voor Sologoeb en het machinepapier! Grappig om op zo keurig papier te knutselen! Ik schrijf je omdat we dinsdag nog niet uitgepraat waren, omdat ik niet relevante dingen heb gezegd, ik heb je tijd verdaan met niet ter zake doende kletspraat. Misschien heb je rond deze tijd al wat gelezen in mijn werk. Ik hoop dat je het hier en daar aardig vindt.

Het vervelende is voor mij dat ik niet begrijpen kan dat de 'hoge heren uit de stad' zich nu met mijn werk bemoeien, dat werkt verwarrend: ik ben tien jaar bezig aan de verwoording van twintig angstbeelden (ieder in tien, twintig versies) en het komt niet over, ik schrijf in een paar uur 'Moeilijkheden', 'Port Churchill' 'De beo' of 'Tankercleaning' en het is 'mooi'. Dat begrijp ik niet maar het zal zo moeten zijn. Als ik kijk hoe Elsschot en Nescio hebben gewerkt kan ik niet begrijpen hoe mijn werk ook maar iemands waardering zou kunnen wegdragen. Ik voel me over het paard getild. Ik weet wat ik kan. Wat je nu hebt aan beschreven papier, dat is het niet! Ik ben aan duizend verhalen tegelijk bezig, het is om gek te worden. Zodra iets op papier staat denk ik: 'Dat staat er, laat maar liggen, over een jaar of twee heb ik de tijd om het weg te gooien of bij te schaven.'

Theo, je moet niet in zee gaan met een krankzinnige. Ik heb je niet verteld dat ik ziek ben, dat verberg ik. Verrot!, ik weet niet hoe ik het zeggen moet, het werk is nooit af. Ik neem te veel hooi op mijn vork. Kon ik me maar op twintig verhalen concentreren! Deze maand hoef ik niet naar kantoor: begin februari begin ik aan het Vredespaleis (*Der schwarze Herr Bahßetup*, A.V. Thelen, ken je dat?) en dus zal ik als de sodemieter gaan schaven aan nog een stuk of vier à acht volstrekt autobiografische, geëngageerde verhalen, die hebben een iets beter peil dan de schamele onafgevijlde werkstukjes, die je nu hebt, ik zal ze je zo spoedig mogelijk toesturen zodat je een iets gunstiger indruk van mij kunt krijgen. Ik faal voortdurend, pas het laatste jaar heeft mijn zelfkritiek 'goede' proporties aangenomen. Als ik Guy de Maupassant, Tsjechov, Isaac Babel of Gogol lees denk ik: 'Prutser, jij hebt geen recht van spreken.' Mijn werk zou pas goed zijn als ik zeggen kan: 'De inhoud, daar sta ik volledig achter en om de vormgeving heb ik mijn uiterste best gedaan.' Je ziet toch ook wel hoeveel stijl- en grammaticafouten er in de verhalen zitten? Mijn schoonvader scheldt me verrot en juist tegenover hem wil ik mezelf verdedigen omdat ik weet dat de verhalen goed bedoeld zijn. Eva's vader is echter bang dat ik geen weerklank krijg op de lange duur en dan als een 'geslagen hond' door het leven moet. Die man kent me langer dan vandaag. Maar dan denk ik: 'Als ik me niet schaam voor wat ik heb gedaan, als ik op mijn sterfbed (of onverwacht dood) nog denk: 'Ik sta achter alles wat ik voor publicatie geschikt achtte', 100 of 2000 bladzijden, dat doet er niet toe, 'ik ben eerlijk geweest en heb mezelf gegeven zoals ik ben, dan kan het boek, (de boeken) weliswaar als een baksteen gevallen zijn maar ik heb het idee dat ik de wereld in zekere zin gedragen heb', weer een soort 'megalomanie', uitvloeisel van mijn ziektebeeld. Nu heb je inderdaad maar een klein fragment van het geheel van verhalen die ik begonnen ben en daarom wil ik je nog wat meer sturen, verhalen waaruit blijkt hoe ik met mezelf in de knoop lig! Het moet zo zijn dat niet de omgeving mij een gevoel van zelfvertrouwen geeft of het weg kan nemen, ik moet slechts met mezelf in het reine zijn, en mocht ik dan huichelen, liegen, gek doen of bedriegen, dan val ik voor mezelf door de mand. Helemaal los van wat de omgeving van me denkt, wil ik mezelf of een slappe lul vinden, of betrouwbaar. Waarom ik schrijf? 'Het is een ziekte waarvan men slechts in bed genezen kan.' Publicaties drukken mijn zelfvertrouwen, wat voor mij telt is eerlijkheid tegenover mezelf, mezelf steeds weer als een viezerik en een huichelaar ont- maskeren, als iemand die allerminst het recht heeft om iets te 'be- weren' wat anderen veel beter kunnen. Hoe meer anderen in me geloven, hoe minder ik mezelf vertrouw. Gelul? Ethisch? Nee!, 'verantwoordelijkheidsgevoel'. Schrijven zal ik blijven, alles geef ik ervoor op, behalve het huiselijk geluk, Eva mag er niet onder- door gaan: die ziet haar vriend die 3 x in een gekkenhuis is ge- weest maar schrijven en denkt: 'Straks zit hij weer op Endegeest.' Theo, ik zou onder geen beding mogen worden voorgetrokken!

Ik ben blij je te hebben gezien, Renate denkt dat zij en Poll waarschijnlijk niet eens tijd genoeg hebben om al die dingen die je krijgt, en binnenkort komt daar nog een kleine lading bij, op hun waarde te toetsen. Zij adviseert dat Eva het meest geschikt zou zijn om een oordeel te vellen. Die walgt bijvoorbeeld van 'De dorpsschoolmeester' en 'Een dwaze hoogleraar', (wat ik half en half heel goed begrijp: dit ben ik niet ten voeten uit!) maar weer niet van 'Van de man die zelf een wolk was' (het eerste verhaal). Dan weet je ongeveer hoe zij het ziet. Al het kinderlijk autobio- grafische daarentegen vindt ze wel mooi. Het is een beetje een lange brief, hij is te vroeg geschreven want je hebt nog niets kun- nen lezen. Theo, de groeten en tot ziens,
    je dienaar ('Zelf dien ik het vaderland'),
    Maarten B.

JMA Biesheuvel
Brahmslaan 34
Leiden 2404

'Een warrige brief'.
'Pas op voor gekken die simuleren normaal te zijn'.
'Wanneer is een mens brutaal?'
'"Veel niets om leven"', Elburg – dat is mooi hè?'
'Ik zou onder geen beding mogen worden voorgetrokken!'
'De brief is geenszins nederig bedoeld, meneer!'

De weg naar het licht

'*Ein kleines Haus, von Nussgesträuch umgrenzt*
Wo durch das Fensterchen die Morgensonne glänzt
und mich vom Schlaf' das Lied der Lerche weckt
und mich von Schlaf' das Lied der Lerche weckt…'

De jongen was wekenlang in de donkere ruimte geweest. Ze hadden hem in een cel op moeten sluiten omdat hij ziek was. Licht drong er niet door en geluiden maar nauwelijks. Langzamerhand was hij helemaal van de wereld vervreemd geraakt. Dagelijks kwamen ze hem zijn voedsel en zijn pillen brengen. Dat was ook zijn enige contact met andere mensen. Je kon niet zeggen dat de jongen erg droevig was, ook niet vrolijk: hij verkeerde in een staat van verdoving. Van tijd had hij geen benul meer, hij wist niet dat het buiten al eind april was geworden, dat de lente in aantocht was. Hij vegeteerde maar zo'n beetje. Soms gingen de meest vreemde gedachten door zijn hoofd. De wereld had hij willen verbeteren en daarom was hij de Verlosser geworden. Maar in onze maatschappij is voor Verlossers geen plaats en daarom was hij opgesloten. Psychotisch noemden de specialisten zijn toestand.

Op een dag werd hij uit de cel gehaald en uit het gebouw geleid. Voor het eerst zag hij dit gebouw van het gekkenhuis en de andere gebouwen. Ze brachten hem naar een paviljoentje dat midden in het struweel stond. Daar zetten ze hem neer op een stoeltje achter een sterke tafel. Aan diezelfde tafel was een andere jongen bezig om van een dik stuk plank een schaaltje te maken, met een soort kromme beitel gutste hij de stukken hout uit een ronding en zo kwam langzamerhand het bakje tot stand. Maar hij over wie we het hebben, hoefde niets te doen. Hij hoefde alleen maar te zitten. Het was heerlijk weer. Er stond een heel zacht zoel windje dat de bladeren in de bomen deed ruisen. Er waren rododendronstruiken die prachtig in bloei stonden, de bijen gonsden af en aan. De jongen zag mussen, merels en spreeuwen. Hij probeerde de heerlijke lentelucht in te snuiven, maar hij kon niet ruiken omdat hij altijd zo verkouden was. Hij zag de bomen en de bloemen, hij zag de vogels en voelde de zon op zijn huid prikken. Geluid van verkeer was hier niet. Af en toe kwam een passagierstoestel over, hoog in de lucht zoemend. De jongen lachte. Hij was uit zijn cel gekomen en kon zich onderhand niet meer voorstellen dat dit allemaal nog bestond. 'Dit is het Paradijs,' zei hij tegen de jongen die met het bakje bezig was. Hij was zo gelukkig, hij hoefde niets te doen. Alleen maar op zijn stoeltje zitten en rondkijken. 's Morgens brachten ze hem een paar koppen koffie en tussen de middag mocht hij op de grote zaal eten. En 's middags werd hij weer op zijn oude plaatsje gezet. Hier had hij wel zijn leven lang willen blijven zitten. Hij kreeg thee en kruimelde brood voor de vogeltjes. Daar zat de jongen en je kon zien dat hij genoot. Iemand kwam hem zijn pillen brengen en hij slikte ze. Hij keek om zich heen en genoot. Van zijn leven wilde hij hier niet meer weg en altijd moest het zulk weer blijven! Hij was eigenlijk de gelukkigste mens ter wereld en morgen zou hij bezoek krijgen! Hij zong een Psalm en daarna een eigen gemaakt liedje:

'De moeilijke weg naar het licht
in een gesticht
is vreselijk zwaar
maar altijd waar
zijn de bloemen en het groen
de natuur geeft mij een zoen'

Leiden, 6 juni 1976

Brief aan Karel van het Reve (1)

(Eva nog in ziekenhuis)   Leiden, 15-11-1987

Beste Karel, groot 'denkershoofd', dat hoofd van jou is misschien
meer een hoofd vol vermoedens of gezwollen van vermoeidheid.
Je ontvangt in vouwe dezes een aardig boek! En ik weet zeker
dat je er net zo'n plezier aan zult beleven als ik dat heb gehad.
Ik kan op het ogenblik niet werken, maar ik ben erg rustig. Ik
leef regelmatig, probeer niet te veel te roken en drink haast niets.
Het leven is me tegelijk een hel en een hemel. Gelukkig heb ik
Yannis, die het huishouden en de beestenboel doet. Met Eva gaat
het snel vooruit. Het was heel gezellig bij jullie afgelopen week.
It's a hard, hard life, but I enjoy it. Als ik nu zou sterven zou
ik niet ontevreden zijn. Het leven is een krijgsbanier manmoe-
dig voorwaarts dragen. Zou het kunnen zijn dat, als de mensen
mooi vinden wat ik schrijf, dat schrijven, dat kunnen schrijven
alleen maar een gevolg is van haast niet kunnen liegen, een goede
inborst hebben en weinig verstand? Oh ja, die 'noiceless explo-
sion', het licht uit de lamp van Nabokov als je de lamp in de fitting
schroeft, komt ook ergens voor in het werk van Joseph Conrad.
Ze varen op een stille zee en zien de zon opkomen: 'Een geluid-
loze explosie van licht', zoiets. Grappig, vind je niet?
    Groeten van je toegenegen
    Bies.

Ik schenk je dit boek!*

---

* Vermoedelijk gaat het om een boek van Bruno Schulz.

Brief aan Karel van het Reve (2)

Leiden, 31-1-1988
Zondagavond half elf

Beste Karel,

Hoe gaat het met jou en Jozien? Ik hoop je weer eens te zien, en dat komt er misschien van bij de gelegenheid dat je schip weer uit Woubrugge weg moet. Ik ben er nu veel beter aan toe dan toen ik je laatst opbelde: er is weer hoop in mijn hart en ik heb plannen voor wel 5 of 6 verhalen die heus niet slecht zijn als ik me maar genoeg uitleef en eenvoudig schrijf. Ik geloof dat je gelijk hebt dat ik 1 of 2 x per jaar volledig instort, somber ben, hersenen van stopverf heb, krachteloos onder de levenden ben en niet weet waar ik het zoeken moet van verdriet en somberheid. En dan ben ik niet eens een politieke gevangene! Toch heeft die lusteloosheid en ellende 2½ maand geduurd! Mijn geluk is niet teruggekomen door het oplossen van een kruiswoordraadsel. Nee, Eva vertelde me een gedichtje van een monnik uit de 14e eeuw: 'Ik ben blide dat ik lide'. En nog een ander gedichtje ook uit die tijd en in Middelnederlands: je moet een vrouw dienen, dan zijn eer en roem en geluk je deel... en toen ineens, ik weet niet precies hoe het ging maar ik dacht zoiets als: een pen is machtiger dan een kanon, als die pen maar is in de hand van een vriendelijke, harmonieuze man die eenvoudig schrijft en zich niet schaamt voor zijn kinderlijkheid. Ja, en nu gaat het beter: ik moet me inleven in de problemen van anderen en begrijpen dat de kleinste, onbeduidendste gebeurtenis een mooi verhaal kan opleveren, het leven dat we mogen leiden is vol van zin en geheimzinnigheid, een tocht van Goethe om ergens boeken na te kijken is even belangrijk als de gang van Eva met een ziek dier naar de dierenarts. Nee, er valt eigenlijk niets te verzinnen. Je moet over iets struikelen en het voorval moet passen bij je ziel. Ik ga met heel veel mensen om en zo hoor je vaak een verhaal. Je moet kunnen luisteren en schiften. Ik moet niet denken dat ik Gontsjarov of Elsschot moet overtreffen, dat is inderdaad het domste wat een schrijver kan doen. Laat ze de rambam krijgen, de meeste schrijvers die ik bewonder zijn toch dood. Maar het is soms zo moeilijk om in jezelf te geloven, dan ben je meteen verloren. Je moet op een voetstukje gaan staan, al is het maar 10 centimeter hoog. Niemand zet je erop, je kunt het alleen zelf doen. En dan nog, al dat gevoel van anderen voor Byron, Mozart, Flaubert, Melville, Toergenjev, Heine leidt tot zinloos gepieker. Ik denk dat God (of het Lot) het goed vindt dat ik ben zoals ik ben.

[...]

'Wat is je plicht? De eis van iedere dag.' Dat zei Goethe geloof ik. Ik wil minder roken. Ik hoop dat je goed werkt en dat niets je tegenzit! Karel, gegroet, kus Jozien van me. Hoe gaat het met haar hoofdpijn?

Altijd je trouwe vriend en bewonderaar,

M.B.

Het ergste

Het was een hysterische aanval, want ik ben veel te bang voor de verdrinkingsdood! bedenk ik later. Ik zit in de kamer en hef een vuist omhoog. 'Ik heb niets!' roep ik. Daarmee bedoel ik dat ik niet lezen of schrijven kan. 'Ik heb helemaal niets!' Het schuim staat op mijn lippen. Ik tril over mijn hele lichaam. Eva loopt zenuwachtig heen en weer, de nagels aan de tanden. Ik ren naar de keuken en trek daar een la open. 'Wat doe je?' roept Eva zenuwachtig. Een tiental spulletjes valt op de grond. 'Ik zoek het broodmes!' schreeuw ik. 'Wat wil je dan?' vraagt Eva. Ik haal de hand langs de keel. 'Snijden!' roep ik. 'Maar wij hebben helemaal geen broodmes,' lacht Eva, op van de zenuwen. En ik maak mezelf een verwijt: 'Wat zal haar hart kloppen...' Dan draai ik me om, trek een deurtje open en pak een pot trilafon. 'Waarom is die pot niet vol?' roep ik. Er zitten maar twaalf pillen in. 'Wat wil je?' roept Eva. 'Innemen, een hele pot en dan een halve fles whisky erachteraan, dan in bed liggen en slapend op de dood wachten. Dat hoort nog tot de mogelijkheden!' 'Nee,' zegt Eva beslist, 'dat doen we niet.' Nu zou de geest Gods over me vaardig moeten worden. Ik zou naar boven gaan en een afscheidsbrief van tweeentwintig bladzijden moeten schrijven. Dat alles op mijn bureau laten liggen en dan naar beneden. Maar ik doe niets. 'Eva,' zou ik moeten zeggen, 'vergeef me mijn gedrag. Ik dank je dat je me vijfenvijftig jaar in leven hebt gehouden. Dat je vijfenvijftig jaar voor mijn kleren hebt gezorgd, dat ik er vijfenvijftig jaar schoon heb bij gelopen. Dat je vijfenvijftig jaar mijn administratie, mijn correspondentie en belastingen hebt gedaan. Dat je me altijd eten hebt gegeven en voor mijn brillen hebt gezorgd, je hebt een zware zenuwpatiënt getrouwd. Vergeef me mijn onzin. Ik weet niet wat ik moet doen. En nu ga ik een half uur wandelen.' Binnen vijf minuten ben ik weer terug. Ik ben thuis! Maar het huis is door de bezetting overgenomen. Vier politiewagens staan voor de deur. Een politieofficier met een grote gele helm op staat in de kameropening. Dat is het ergste. Twee vrouwelijke politieagenten zitten rechts en links naast de gemakkelijke stoel voor de boekenkast, ik zit daar nooit! 'Gaat u hier maar zitten,' zegt een van de agenten die zwaar is opgemaakt. Eentje gaat vlak naast me zitten. De ander gaat op de bank zitten. De officier staat in de deuropening en kijkt afwisselend naar mij, naar de boekenkast, naar de piano, naar het radiomeubel, naar de achthoekige ets *De Verloren Zoon*. Ik leg mijn hand op het wapen van de agente naast me. 'Mooi wapen waarschijnlijk,' zeg ik, 'alleen weet ik niet hoe ik de veiligheid eraf moet krijgen.' Op de grond ligt een manuscript, 'Het nut van de wereld', speciaal voor Thijs, in het kort omdat hij de scène met de zwanen op Noord-Beveland zo mooi vindt. Eva komt binnen, geeft iedereen een hand, zegt deftig: 'Eva Gütlich, aangenaam.' De afscheidsbrief ligt hier, 'Het nut van de wereld,' zegt een agente. 'Nee, nee,' glimlacht Eva tegen de agente, 'dat is wat anders.' 'Nou, je kunt anders een mooie afscheidsbrief schrijven,' zegt Eva. 'Voel je je nogal op je gemak met die twee schoonheden om je heen?' 'Eva,' zeg ik, 'mijn whisky en mijn sigaar alsjeblieft.' Eva haalt het gevraagde. Vijf minuten later zitten de twee agentes naar me te glimlachen. Ik rook mijn sigaar en drink voorzichtig van mijn whisky. Ik ben volkomen van mijn stuk gebracht. De mooie agente legt een hand op mijn knie. 'Nou,' zegt ze, 'nog zelfmoord plegen, meneer Biesheuvel?' De dwaasheid is de wereld nog niet uit. Nu begint een oeverloos gesprek. 'Een mooie piano.' Gelukkig verdwijnt de officier met de gele helm. Ik lijk wel een gevaarlijke gek. En mijn privacy? 'U kunt natuurlijk heel mooi op die piano spelen?' 'Bent u met pensioen? En achter u zeker tweeduizend prachtige oude boeken. U bent een gelukkig man.' 'Ja, u bent een gelukkig man,' zegt de agente weer. 'Heb je mijn brief gelezen?' vraag ik Eva. 'Ik heb helemaal geen brief gevonden,' glimlacht Eva. Ik leg mijn handen weer op het wapen. De agente zegt: 'Hopeloos verouderd.' 'Ja lezen kan hij,' zegt Eva, 'soms zit hij een hele week op zijn kamertje te lezen. En schrijven kan hij ook.' 'Wat?' roepen de twee agentes tegelijk uit. 'Is meneer schrijver?!' Er wordt een tijdje gebabbeld en ik zwijg. Eva doet de gordijnen open. 'Buiten staan twee mensen het interieur van een politieauto te bewonderen,' zegt ze. 'U hebt anders een prachtig huis.' 'Vijfhonderd meter tuin,' mompel ik, 'huis helemaal van hout, houtverbindingen.' Eva haalt krakelingen en stukjes Toblerone-chocolade. Het blijft toch een idiote inval, denk ik. 'Het lijkt wel een kerstkransje.' Mijn sigaar is nog niet op en nog altijd zit ik in die mij vreemde stoel. Ik zwijg, ik zwijg. Ik luister naar de dames. Politieofficier, vier politieauto's. Twee gewapende agenten. Ben ik een gevaarlijke gek? Ik zwijg, ik zwijg! De dames babbelen en babbelen maar. Het is nu drie uur in de nacht. Ik zwijg en drink mijn whisky, af en toe neem ik een trekje van de sigaar. 'Hij kan prachtig tekenen,' babbelt Eva, 'en hij zingt zo mooi!' 'Ja, ja, prachtig. En hij kan lezen, schrijven, roeien, fietsen. Hij is beregezond.' God, God, God in de hoogste hemel. Kon ik maar wat lezen. Had ik maar één klein verhaal om te schrijven. Ik ben nu bijna vijfenzeventig. 'Jaja,' zegt Eva, 'hij is bere-beregezond!' Lezen, schrijven, denk ik, ik ben nu haast oud. En nooit vind ik iets te lezen. Nooit, nooit kan ik schrijven. Ik ijsbeer langs de boekenrijen. Trek er Rilke uit. Kan niets lezen. Boven staat mijn Remington-schrijfmachine. Zeventien jaar onaangeroerd. En maar piekeren, de hele dag piekeren. Eva doet het huishouden. Doe ik ooit wat voor Eva? Nee! Nou ja, de vuilnisbakken, en de klok opwinden. Af en toe de vogels en de egels eten geven. En dan Eva, ze heeft een altijd piekerende gek. Zes zwerfkatten, een hond, zes egels, de vogels buiten. Ik zwijg en zwijg. Lezen, schrijven. Joden in de vrieskou in pyjama op appel, die hebben het moeilijker. Houdt dat gebabbel nooit op? De theelepeltjes rinkelen. 'Maarten, jij een krakeling?' Ik zwijg. Ik rook en drink voorzichtig. Eén van de agenten wendt zich tot mij: 'En daar in de hoek, dat geheime kastje?, daar bewaart meneer natuurlijk zijn lievelingsdichter. Hij haalt het eraf en toe uit en leest

275

dan zijn Dichter!' Ze drinken allemaal thee. Ik durf niet naar mijn kamer te gaan. Wat heb ik daar te zoeken? 'En meneer, nog zelfmoord plegen?' Er is niets veranderd, er zal nooit iets veranderen. Blind, afstompend werk, gevangenis. Het is erger. Er is niets veranderd. Er zal nooit iets veranderen. 'Neuh..., nee, nee... het was maar een aanval van malligheid.' 'En nu?' vraagt de mooie agente. 'De hond uitlaten,' zeg ik. Ik hou zo allemachtig veel van mijn hond. Hij legt een poot op mijn knie. Ik zit nog altijd in die mij vreemde stoel. En dan een slaappilletje en samen naar bed. 'Belooft u mij dat u geen zelfmoord pleegt,' zegt een van de dames. De dames zijn blij en vertrekken. Het was erg, heel erg...

Optreden in het voorprogramma van het Boekenbal 2015

'Goedenavond, dames en heren, ik ben Maarten Biesheuvel, ik heb een rustig vrolijk leventje geleefd tot mijn 26e jaar en op de avond van 26 februari 1966, 20.00 uur, werd ik ineens krankzinnig, en dacht ik dat ik Jezus was. Waarom dacht ik dat ik Jezus was? Jezus had te veel publiciteit en die had ik niet, en die wilde ik ook hebben. Wereldwijd. Rusland, Amerika, Duitsland, Mongolië, Australië, wereldwijd. Ik wilde niet de onzin verkondigen die Jezus heeft verkondigd maar ik wilde mijn eigen dingen doen.

Toen werd ik in de Amazone van mijn schoonvader, een Volvo Amazone, een rode Amazone, vanaf het Rapenburg in Leiden naar Endegeest gebracht.

'Endegeest,' dacht ik, 'het einde van de geest' en ik griezelde. Ik dacht dat het finaal met me was afgelopen, nu komt het einde van de geest, ik zal nooit meer iets presteren.

De poort ging open en ik kwam bij een dokter die ontzettend vervelend deed. Hij drukte op een knop en er kwamen vier broeders binnen. Die namen me in de houdgreep en duwden me in een cel. Ik trapte ze tegen hun ballen, trok ze aan hun oren, trok aan hun haar. Ik woog nog maar drieënveertig kilo terwijl ik 1 meter 87 ben. Ze trokken mijn broek naar beneden, wisten een bil vrij te maken. Ze spoten een halve liter vloeibare trilafon in me.

Er volgde een niet zo vrolijke tijd. Ik zat drie weken in de cel, het was er gloeiend heet en pikkeduister, ik lag in mijn eigen pis, kots en zweet. Er was geen kussentje, geen dekentje, ik lag op de kale vloer. Het was weliswaar een parketvloer maar toch. Te eten kreeg ik niet.

Toen er op de deur werd geklopt kwam een visserman binnen.

Hij heette Sollie, was 72 jaar en het was een heel aardige, vriendelijke man. Vroeger had hij kranten bezorgd, *De Telegraaf*. 'Zo jongetje, lig jij daar nou zomaar, en krijg jij niets te eten?' En hij maakte voor mij spiegeleieren met spek, pannenkoeken met veel roomboter en zout spek, en toen aardappelen en appelmoes, een dikke biefstuk met veel roomboter en uitjes en champignons. Ik zat heerlijk te eten. Daarna kwam hij met een schaal waar wel tweeënhalve liter vanillevla in kon, die ging er ook in. En dat gaf hij allemaal aan mij. Hij tastte in de diepe zakken van zijn leren jas, hij had ook een leren petje waarvan de kleppen de oren bedekten, en hij strooide al die pillen, vrolijk makende pillen, droevig makende pillen, paranoia tegengaande pillen, paranoia opwekkende pillen, psychotische pillen, antipsychotische pillen, antidepressiva, hij gooide alles maar door elkaar, honderden pillen in die vanillevla. En ik maar eten, ik maar eten. Sollie is wel twintig keer teruggekomen. Hij heeft mijn leven gered, want ik werd langzaam beter. Eerst kon ik alleen maar liggen, op het laatst kon ik kruipoefeningen doen. Ik woog toen vijfenvijftig kilo, ik was al wat aangekomen.

Daarna kwamen etsleraar Bert Jonk en broeder Brahms binnen. Die namen me onder hun schouders en zo liep ik naar arbeidstherapie. En daar ontmoette ik twee prinsen Bernhard en één Napoleon.

Ik kreeg twee grote schragen, zo'n dikke grote houten plank, echte spijkers en een grote hamer. De vogeltjes jubelden in het rond, de leeuwerik stond hoog tegen de hemel en jubelde, en ik tikte maar, tikkerdetakker de takkerdetak. De bloemen stonden allemaal op en alle bomen stonden in bloei. Het was prachtig. C'etait le jour le plus heureux de ma vie. En zo leefde ik daar. En je had ook nog Kees Pronk, die kwam altijd langs met zo'n grote koffiekan waar hij iedereen koffie uit schonk.

De ene prins Bernhard vroeg me: 'Waarom ben jij eigenlijk Jezus?' Ik zei: 'Jezus kreeg te veel publiciteit en die moet ik hebben.' En de andere prins Bernhard wilde zo veel mogelijk geld verzamelen en zo veel mogelijk leuke meisjes hebben om mee naar bed te kunnen gaan, net als de echte prins Bernhard. Napole-on liep de hele dag met z'n arm onder een jaspand. Hij wauwelde maar wat, hem heb ik nooit begrepen.

Goed, ik maakte op arbeidstherapie allerlei siervoorwerpen voor Eva, en voorwerpen die ze in het huishouden gebruiken kon. Die gebruiken we nu nog steeds. En zeker moment kwam gymnastiekleraar Bontje langs, 'We gaan zwemmen jongens, we gaan allemaal zwemmen.' Hij koos achttien mannen uit, zware krankzinnigen, maar toch heel vrolijk en opgewekt, die allemaal aan het timmeren en solderen waren, aan het schroeven en aan het lassen.

We werden aan een touw gebonden, achttien man aan één touw, en we vertrokken. Bontje liep voorop. Er staat in het ver-keersreglement van Leiden dat het verkeer moet stoppen voor militaire colonnes, begrafenisstoeten en voor een man die acht-tien krankzinnigen aan een touw achter zich aan heeft. Zo liepen we de hele Rijnsburgerweg af tot aan het Centraal Station, daar-na heel Leiden door, tot aan het eind van de Haarlemmerstraat. Een wandeling van twaalf kilometer, erg gezond. We kwamen bij de kerk die omgebouwd was tot zwembad.

Sommige mannen sprongen vanaf de kansel in het diepe. We hadden dolle pret. En toen het zwemmen allemaal was afgelopen, telde Bontje iedereen, of hij al die 18 mannen had, of er niet eentje was verdronken.

Op andere momenten leefden we als natte vliegen tegen de muur. Er was geen spiritualiteit, er waren geen grapjes. Het was niet leuk.

Maar op de heenweg naar het zwembad zongen wij, alsof we soldaten van Bontje waren:

Wenn die Soldaten
Durch die Stadt marschieren,
Öffnen die Mädchen
Die Fenster und die Türen.
Ei warum? Ei darum!

279

Ei warum? Ei darum!
Ei bloß wegen dem
Schingderassa,
Bumderassasa!
Ei bloß wegen dem
Schingderassa,
Bumderassasa!'

7 maart 2015

De wrede gek

Ik zat in een
cel in een gekkenhuis
ik was naakt en
woog nog maar en veertje
de deur kierde een keer
ik kroop – lopen kon ik niet –
naar buiten
in de cel naast mij
bromde een gek
Godverdomme
ze hadden hem
zijn kunstbeen
afgenomen
Krukken had hij niet
behendig ving hij
een vlieg
en rukte hem
een, twee, drie, vier, vijf!
De gek rukte de vlieg vijf
poten uit, zo handig
zo wreed
toen liet hij hem
weer vliegen
en zei
Zó zak!
jij één poot
ik één poot
Verbaast het u

lezer, dat ik naar mijn
cel terugkroop
en daar op mijn brits
in snikken uitbarstte?

Andy

Een paar jaar geleden voelde ik me niet lekker: alles kwam vertekend en lelijk op me over. En bovendien: ik straalde geen liefde uit. Ik was een slecht, dom en overbodig mens. Ik besloot naar Andy, mijn psychiater te gaan. Ik wandelde en wandelde maar, onderweg, midden in de stad schrok ik. Daar stond ooit een lusthof. Een prachtig landhuis in een parkje. Pruimenbomen, appelbomen, perenbomen, rododendrons, rozenstruiken en een heerlijk huis. Wat was het verrukkelijk om daar te zijn. Eva en ik gingen er vaak thee drinken. En onze vriendin die daar woonde babbelde maar en alles was zo vriendelijk! Nu was alles kapot, bomen en struiken omgezaagd. Kaal interieur. Alles spierwit terwijl vroeger... Aan het plafond een heel felle lamp. De hele tuin was kapot. Hier en daar zag je in kuilen het riool. Verspreid: kartonnen dozen, bananenschillen, oude schoenen, plastic, een jerrycan. In het kale huis met het felle lelijke licht aan het plafond een man heel erg druk bezig met zijn laptop. 'Wat zielig,' dacht ik, 'die man maakt al het moois kapot.' Somber liep ik door. Een half uur later was ik bij Andy, mijn psychiater. Ik liep een oprijlaan op, tweehonderd meter aan beide zijden afgezet met bomen in bloei. Op het erf: twaalf hennetjes en een haantje. Ik zag de opengeslagen deuren vanaf het terras en daarachter was Andy in zijn werkkamer. Ik begroette hem. Hij begroette mij, heel hartelijk. 'Wil je limonade?' vroeg hij. Wij dronken limonade. Hij vroeg me hoe het me ging en ik vertelde het hele verhaal, de lezer weet het onderhand wel. ''t Is erg,' zei hij, 'ga toch zitten. In de achtste eeuw was er een man die dacht dat hij gestoord was. Buiten liep een kipje. "Ga toch naar buiten," zeiden de mensen, maar hij durfde niet. "Maar je bent toch groot en sterk?" "Ja, maar weet dat kipje dat?"' Ik lachte en vertelde van het huis en tuin van onze vriendin. 'Sic transit gloria mundi,' zei Andy, 'maar laten we aan blijde dingen denken. Ik ben in Argentinië groot geworden in een heel gelukkige familie. Mijn vader leerde me schaken en moeder knuffelde maar, ze stopte me in en vlak voor ik insliep las ze me een verhaal voor. Ik was eens bij de beek met mijn broer. We probeerden een dam te maken in de beek maar het lukte niet. Eens per jaar hoorde je in de verte een dof gerommel. Het regende zo hard dat het water stenen en rotsblokken voor zich uit duwde. Dan kon de beek uitwassen tot een geweldige rivier van drie-, vierhonderd meter breed. Een onstuimige, wilde rivier die alles met zich meesleepte. "Als je dat gerommel en geroffel hoort maak dan dat je thuis komt," zei vader, "en zo snel mogelijk, anders verdrink je." Hij leerde me schaken en gaf me allerhande cadeautjes. Ik heb een erg gelukkige jeugd gehad. Zo jammer dat Vader en Moeder nu dood zijn. Je zit maar naar die kipjes te kijken, zei hij, wil je soms voeren?' Ik deed het en het werd mij licht te moede. Toen gingen we weer in een fauteuil zitten. Hij pakte een klein boekje van Toepandir: een Rus. Het heette *De Gesel van het Christendom*. Jezus is in zijn graf gebleven en is na een paar jaar helemaal vergeten. Hij lachte weer. Natuurlijk was hij een goeie kerel, maar we hebben niets dan ellende van die kerel! Jezus had twaalf volgelingen. Allemaal gevaarlijke zonderlingen! Het boek is in Odessa verschenen maar in Rusland en Amerika strikt verboden. Vertel jij nu eens wat.' 'Ik heb helemaal niks,' zei ik. Hij zette een plaat op, *Der Tod und das Mädchen*, een strijkkwartet van Schubert. Het was zo mooi. Toen speelde Andy op zijn oude piano de Bach-Busoni-*Chaconne*. Wat een gedonder, wat een gefluister, wat een akkoorden, wat een trilling. Hij had het heel mooi gespeeld, hoewel de piano hier en daar een beetje vals was. We gingen weer zitten en Andy zei: 'Een dorpsdokter komt bij een erg oude, doodzieke man. Hij at van het rotte riet op zijn huisje. En kreeg iedere dag een peen voor zijn konijn, dat in bed lag te slapen. Ik heb geen goed water en niets te eten. Niets te drinken. Hoe gaat het met mijn konijn? Hij heeft maar één peen per dag.

Dat konijn neem ik op, zei de dokter, ik heb al zo veel dieren van stervende mensen overgenomen. Mijn huis is vol, maar dit konijn kan er nog wel bij. Hij gaf de oude een spuit en even later was hij dood.' 'Een goede man, die dokter,' zei ik. Je hebt meer goeie mensen. Neem Willem Drees, Obama, Beatrix, Edward Hopper, Socrates, Eva Gütlich, Tolstoj, Melville, Shakespeare, Tsjechov, Toergeenjev. Neem vooral ook Schopenhauer en Descartes. 'Cartesius heeft ongelijk,' zei ik, 'het moet niet zijn "Dubito vel quod idem est cogito ergo sum" maar "Cogito ergo non sum". Veel schrijvers, wiskundigen, biologen, filosofen geven me gelijk. Schopenhauer schrijft *Die Welt als Wille und Vorstellung*. De mens is er niet: Hij denkt!' We gingen op het terras een sigaar roken en letten goed op de hennetjes, de hofhond, de poesjes. De sigaar rook verrukkelijk, wat een geur. 'Ga je naar huis?' Ja, zei ik, graag nog een glas limonade. Ik dronk en rookte, nam afscheid en blij en gelukkig geworden liep ik weer naar huis. Goeie Andy!

Neefe

Ik herinner me een afschuwelijke tijd in mijn leven: twee jaar achtereen lag ik in bed, meestal wenend om de pijn, de schuld, de angst, de domheid, de wroeging, de vervuiling, het gebrek aan iets moois, mensen groeten niet op straat, klaprozen, mooie etsen, mooie tekeningen, een beek waarin forellen dartelen, nergens zie je wat moois op de wereld. Ik ken maar één mens vol liefde, zorgzaamheid voor mens en dier. Eén echt mens! Ik huilde en huilde. Eva kwam me eten en drinken op bed brengen. Ik maakte geen tekeningen, schreef geen verhalen, roeide niet, zong niet, fietste niet. Ik haatte dat bed, walgde ervan. Maar toch, één à anderhalf uur per dag was ik aan het wandelen. Ik wandelde in het park. Ik zag de zwaluwen, ik hoorde de leeuwerik, ik zag meerkoetjes, de futen, de meeuwen, de eenden, ik zag de eeuwenoude bomen, ik zag vrijende paartjes, ik zag rododendrons en de rozenstruiken en ik walgde ervan. Ik had jarenlang geen muziek gehoord, alleen maar lawaai. Ik werd door God zwaar op de proef gesteld. Glimlachen kon ik niet. Als iets goed is ben ik blij, als er iets moois gebeurt! Ik wilde weer naar bed gaan. Maar Eva hield me een doosje voor, 'Hoogst misschien vind je dat wél aardig.' Ik zette het plaatje op en hoorde de muziek van Neefe. Prachtige pianomuziek. Ik kende de muziek niet en zei tegen Eva: 'Maar wat ongelofelijk mooi!' Ik bleef urenlang stilzitten en hield Eva's hand vast. Steeds weer zette ik het plaatje op. Ik kuste Eva op voeten, knieën, schouders, wangen, haar en mond. 'Zoiets heb ik nog nooit meegemaakt,' zei ik tegen Eva. 'Ik wil wat doen,' zei ik en ging naar mijn kamertje boven en schreef twee verhalen met vliegende pen. Het één heette 'God' en het andere heette 'Quartet'. Ik ging het voorlezen aan Eva. 'Maar,' zei Eva, 'dat is het mooiste dat je ooit geschreven hebt. Je bent genezen.' 'Ik ben genezen,' zei ik. 'Nu ga ik weer roeien en zingen en fietsen, en je vaak omhelzen. Ik ga werken. Ik heb tientallen verhalen in mijn hoofd. Woord voor woord. Ik ken het begin, het midden en het einde. Ik ben genezen. Vind je die twee verhalen "God" en "Quartet" echt zo mooi?' 'Ja,' zegt Eva, 'je bent beter. Je kijkt heel anders uit je ogen. Je gezicht is zo ontspannen.' Ik kuste Eva weerom maar dit keer langdurig. Toen ging ik naar boven en las bij het licht van één lamp op mijn kamer de gedichten van Elsschot. Die grote Elsschot. Ik was zo blij en gelukkig toen ik hem las. Ik keek mijn kamer rond en zag hoe mooi alles was. Ik had bijna zelfmoord gepleegd en nu kon ik zingen, iedereen blij en gelukkig maken. Ik zong en schreef. Dankuwel Neefe!

Kortstondig geluk

Een jaar of vier, vijf geleden lag ik acht maanden achter elkaar op bed, ik was droef, somber, depressief. En Eva, noch de dokter, noch de psychiater kon helpen. Mijn eetlust was ik niet kwijt, ik at er goed van en dronk grote hoeveelheden water. Eva is al negenenvijftig jaar mijn lief, mijn schattebout, ze is alles wat ik op dit ondermaanse bezit. Ze wilde me met alles helpen en huilde soms vijf minuten mee, ze kon niets voor me doen en kon het niet aanzien dat ik, geestelijk, zo leed. Ik lag maar op bed 's nachts en overdag. Boven. Soms kwam er een vriend langs maar dan zei Eva: 'Ga maar niet naar hem toe, hij is ontroostbaar, radeloos, kapot.' Zeven keer zijn er vrienden langs geweest maar ik wilde ze niet zien. Ik begon mijn bed te haten. Ik lag maar te denken over het leed in de wereld. En vaak mompelde ik: 'Waarom? Waarom? De wereld is zo geschikt voor geluk. Pijn, angst, schuld, verschrikking, martelen, onbegrip, eenzaamheid.' Ik slikte mijn pillen maar werd er nog beroerder van. Toch wandelde ik altijd een uurtje per dag maar ik ging bij niemand langs. Ik was zo eenzaam. Ik keek naar de tegels. Soms kwam er iemand aan en dan zei ik heel verlegen: 'Dag meneer.' Maar hij was met zijn telefoontje in de weer en antwoordde niet. Wat een auto's, wat een bussen, wat een scooters. Kinderen wezen me soms na en zeiden: 'Daar gaat de droeve man weer.' Het wandelen deed me geen goed maar ik dacht aan de bloedsomloop. Water drinken, piekeren, in bed blijven, huilen en dat alles in een pikdonkere kamer. Op een dag kwam Eva binnen met de psychiater. Ik lag tot hun verwondering te neuriën in bed. De Mondschein Sonate van Beethoven. 'Zie je wel dat mijn pilletjes helpen!' mompelde de psychiater. Ik kwam naakt uit bed. Ik praatte met mijn psychiater over de hekel die ik had aan draagbare telefoontjes, de Aaipet, de leptop en de kompjoeter. Ik haat die dingen! In de negentiende eeuw wil ik leven, op een rustig landgoed. Paardrijden. Nooit in een bus zitten, in een auto, in de tram, in een taxi, in een vliegtuig. Wodka, mooie boeken, mooie muziek. We kregen het over het kompas en wat een zegening dat ding was. Als ik hier voor me kijk zie ik twee kompassen. We kregen het over eenzaamheid, over het smelten van de noordpool, over Auschwitz, Pol Pot, Idi Amin, Allende, Stalin, Hitler. Maar ook over Mandela en Willem Drees, over Schubert, Neefe en Chopin. Er zijn nog lichtpuntjes, zei ik. Eva is er ook nog. Een Engel mij door God gezonden. Ik zei dat ik ophield met pilletjes te slikken. Je moet nu eens drie, vier dagen achter elkaar wandelen, zei de psychiater, en ver weg een vriend opzoeken en daar limonade mee drinken. Ik stond al naakt in de hal en riep vrolijk: 'Dat doe ik!' Eva zei: 'Wat is er toch met je aan de hand?' 'Ik ben haast beter,' zei ik. 'Ik ga naar Andy.' 'Dat is heel mooi maar als je het per se wilt mag het van mij. Trek je je pak aan?' Ze nam me mee naar de salon en liet me daar de muziek van Horszowski horen. Het was net of ik voor het eerst van mijn leven muziek hoorde en zei tegen Eva: 'Eva, het kan niet mooier.' Ik dronk een glaasje whisky, nam een sigaar en daarna ging ik in bad, kleedde me aan. At toen nog een paar boterhammen met zoute spek. Ik ging me toen scheren en eindelijk was ik klaar. Ik nam innig afscheid van Eva, die krom is en heel slecht kan lopen. Ik nam mijn houten huis in ogenschouw en zag de grote tuin. Wat bezat ik toch eigenlijk veel: Eva, een huis, een tuin, whisky, een platenspeler en versterker, dieren. Ik aaide de ezel, de geit, de poezen, de hond. Ik kuste Eva weer. Al die boeken die ik had, die mooie prenten, de oude piano. Toch ging ik weg. Wat een ommeslag. Zeven maanden ellende en nu blij en gelukkig. Ik nam nogmaals afscheid van Eva en begon te wandelen. Wat was alles mooi! Ik ging op de oever van de beek zitten, wat zongen de merels een hemels lied, wat jubelde de leeuwerik, wat scheen het zonnetje, daar ging een verliefd paartje! Een hofhond, los, likte mijn wang. Hoog uit een flatgebouw klonk *Alt-Rhapso-*

die, gezongen door een mooie vrouwenstem. Het was mij licht in het hoofd. Ik dacht aan Amy Foster en Joseph Conrad. Ik dacht eraan dat we altijd drinkwater hadden en genoeg te eten. Ik zag de prachtige, echte, auto's, met een differentieel. Mooie meisjes. Ik dacht aan Marie, Ernst, Jos, Peter, Jannie; allemaal gestorven. Ik zag een forel in het water. Ik rook het gras. Ik hoorde twee lieve jongens, ik zag een man die een gekooide panter losliet. Ik wilde een sigaar opsteken en deed het ook. Ik zag een vliegtuigje: Prodent, goed voor uw tanden. Ik hoorde uit een huis een nachtegaal in een kooitje. Ik zag een kerkje uit het jaar 820, de verweerde grafstenen eromheen. Ik dacht aan mijn heerlijke huis, ik dacht aan Eva. Ik zag mijn trompet, mijn viool, mijn schuiftrompet, mijn piano en honderdentwintig gasten in mijn huis en allen zongen ze: 'Lang zal die leven.' Ik was jarig. Ik zag een torretje en liet het op mijn hand lopen. Ik rook het gras, ik zag de eiken langs de beek. Ik hoorde weer muziek, nog mooiere muziek. Ik dacht aan Hongaarse worst en bier. Ik zag een man met een houten been, hij was toch blij. Ik zag blote jongens en meisjes van acht à negen jaar in de beek. Ze joelden van pret. Ik voelde onder aan het borstbeen een Plexus Hexus tegen de Hexus Plexus. Ik voelde of ik mijn sleutel nog had. Ik keek op mijn IWC-horloge en zag dat sinds ik mijn huis verlaten had een half uur was verlopen. Ik dacht aan Rilke, Manet, Monet, Van Gogh en Edward Hopper. Ik dacht aan de Njevski Prospet met de Admiraltejskaja Igla. Gemene gebieden in Noord-Korea? Nooit van gehoord. Ik zag het zonnetje, de zwaluwen. De forel maakte even een reuzensprong uit het beekwater. Mussen tsjilpten. Panische Stunden! Ik raakte bewusteloos en werd naar huis gebracht. Thuis werd ik weer op de sofa gelegd. En bleef bewusteloos. Wel mompelde ik, en dat urenlang: 'Eva, Eva, Eva, Eva, Eva, Eva, Eva, Eva.' Ik herhaalde het maar: 'Eva, Eva, Eva en lag bewegingloos, als een levend lijk, als een zjiewoj troep onder het laken. 'Alleen normale mensen komen in het gekkenhuis,' mompelde Eva. Ze belde de dokter en de psychiater. Sindsdien ben ik de draad... Hoewel... en de oorlogen dan en de ziekenhuizen, en de ongelukken en een keur van martelingen en de pijn, de angst, de eenzaamheid. Ziekte, lelijke gebouwen?! Lelijke muziek?!

ANDY LAMEIJN

'Heb jíj nog een leuk verhaal?'

Interview door Aart Hoekman

TOELICHTING VOORAFGAAND AAN HET INTERVIEW

Toen ik gevraagd werd voor dit interview kwam de vraag 'Hoe zat het ook alweer?' naar boven. Terwijl ik hierover nadacht dook een aantal herinneringen op. Mythische beelden van het oude Endegeest, de intimiteit van de polikliniek, flarden van gesprekken en verhalen, persoonlijke en professionele ingevingen. Herinneringen aan de 'Biesheuvel-show'* en aan de kleurrijke column van Renate Rubinstein over zijn optreden als opening van het Boekenbal 1980.

In het interview spreek ik over Maarten vanuit mijn ervaring als zijn psychiater van 1975 tot ongeveer 1990, en als vriend. Ik moest wel enige twijfel overwinnen. De beperkingen van de psychiatrische inzichten vormden geen punt, er was voldoende ruimte voor nuancering. Ondanks volledige instemming van Maarten Biesheuvel bleven privacy en soortgelijke scrupules een rol spelen. De meeste aarzeling had ik echter door het dreigende gevaar dat globale uitspraken van mij geen recht zouden doen aan de bijzondere merites van het werk van Biesheuvel, ook al omdat Arnon Grunberg in het prachtige artikel 'Schrik niet, de aardbei denkt'** waarschuwde voor eendimensionele lectuur en voor de verwarring die de publieke patiënt Biesheuvel teweegbrengt. Wat betreft de publieke rol was ik minder terughoudend, al had ik tot nu toe openbaarheid en de spreekkamer angstvallig gescheiden gehouden.

Maarten schreef zelf af en toe over die spreekkamer. Anderen schreven ook over 'zijn psychiater': 'Biesheuvel heeft voor de gekken gedaan wat

---

* *Du holde Kunst*, show met muzikale hoogtepunten uit het leven van Maarten Biesheuvel. Met medewerking van het Nederlands Blazers Ensemble en Vera Beths. Maart/april 1980
** *NRC Handelsblad*, 18 mei 2007

Gerard Reve voor de homo's deed en de show "*Du holde Kunst*" van Biesheuvel ligt op hetzelfde niveau als die televisionaire eenmansshow van de oudere schrijver. Maar minder gewiekst. "Ik merkte dat het voor mij een kleine kunst was om weer psychotisch of gek te worden," zei hij ter inleiding van een compliment aan zijn psychiater die hem sindsdien buiten de inrichting heeft weten te houden – de authentieke luchtige toon voor het echte gevaar.'*

Ik ken Maarten Biesheuvel meer dan veertig jaar. Vanaf het begin vond ik hem een aardige en ondanks geruchten zeker niet echt gestoorde man, eerder 'een wonderlijke snuiter', zou men in de volksmond zeggen. Iemand met veel scherpzinnigheid en humor, plus een paar druppels venijn onder een laagje vriendelijke naïviteit. De sympathie was meen ik wederzijds, al gingen bij hem de vele momenten van hulpeloosheid vanzelfsprekend gepaard met de nodige ambivalentie. Kribbige momenten werden overigens bijna terloops geneutraliseerd door een subtiel ironische of schertsende opmerking.

Zijn psychiatrische problemen waren soms ernstig maar Maarten was ook heel veel niet-patiënt, zeer communicatief en heel geestig. We hebben veel gepraat over de meest uiteenlopende onderwerpen, bijvoorbeeld over 'Cogito ergo sum' (ik denk dus ik ben) dat volgens hem niet klopte. Het moest zijn 'Cogito ergo non sum' (ik denk dus ben ik niet). Hij beargumenteerde uitvoerig, met een verhaal ter toelichting. Verhalen waren ook een manier om problemen zijdelings te benaderen of om zaken weer enigszins vlot te trekken. Ik weet nog dat ik bij verkennend onderzoek van sombere stemmingen en zwijgzaamheid Kafka's 'Gibs auf, gibs auf' of Bartelby's 'I prefer not to' citeerde en zowaar gegrinnik ontlokte.

Maarten en ik hebben ook veel gesproken over zijn persoonlijke relaties, met alle veelkleurigheid en emotionele intensiteit van dien. Hoe relevant die ook voor ons thema zouden kunnen zijn, het zal begrijpelijk zijn dat ik daar in deze context niets over zeg.

Oegstgeest, 21 augustus 2018

---

* Opgenomen in: Renate Rubinstein, *Twee eendjes en wat brood*, Meulenhoff 1981

'Hoe zat het ook alweer? In de zomer van 1972 ging ik werken bij de Jelgersmakliniek in Oegstgeest. De psychiater die Maarten op de polikliniek van Endegeest behandelde, Van der Bruggen, vertelde me een keer dat hij net een boek van hem had gekregen, *In de bovenkooi*. Hij had het gelezen en zei: "Volgens mij is hij er beter aan toe dan men denkt, hij heeft meer invoelend vermogen, hij is behoorlijk empathisch." Sommigen twijfelden toen kennelijk nogal aan de diagnose manisch-depressief, zijn psychiater niet. Iets later las ik in *Vrij Nederland* een ontzettend positieve recensie van Gerrit Komrij over het boek, "deze ene bundel bevat stof voor wel tien verhalenbundels". Aansluitend heb ik *In de bovenkooi* ademloos gelezen. Ik kende Maarten toen nog niet.

Maartens eerste opname, in 1966, schijnt nogal een toestand te zijn geweest. Hij heeft daar onder andere in "De heer Mellenberg" en "Paviljoen E" over geschreven. Het was natuurlijk ook rampzalig voor hem dat hij als twintiger vier, vijf maanden opgenomen is. Normaal gesproken zou je zeggen dat zoiets je behoorlijk opbreekt maar bij hem maakte het juist heel veel los. Met het schrijven is het daarna crescendo gegaan.

Over zijn tweede grote crisis heeft Maarten dat prachtige verhaal "Verlosser op Reis" geschreven. Hij was na een bootreis vanuit Istanbul met spoed naar Nederland teruggevlogen. Zijn behandelaar vond het toen niet nodig om hem langer dan een etmaal op te nemen. Niet dat het werd onderschat hoor, maar hij vond hem "een beetje psychotisch" en gaf hem pillen mee naar huis.

In 1975 ging ik als psychiater op Endegeest werken. Maarten was al veel eerder uit poliklinisch nazorg ontslagen maar had last van angstaanvallen. De neuroloog Paul Briët belde me in de zomer op en zei: "Jij bent de geknipte figuur om mijn vriend Maarten Biesheuvel te behandelen." Zo heb ik Maarten leren kennen, eind juli 1975. Hij was toen behoorlijk angstig, geremd en depressief. Hij kwam tot niets, ook niet tot schrijven. Hij wilde bij wijze van spreken wel een verbond sluiten met de duivel om nog één verhaal te kunnen schrijven. Maar er kwam niets uit, terwijl er van alles in zijn hoofd zat.

Met pijn en moeite heb ik hem ervan kunnen overtuigen dat hij aan een serieuze angstige depressie leed en dat naar beste weten antidepressiva aangewezen waren. Uiteindelijk lukte het hem aan de pillen te krijgen. "In het begin voel je je er niet lekker bij. Maar minstens zes weken slikken, dan kunnen we evalueren of het werkt. Volgens de regelen der kunst zou dat wel moeten." Die zes weken gingen voorbij en er was geen vooruitgang. Inmiddels praten we over september. Daarna hebben we nog iets anders geprobeerd. Maar na drie maanden bleek dat allemaal niet te werken.

Maarten zei toen: "Ik kreeg vroeger altijd twee trilafon en, om 's avonds te kunnen slapen, een valium." Mijn voorganger op de poli was juist met trilafon gestopt omdat Maarten last had van bijwerkingen. Maar zelf had hij sterk het gevoel: "Dat moet ik hebben." Een andere moeilijkheid was echter dat trilafon dempt, het was juist gecontraïndiceerd als je depressief was, tenzij er sprake was van een psychotische depressie. En dat was bij hem niet het geval. "Maar het zet misschien mijn gedachten even stil," meende hij. En dan kan hij heel erg eigenwijs zijn hoor. Toen hebben we twee keer zitten bakkeleien over trilafon en uiteindelijk zei ik: "Vooruit dan maar."

Het was die tijd waarin hij regelmatig riep: "Ohne trilafon keine Gedanken." Hij parafraseerde de beroemde uitspraak "Ohne Phosphor keine Gedanken" van de negentiende-eeuwse arts Jacob Moleschott.

Zo rond nieuwjaar was Maarten op een feestje in Dordrecht bij de kunstenaar Rein Dool. Hij was daar door het dolle heen. Ik weet niet of het door de trilafon kwam of doordat "die hamster in een werkende koffiemolen" vanzelf verdween door de stemmingswisseling, maar prompt na die uitgelatenheid op het feest kwam er weer een verhaal uit. Hij had lange tijd het idee gehad dat hij nooit meer iets zou kunnen schrijven en opeens barstte het los. Het was een hypomane fase na de depressie. We hebben die trilafon toen maar zo gehouden.

Het is trouwens wel een bekend psychiatrisch verschijnsel: lange tijd gebeurt er niets en dan opeens begint het opnieuw te stromen. De klinisch psychologe Kay Jamison heeft in *Touched with Fire* zo mooi beschreven hoe dat bij kunstenaars, ook bij schrijvers, zit. Dat juist zij die heel sterke stemmingsschommelingen kennen, dat het schrijven soms maandenlang stil kan liggen en dan weer heel vlot gaat lopen.

Ze heeft ook een goed boek over de dichter Robert Lowell geschreven. Die kon verschrikkelijke aanvallen hebben, hij kon zo ontremd zijn dat er van zinnige creativiteit geen sprake meer was. Ze beschrijft hoe hij op een cocktailparty in New York – we praten nu over de jaren vijftig – uit het niets Hitler ging verdedigen, "dat ze nog niet grondig genoeg waren geweest". Hij was zó ontremd, zó kritiek-gestoord. Ik wil Maarten wat betreft kwaadaardigheden natuurlijk absoluut niet vergelijken met Lowell maar ik heb wel gezien dat hij van die behoorlijk ontremde hypomane buien kan hebben. Redelijk goedaardig in zijn geval.

Enfin, toen hij later, na die productieve periode, toch echt depressief werd, zei ik tegen hem dat hij nu lithium moest gaan gebruiken. Dat weigerde hij aanvankelijk omdat hij andere pillen wantrouwde en vooral ook omdat hij de diagnose manisch-depressieve stoornis bespottelijk vond. Maar uiteindelijk ging hij toch lithium gebruiken. En dat heeft hij vele jaren gedaan. In de jaren dat ik hem behandelde, van 1975 tot pakweg 1990, is hij nooit opgenomen geweest. Daarna, begin jaren negentig, is hij wel weer eens opgenomen geweest, hier in Endegeest. Hij had een wonderlijke psychotische bui, plotseling dacht hij dat hij kon vliegen en hij was uit het raam gestapt.

Het is natuurlijk gunstig voor hem geweest dat hij leefde in een periode dat je antipsychotische middelen en later ook lithium had. Hij is niet voor niets al in 1966 op trilafon gezet. Hij was toen een wildeman. En dat is hij nog steeds een beetje. Ik heb onlangs na weer een opname tegen hem gezegd: "Je lijkt wel een keurige, nette meneer maar eigenlijk ben je een verschrikkelijke wildeman." Daar moest hij, instemmend, wel om grinniken, ondanks de treurige toestand waarin hij nu verkeert.

De medicatie zal over de lange termijn dat hij die gebruikte ongetwijfeld een steeds nadeliger effect hebben gehad – *pharmakon* betekende in de oudheid al "geneesmiddel én vergif" – maar het verklaart zeker niet als enige factor de achteruitgang van de laatste jaren.

Maarten heeft geen klassieke psychotische depressies gehad. Bij dergelijke depressies zie je vaak dat mensen denken: "Ik ben de grootste zondaar" (en dan heb ik het niet alleen over het religieuze), "mijn hele lichaam is verrot", "ik heb geen toekomst meer". Terwijl Maarten, als hij psychotisch is, eerder ontremd is, en steeds sneller associeert met de meest bizarre invallen.

Tijdens zo'n gedachtevlucht kan hij ook vreselijk paranoïde worden. Hij leeft dan in zo'n vaart dat bij wijze van spreken huis-tuin-en-keukenelementen al tegen kunnen werken.

Maarten was geen liefhebber van langdurig gepraat over zijn geestesgesteldheid en al zeker niet van veel gepsychologiseer. Het jargon van de psychiatrie was een bron van vermaak. Manisch-depressief, tegenwoordig noemen ze dat bipolair, was een term waar je bij Maarten, zoals ik eerder zei, niet mee kunt komen aanzetten. Hij vindt dat naar plastic klinken, het is te weinig romantisch. "Romantisch" en *himmelhoch jauchzend, zum Tode betrübt*, dat accepteert hij wel als beschrijving van zijn ziekte. Daarin is hij nogal kieskeurig.

Mensen vragen zich weleens af of hij ook was gaan schrijven als hij niet manisch-depressief zou zijn geweest. Ik vind dat buitengewoon lastig te beoordelen. Misschien is de ondergrond waarmee hij zulke wonderlijke verhalen kon schrijven ook wel de ondergrond voor zijn gekte. Dan heb ik het over die eindeloze aaneengeschakelde veelkleurigheid van springerige anekdotes, absurdisme, treurigheid en humor.

Het heeft me altijd gefascineerd dat hij in hypomane buien – en dan was hij helemaal niet psychotisch – zo makkelijk en zo snel kan schrijven. Zeker vroeger schreef hij achter elkaar tien verhalen, waarvan hij er trouwens negen weggooide. Eva heeft weleens beschreven dat hij ogenschijnlijk niet eens even ademhaalde of rust nam om iets te corrigeren. Ze bleef dat getik maar horen. Dat blijft uniek.

Tegenover de hypomane of manische ontremming staat de geremdheid van Maarten. Die uit zich vooral in nauwelijks iets zeggen, in trage motoriek, in weinig mimiek. Hij zit dan in een bepaalde groove, met alleen maar akelige gedachten waar hij niet uit komt. Hij kan zijn gedachtewereld dan niet ontplooien en wordt alleen maar naar sombere gedachten gezogen. Andere patiënten hebben zoiets weleens als "malen" omschreven.

Er komt bij hem nog iets eigenaardigs bij. Je denkt dat hij als hij zo'n bui heeft, in zijn eigen wereldje zit, afgesloten. Maar ondertussen observeert hij alles! Het is regelmatig voorgekomen dat hij iets ter sprake brengt dat hij een halfjaar daarvoor in zo'n bui van hevige geremdheid heeft gesignaleerd. Het is een vaak verbluffend opmerkingsvermogen waarvan je achteraf pas de sensitieve structuur doorziet. Heel veel registreren en weinig reageren. In perioden van grote lijdensdruk en zwijgzaamheid was deze eigenschap voor mij vooral in het begin nogal verwarrend omdat ik ten onrechte dacht dat ik tegen dovemansoren zat te praten. Geleidelijk werd duidelijk hoeveel naar binnen ging zonder terugkoppeling. Het is dan moeilijk om greep te krijgen op de buitenwereld en dan ontstaat er soms zelfs een voedingsbodem voor betrekkingswanen of waanachtige invallen. Ik probeer nu niets te verklaren, alleen te beschrijven hoe Maarten zelf mij al betrekkelijk vroeg op het spoor bracht van dit verschijnsel.

Hij vertelde een keer dat de schrijver Joop Waasdorp op bezoek was geweest. En die praatte, die praatte maar. Hij vertelde hoe hij alleen maar die mond van Waasdorp op en neer zag gaan, onophoudelijk. Het was hem allemaal veel te druk, die stem, de tikkende klok, de auto's buiten, de hond. De Amerikaanse filosoof en psycholoog William James heeft gezegd: *We actually ignore most things before us* maar bij Maarten is dat absoluut niet het geval, alles ligt bij hem dan allemaal open! Zijn hele waarnemingsveld spatte bijkans uit elkaar. Er was geen structuur meer. Hij zei toen: "Ik zette maar gewoon mijn bril af." En doordat hij die bril had afgezet meende hij te zien dat Eva's platte schoenen nu hakken hadden waarmee ze tegen de stoelpoot zat te schuren. Toen dacht hij: "Wat zit die geil te doen zeg, waarom heeft ze een hoog hakje aangetrokken, probeert ze soms die Waasdorp te verleiden?" Hij was echt in paniek. Eva had anders nooit hoge hakken aan. Paradoxaal genoeg werd hij van die akelige gedachte rustiger. Even later zet hij zijn bril weer op, hij had zich weer hervonden.

Die beschrijving vond ik fenomenologisch zó wonderbaarlijk. Even zo'n waanachtige achterdochtige gedachte. Het is een mooi voorbeeld van een stemmingswisseling. Zo'n waaninval, soms structureert het de boel ineens weer. Daarna heeft hij weer grip op de situatie.

Aan het begin van "Drie personen" beschrijft hij hoe hij overvallen wordt door angst en chaos in de wachtkamer van de polikliniek. Hij durft nauwelijks naar buiten te kijken, toch ziet hij dat iemand achter een boom steeds zijn hand opsteekt. "Het gekkenhuis is betoverd." Alles wordt griezelig en krijgt een vreemde betekenis. Het is nog geen waanwaarneming, het is de verhoogde alertheid die gepaard gaat met de toenemende versnippering van de aandacht. Kleine details of verbrokkelde werkelijkheid verliezen hun vanzelfsprekendheid en krijgen een bijzondere betekenis. In de huidige psychiatrie gebruiken ze het begrip *salience*, het plotseling overvallen worden door aspecten van de werkelijkheid die daardoor een vervreemdende, bijzondere betekenis krijgen.

Zo'n verlies van focus kan zeer beangstigend en overweldigend zijn. In de verbijstering is het denkbaar dat een beginnende waangedachte – je zou zeggen enigszins paradoxaal – concentratie en daardoor wat rust brengt.

Maarten is psychose-gevoelig. Dat moet je misschien plaatsen in een continuüm met angst, depressie en manische ontremming. Het gaat bij hem dan niet om een psychose met wanen maar om een nog lastiger probleem: het verlies van vanzelfsprekendheid, de absurditeit, die onbestemde dreiging van totale verbrokkeling. Hij heeft het zelf vaak over *horror vacui*, het heeft ook iets van een bizar, leeg universum, dat voortdurend op de loer ligt. Pascal schreef: "De eeuwige stilte van het oneindige jaagt me angst aan", bij hem had dat natuurlijk een zeventiende-eeuwse religieuze betekenis. Maar we kunnen er niet omheen: het universum is betekenisloos. Wij moeten er zelf betekenis aan geven. Ons dagelijks leven, onze wereld heeft een en al samenhangende betekenis. Zonder dat zouden we niet eens een kopje op kunnen tillen, van de natuur genieten, de weg vinden, met elkaar praten. Er is een wereld van verhalen en wetenschap die van ons brein tot aan het universum reikt. En wat we niet weten is spannend, uitdagend en vol betekenis.

Met dit in gedachten zou je Maartens verhaal "De angstkunstenaar" moeten lezen, en je mee laten voeren. De wereld van vanzelfsprekendheden en betekenis begint steeds verder weg te glijden. Het is beangstigend. Schitterend! Het verhaal maakt bij wijze van spreken *Walging* van Sartre en de romans van Beckett tot softe lectuur.

Maar de verhalen zijn natuurlijk zelden zo extreem. Grunberg gaf een mooie analyse van het verhaal "Een hachelijke oversteek" over de zeer normale meneer Fuchs, die juist in het zoeken naar veiligheid en controle overvallen wordt door het tegendeel.

Enige gezapigheid, clichés, sigaren en het voorlezen van verhalen bieden Maarten soelaas. En hij luistert ook graag naar verhalen van anderen, juist als het niet goed gaat. Ik zal daar een voorbeeld van geven. Ik probeerde afspraken met hem altijd aan het eind van de dag te plannen. Dan werden we niet gestoord door anderen en dan kon het ook rustig uitlopen. Om halfvijf kwam hij langs op de poli. Na twintig minuten had hij nog niks gezegd. Hij was ook enigszins angstig. Heel spontaan zei hij: "Zullen we een eindje gaan wandelen?" Toen zijn we de Rhijngeesterstraatweg hier afgelopen. Halverwege vroeg hij opeens: "Heb jíj nog een leuk verhaal?" Ik vertelde toen over de vakantie met mijn ouders in de jaren vijftig in Spanje. Met de Mercedes reden we van Madrid naar Barcelona. We kwamen van een berg af, mijn vader schakelde, en er was veel gerammel in de versnellingsbak. In het eerstvolgende dorp zagen we een soort smidse waar ze ook vrachtauto's repareerden. Ik maakte er een lang verhaal van, hoe die smid voor onderdelen voor onze auto met de trein naar Madrid en Barcelona was gegaan, waar bleek dat ze helemaal geen onderdelen voor een Mercedes hadden, en hoe hij toen zelf met die motor ging prutsen. En hem repareerde. Na die treinreizen en twee dagen werken kwam er een rekening van tachtig gulden, mijn vader gaf hem honderd. Toen we weer terug waren in Nederland en de auto naar de garage brachten zeiden ze: "Wie heeft dát gedaan? Dat kúnnen wij hier helemaal niet!"

Afijn, dat verhaal, een beetje uitgesmeerd, vertelde ik aan Maarten, wandelend. Hij had nog steeds dat ongerichte angstige. Bij het kanaal aangekomen zagen we dat een paard zijn hoef verstrikt had in het gaas dat ter bescherming om een boom zat gewikkeld, tot zo'n meter boven de grond. Wij ernaartoe en we begonnen te sjorren aan dat been, een beetje met gevaar voor eigen leven. Het was spannend hoor. Het mooie is nu dat hij na dat bevrijden van dat paard, na dat probleem oplossen, na die gerichtheid, na dat buiten zichzelf treden opeens veel rustiger was, en veel spraakzamer. Het doet ook denken aan wat hij in "Angst" schreef, die recensie over *Het wezen van de angst* van Simon Vestdijk. Dat hij een paar uur angstig bij Renate Rubinstein in Amsterdam had gezeten en hoe hij op weg naar het station midden in gevechten tussen Feyenoord- en Ajax-supporters terechtkwam. Midden in het geweld. En dat angstige van hem verdween prompt.

Over onze wandeling heeft hij het verhaal "Hoe mijn psychiater aan zijn kleine wonderbibliotheek is gekomen" geschreven. Maar hij heeft mijn verhaal geheel veranderd, hij is ermee aan de haal gegaan. Bij hem speelt het hoog in de Andes, met een indiaan die nog nooit een motor had gezien. Van de Andes zijn we, ik weet niet meer precies hoe, door het Amazonegebied naar Rio de Janeiro gegaan, waar een Mercedesdealer 40.000 dollar voor onze auto had geboden. Het verhaal zoals ik dat vertelde was een grappige anekdote, híj maakt er literatuur van, al fabulerend. Het interessante is natuurlijk vooral dat hij mijn verhaal tijdens zijn sombere, angstige en ogenschijnlijk afwezige bui wel helemaal had opgeslagen, inclusief de structuur. Verhalen zijn heel vaak een bezwering van angst en chaos.

In zijn verhalen fabuleert hij vaak maar er zitten ook altijd elementen van waarheid in. In het grappige verhaal "Drie personen" schrijft hij hoe ik het over zijn moeder wilde hebben. Nou, ik heb af en toe over zijn moeder gesproken maar daar word ik opgevoerd als de bekende psychiater die alleen maar over zijn moeder wil praten. En ook dat ik intussen mijmerde over de karbonaadjes die mijn vrouw straks voor me zal bakken, terwijl hij worstelt met visioenen van een beangstigende kosmos.

In "Pieter" gaat het over een andere patiënt van me. Ik weet nog dat Maarten me half ontdaan vertelde over de luidruchtige, zeer ongegeneerde patiënt die van achteruit de bus naar hem had geroepen: "Hé Maarten, weet je nog, je kent me toch, van Endegeest?!" Maarten mag dan altijd heel openlijk over zijn gekte hebben gesproken, maar hier was hij toch wel van ondersteboven.

Zijn verhalen lijken van de hak op de tak te springen maar vaak zijn er duidelijke structuren aan te wijzen. Ikzelf was aanvankelijk niet zo onder de indruk van zijn Boekenweekgeschenk *Een overtollig mens,* tot ik de toneelbewerking daarvan door George van Houts zag. Die voorstelling maakte me duidelijk dat het een geraffineerd en subtiel gelaagd verhaal was. Dat had ik er zelf nooit uit gehaald. Je moet Biesheuvel kennelijk niet te snel lezen, dan mis je veel.

Maarten laat zich moeilijk psychiatrisch beschrijven. Hij heeft een sterk gevoel voor de absurditeit der dingen. Wíj leven in onze routine en hij is altijd in de war door kleinigheden. Voor hem wemelt de wereld van de gekkigheid. Ik kan het nergens psychiatrisch onderbrengen, het is niet zozeer onaangepastheid of recalcitrantie, maar hij heeft voortdurend dat vreemde gevoel "wat dóé ik hier?". Aan de ene kant is hij een sociale man met veel goede vriendschappen en aan de andere kant handelt hij vaak alsof hij van een andere planeet komt. Hij staat ook bepaald niet praktisch of wereldwijs in het leven. Dat in combinatie met het psychisch lijden geeft een hulpeloosheid die in de loop der jaren ook wel een aangeleerd karakter kreeg.

En dan zijn veelzijdigheid en eruditie. Ik ken ook gedichten uit mijn hoofd maar wat híj, als hij het op zijn heupen heeft, allemaal niet kan voordragen! Uit de Russische literatuur, liederen van Schubert, noem maar op. Overigens is zijn repertoire niet uitgebreider geworden. Dat zie je ook wel in zijn werk, het echt creatieve is sterk afgenomen. Er zijn mensen die dan zeggen dat dat door al die medicijnen komt maar of dat de enige factor is betwijfel ik sterk. Het is natuurlijk zo dat een repeterende, ernstig manische psychose en vooral steeds chronischer depressie op termijn sporen achterlaat, zelfs fysieke schade oplevert. De intelligentie gaat niet zozeer achteruit maar misschien wel de flexibiliteit, de creativiteit. Die verstart, zeker in die min of meer chronische depressies van de laatste vele jaren. Daar komt dan het effect van langdurige medicatie, waarover we het eerder hebben gehad, bij. Ik denk dat je het zo moet zien.

Als hij zo geremd is liggen angstaanvallen op de loer, of die zijn er dan al volop. Dat is ook die *free-floating anxiety*, zoals hij dat noemt, de ongerichtheid. Als hij op een receptie is en iedereen kakelt maar wat door elkaar, neemt hij te veel op, hij versnippert. Er zit dan een enorme dynamiek in hem en hij krijgt het gevoel "hier moet ik aan ontsnappen", want er dreigt een angstaanval aan te komen. Als uit het niets vraagt hij dan bijvoorbeeld: "Mag ik een verhaal voorlezen?", of hij gaat zingen. Hij probeert dan van zijn zwakte zijn kracht maken, er zit iets beschermends in dat zingen. Dat had hij vroeger al maar het is wel erger geworden. Je ziet mensen weleens zuchtend denken: "Daar heb je Biesheuvel weer hoor, die wil weer in het middelpunt van de aandacht staan, koketteren met zijn gekkigheid." Maar daar gaat het dan helemaal niet om, het is voor hem de enige manier om grip op de situatie te krijgen. Hij zoekt vertrouwd terrein op. En er zit echt lijden achter. Die publieke rol van patiënt heeft iets van bravoure maar is in wezen heel defensief. Hij zoekt dan zekerheid, bescherming. Het is een bezwering. Je kunt als buitenstaander maar beter voorzichtig zijn met je oordeel.

Als het hem thuis te druk wordt gaat hij naar boven, naar zijn kamertje, een kleine *Voyage autour de ma chambre*. Hij leeft ook graag 's nachts. Je ziet, we komen altijd weer terug bij dat ongestructureerde, dat hypergevoelige voor indrukken.

Iets anders is natuurlijk dat mensen wel een beetje malligheid van hem verwachten. En zo mogelijk speelt hij graag die rol, maar toch vooral ook omdat hij dan tot op zekere hoogte op vertrouwd terrein is.

Over de godsdienst durf ik weinig te zeggen. Hij heeft, terzijde, weleens geschreven dat ik nooit naar zijn geloof heb gevraagd, maar dat klopt niet. Het is in ieder geval niet zo dat zijn gereformeerde opvoeding iets te maken zou hebben met zijn psychoses, je kunt niet zeggen dat die ten grondslag ligt aan zijn gekte. In alle gesprekken die ik met hem heb gehad heb ik hem nooit kunnen betrappen op een in die zin heel zware erfenis, op een religieus sentiment, hoewel er af en toe op dit punt wel emotionele momenten waren. Het leek dan of hij werd overvallen door een hevige nostalgie. Gerrit Achterberg schreef daarover: "De ene vorm die mij bewaarde is heen."

Het geloof kléúrt natuurlijk wel veel van zijn verhalen. Zijn werk zit vol met verwijzingen naar de Bijbel, die kent hij op zijn duimpje, "Het hijgend hert der jacht ontkomen" ligt voortdurend op de loer. En dan die fase waarin hij echt dacht dat hij een pion was in het schaakspel van de god Karel van het Reve en de duivel Vladimir Nabokov, of die waanachtige Verlosser-belevingen van hem. Hij vindt de mensheid soms zo treurig, er moet iets gedaan worden aan die treurige staat der dingen. Hij heeft voor zichzelf vaak een rol als verlosser van al die ellende gezien. Dat gevoel dat alles zielig is steekt nog steeds snel de kop op.

Zijn zusje Coby was geestelijk gehandicapt en zijn broer was mijns inziens matig begaafd maar ook een psychiatrisch gestoorde chronische patiënt in St. Bavo, Noordwijkerhout.

Maarten en Eva zorgden erg goed voor Coby. Eva is natuurlijk zeer sociaal dus Coby was daar nogal eens. Los van de zorgen over de familie drukte mijns inziens toch ook wel de doem van erfelijkheid enigszins.

De laatste jaren gaat het steeds slechter met Maarten. In het afgelopen jaar is hij twee keer langdurig opgenomen wegens een ernstige manie. Hij zit nu op het LUMC-terrein bij Rivierduinen, de nieuwe naam voor Endegeest, in een zogenaamde multifunctionele eenheid. Wel een heel andere omgeving dan het oude Endegeest, *to say the least*! Ik heb me toentertijd tegen de locatie van dat gebouw wel enigszins verzet, tussen het station en parkeergarages ingeklemd. Soms heb ik het idee dat Maarten zich daar driehoog als een goudvis op zeepsop voelt.

Afijn, de kamer die hij daar heeft is wel veel beter dan in welke accommodatie ook. Maar dat uitkijken vanaf dat met gaas afgezette balkon blijft treurig. En verder zit hij alleen maar in de rookcabine, stevig sigaren rokend, ook al omdat op de zaal de hele dag een geweldig grote televisie aanstaat. En hij haat televisie. Als ik nu bij hem op bezoek ga zegt mijn vrouw altijd tegen me: "Trek nou niet zo'n mooi jasje aan want je komt doorrookt terug."

Ze probeerden hem daar aan creatieve therapie mee te laten doen. Vergeefs hoor. Ik had laat in de middag een eindje met hem gewandeld. Toen we terugkwamen kwam er een verpleeg-ster naar hem toe en die zei: "Mooi dat u er bent want de dok-ter wil nog met u spreken over de creatieve therapie." Eva kwam toen toevallig ook net binnen en die zei meteen: "Geen sprake van! Geen therapie!" Zij weet natuurlijk als geen ander dat dat niks voor hem is. Zij krijgt dan al snel de rol van boeman, terwijl Maarten tegen haar voortdurend loopt te klagen over die malle therapie. Zoals ik al zei: vroeger was hij dol op arbeidstherapie, tekenen en etsen. Maar waar hij nu zit is het vooral papiertjes vou-wen of tekeningen inkleuren. En dat is niks voor hem.

Vroeger was Endegeest een behoorlijk traditionele inrichting maar er waren ook grappige dingen. Je had bijvoorbeeld de thera-pie bij broeder Braams. Patiënten konden er timmeren, zagen, beeldhouwen, etsen, wat niet al. Dat speelde zich allemaal af in een grote houten barak op het terrein, met hier een kamer waar ze zaten te timmeren en daar een kamer waar werd geschilderd. Erg aantrekkelijk, het vervult Maarten nog steeds met nostalgie. Lees nog maar eens het verhaal "De heer Mellenberg".

Later kwam er op het terrein een nieuw therapiegebouw, en alles werd geordend. Het onbevangene van die therapie ver-dween. In het verhaal "Angst" beschrijft Maarten hoe hij even op Endegeest kwam kijken omdat hij voelde dat hij wel weer eens opgenomen zou kunnen worden. Hij ging ook langs bij het nieu-we therapiegebouw. Daar zaten de mensen, zoals hij zo mooi be-schrijft, als "een hoopje natte vliegen" aan de wand geplakt. Het was allemaal veel te netjes voor hem geworden. Braams, van huis uit een oude verpleegkundige die heel handig en ontzettend mak-kelijk met al die moeilijke klanten omging, werkte daar toen nog wel. Maar er was zo'n nieuwlichterige, beetje alternatief-kunst-zinnige figuur bij gekomen die op een hogere therapeutische opleiding had gezeten en opeens kwamen er gewichtige patiën-tenbesprekingen en meer van die dingen. Nee, dat sfeertje was wel verpest, aldus Maarten.

Bij Rivierduinen hebben ze hem weer op de been gekregen. Nu met veel minder medicijnen, nog wat olanzapine geloof ik, een anti-psychotisch middel, en stemmingsstabilisatoren. En ze hebben hem daar weer in een dag-en-nachtritme gekregen. Hij mag met enige regelmaat 's middags naar huis. Alles voor zolang het duurt natuurlijk.

Toen ik hem laatst zag sprak hij alleszins redelijk. Inmiddels zijn ze ook helemaal gestopt met lithium, begrijp ik. Bij lithium moet je regelmatig controleren of er geen vergiftiging dreigt. Dat moet je goed in de gaten houden. Maar hij heeft een hekel aan dat prikken.

Ik zei tegen hem: "Of je nu die lithium wílt slikken of niet: je laat je wel prikken hoor." Lithium heeft, in mijn tijd, heel lang goed geholpen maar Maarten met zijn stralende eigenwijzigheid wilde per se niet hier op het lab geprikt worden. Via de huisarts is toen geregeld dat dat via het huisartsenlaboratorium zou gaan. Maar dat werd regelmatig door hem verwaarloosd, hij is dan op het roekeloze af. Hij kwam een keertje op de poli en toen zat hij toch verschrikkelijk te trillen, toen is hij ogenblikkelijk geprikt en bleek dat hij een veel te hoge lithiumspiegel had. Dat is gevaarlijk hoor, we zijn toen direct gestopt met lithium want het risico van nierbeschadiging was veel te groot.

Hoe het nu verder met hem moet? Ja, dat moeten zijn huidige behandelaren natuurlijk bepalen. Maar ik denk dat ze er streng op moeten toezien dat hij zijn medicatie regelmatig inneemt en dat hij lichamelijk aansterkt. Ik heb Maarten gezegd dat hij overal aan mee moet werken, alles moet uitproberen, om daar zo snel mogelijk weg te komen.'

Leiden, augustus 2018

Verantwoording

De verhalen zijn gekozen door Eva Biesheuvel en Aart Hoekman. Zij konden door welwillende medewerking van uitgeverij Van Oorschot gebruikmaken van de teksten uit Biesheuvels *Verzameld werk*, Amsterdam 2008.

De brieven en verhalen opgenomen onder *Niet eerder gepubliceerd werk* zijn chronologisch gerangschikt en verschenen, met uitzondering van 'De weg naar het licht' (*In Foro*, nr. 6 juli 1976) en 'De wrede gek' (*Hollands Maandblad*, nr. 3, 2013), niet eerder in druk. 'Optreden in het voorprogramma van het Boekenbal 2015' is een bewerking van gesproken tekst.

'Bij wijze van inleiding' door Eva Biesheuvel is voortgekomen uit gesprekken met Aart Hoekman.

De samenstellers bedanken Menno Hartman, Andy Lameijn, Lizzy Loesberg, Caroline Louw, Syl de Mooy, Anita Roeland, Ruud Roodhorst en Gerard in 't Veld voor hun medewerking.